## Über den Autor

Der Autor Christian Friedrich trat bisher nur als Fachbuchautor sehr erfolgreich in Erscheinung. Mit diesem Werk versucht er als Sachbuchautor an diese Erfolge anzuknüpfen. Er arbeitet in der Softwareentwicklung und der Qualitätssicherung hauptsächlich im Umfeld der Forschung und Entwicklung von Medizintechnik und In-Vitro-Diagnostik.

Mit seinen im bisherigen Berufsleben sehr geschätzten analytischen Fähigkeiten, gepaart mit einem Humor, dessen Palette von feinsinnig bis bärbeißig jede Schattierung aufweist, beleuchtet er die Entwicklung des Zeitgeistes über die letzten 30 Jahre aus einer ganz besonderen und facettenreichen Perspektive.

Christian Friedrich

# WEICHER KORPUS
# WEICHER KERN
# WEICHER KEKS

Die Dreifaltigkeit des Versagens

Bibliografische Information der Deutschen Nationalbibliothek:
Die Deutsche Nationalbibliothek verzeichnet diese Publikation in der
Deutschen Nationalbibliografie; detaillierte bibliografische Daten sind im
Internet über http://dnb.dnb.de abrufbar.

© 2021 Christian Friedrich

Herstellung und Verlag: BoD – Books on Demand, Norderstedt

ISBN: 978-3-7534-7912-5

**Danksagung**

An dieser Stelle möchte ich allen fleißigen Händen danken, die direkt oder indirekt an der Produktion und dem Vertrieb eines solchen Werkes beteiligt sind und die ansonsten eher keine Erwähnung und Würdigung ihrer Leistung finden.

Mein besonderer Dank geht an meine kongeniale Ex-Kollegin Carola, die mich in der Entstehungszeit dieses Werkes immer wieder darin bestärkt hat, auf dem richtigen Weg zu sein.

Außerdem möchte ich meinen speziellen Dank an meine Freunde Jan und Alex richten, die mich in der Endphase meines Schaffens quasi über die Ziellinie getragen haben.

# Inhalt

I

II

# Vorwort

Kennen Sie das auch? Sie gehen einer täglichen Routine nach, alles scheint immer in denselben, festgelegten Bahnen zu verlaufen und nach Jahren stellen Sie unvermittelt fest, dass sich die Dinge signifikant geändert haben, langsam, kaum wahrnehmbar, in einem schleichenden Prozess. Was früher eher die Ausnahme war ist jetzt die Regel und auf einmal drängt sich die Veränderung ins Bewusstsein. Nicht dass Veränderung grundsätzlich etwas Schlechtes sein muss, hier gilt es erst mal nach den Konsequenzen dieser Veränderungen auf unser tägliches Leben zu fragen. Typische Gepflogenheiten und Verhaltensmuster für einen bestimmten zeitlichen Abschnitt bezeichnet mal Zeitgeist. Der Zeitgeist bestimmt die aktuellen und allgemein akzeptieren Denk- und Handlungsnormen. Betroffen sind alle Lebensbereiche, insbesondere auch der Sport (sowohl Breiten- als auch Leistungssport), den ich beruhend aufgrund meiner eigenen Erfahrungen und Beobachtung als Gradmesser heranziehe.

Das Buch ist in drei große Teile aufgeteilt, in denen ich in lose verknüpften, amüsant-kritischen oder auch mal kritisch-amüsanten Episoden auf die Veränderungen der wesentlichen Aspekte des Individuums Mensch eingehe.

In *Teil 1: Weicher Korpus* geht es um die körperlichen Qualitäten, wie Durchhaltevermögen, Leistungsbereitschaft oder Leidensfähigkeit.

In *Teil 2: Weicher Kern* stehen Persönlichkeit und Charakter, aber auch das Wertesystem und deren Vorbilder im Vordergrund.

Schließlich beschäftigt sich *Teil 3: Weicher Keks* mit dem großen Themenbereich Denken, Wissen, Bildung und Intelligenz.

Gemeinsam ist allen Teilen, dass es sich nicht um wissenschaftliche Abhandlungen handeln soll, sondern lediglich der Versuch, auch mal über den Tellerrand hinauszuschauen, um sich einer neuen Sichtweise, einer neuen Perspektive zu öffnen und mit dem eigenen Status quo abzugleichen. Dass die vorliegenden Kapitel meine Perspektive wiedergeben und somit vollkommen subjektiv sind, liegt auf der Hand. Wer jedoch nur meine facettenreichen Ausführungen zum alleinigen Zwecke der Unterhaltung liest sei ebenso willkommen! Ich wünsche allen meinen Leserinnen und Lesern viel Vergnügen bei der Lektüre!

Korpus, Kern, Keks und alles in weich: die Dreifaltigkeit des Versagens!


Christian Friedrich, Autor

# Teil 1: Weicher Korpus

## Körper :: Zähigkeit :: Wohlbefinden

Geht es uns gut? Es geht uns gut! Und noch während ich den vorangegangenen Satz in mein Manuskript schreibe, höre ich bereits einen Teil meiner sehr geschätzten Leserschaft lauthals protestieren, dass es uns überhaupt nicht gut geht. Aber mal ehrlich, wir leben in einem politisch stabilen Umfeld und mit einer ebenso stabilen Wirtschaftslage, die es den meisten Menschen in unserem Land ermöglicht, zweimal im Jahr in Urlaub zu fahren, einen Zweitwagen zu besitzen, ebenso einen Flatscreen, einen Computer, einen Laptop, ein Tablet, ein Smartphone, eine Spielekonsole und so weiter. Die Supermärkte sind prall gefüllt, unsere Lieblings-Website ist Amazon.de und als Hobbies haben wir Shopping und Chillen neu für uns entdeckt. Geht es uns gut? Es geht uns gut!

Schön, dass Sie schlussendlich doch noch meiner Meinung zustimmen konnten. Und was passiert, wenn es einer Gesellschaft gut geht? Richtig, Dekadenz breitet sich aus. Das ist ein ganz normaler Vorgang, der sich des Öfteren in der Geschichte beobachten lässt, wie zum Beispiel bei den antiken Römer. In den Zeiten der Expansion des Römischen Reiches brauchte es Männer, die den körperlichen und seelischen Strapazen von Schlachten und wochenlangen Gewaltmärschen mit schwerer Ausrüstung gewachsen waren und das oft bei schlechter Ernährung und fern der Heimat. Ebenfalls brauchte es ein gerütteltes Maß an Disziplin. Ganz anders in den Perioden des Friedens, in denen auch wir das Privileg haben zu leben und der einzige

Kampf, den wir in den Ländern der ersten Welt noch ausfechten müssen, ist eben jener gegen die Dekadenz. Aber obwohl wir gerade eine Fitness-Welle wie in den 1980er Jahren erleben und Fitness-Studios online und offline wie Pilze aus dem Boden schießen und neue, vor allem gesunde Ernährungstrends überall thematisiert werden, scheinen die Industrieländer diesen Kampf zu verlieren. Der zunehmende Prozentsatz an übergewichtigen Kindern und Erwachsenen an der Gesamtbevölkerung der Industrienationen mag nur ein Indiz dafür sein. Kulinarische Verlockungen finden sich an jeder Straßenecke. Gleichzeitig wird unser Alltagsleben durch dienstbare Geister wie Saugroboter oder automatische Rasenmäher immer bequemer und selbst unsere Micro-Mobilität wird zunehmend elektrisch unterstützt, wie E-Bikes, Scooter, Segway und Co beweisen. Außerdem wird für jede noch so kleine Besorgung der Monster-SUV aus der viel zu engen Garage befreit, nur um sich dann mit anderen Monster-SUVs dicht an dicht auf Parkplatzstellflächen der Supermärkte zu drängeln, deren Standard-Abmessungen wahrscheinlich noch aus einer Zeit stammen, in denen die Straßen mit Isetta und VW Käfer bevölkert waren.

Die fortschreitende Dekadenz hat nicht nur allgemeine gesellschaftliche Konsequenzen zur Folge, sondern auch in den Bereichen, in denen körperliche Robustheit immer noch eine gefragte Eigenschaft ist, wie zum Beispiel dem Sport. Und mit Sport meine ich allen Bereichen des Sports, vom Breitensport bis zum Spitzensport.

# Sport ist Mord

*Es lebe der Sport, er ist gesund und macht uns hart. Er gibt uns Kraft er gibt uns Schwung. Er ist beliebt bei Alt und Jung…, so heißt es in Rainhard Fendrichs Augen zwinkernder Hymne an den Sport. Und mit ein wenig wienerischem Dialekt versehen reimt es sich sogar noch besser.*

Ein bekannter Spruch lautet: *Sport und Turnen füllen Gräber und Urnen.* Oder noch bekannter ist: *Sport ist Mord,* was aber nicht ganz korrekt ist, denn wenn wir davon ausgehen, dass wir freiwillig Sport machen und wir gleichzeitig auch die Opfer unseres ureigensten Bewegungsdranges sind, dann müsste es natürlich *Sport ist Selbstmord* heißen. Aber obwohl es unbestritten ist, dass es bedauerlicherweise schon Todesfälle in nahezu jeder Sportart gegeben hat, so gilt Sport doch im Allgemeinen als gesundheitsfördernd und damit lebensverlängernd. Natürlich kommt es dabei sehr auf die jeweilige Sportart und deren spezifisches Risiko an, sowie auf die Intensität, mit der die Sportart betrieben wird.

Nun, ich bin weder Sportmediziner, der Sie mit Statistiken über Sportverletzungen konfrontieren möchte, noch bin ich Angestellter einer Versicherung, der Ihnen die jährlichen Kosten für Sportverletzungen aufrechnen will. Aber als Basketballspieler und Trainer mit Jahrzehnten an Erfahrung kann ich Ihnen versichern, dass man sich im Basketball ab und zu weh tut. Gelegentlich sogar sehr weh tut. Aber von Mord oder von Selbstmord kann absolut keine Rede sein. Der Spruch *Sport ist Mord* wurde vermutlich von einem Schöngeist geprägt, der bei der prägnanten Formulierung mehr den dichterischen Effekt, als den Wahrheitsgehalt der Aussage im Blick hatte. Wobei ich anmerken möchte, dass es sich um einen unsauberen Reim handelt, da ein hartes T auf ein weiches D trifft, was aber durch die gleich anlautenden Vokale und eine verschliffene Sprechweise am Wortende kaum ins Gewicht fällt.

Wie dem auch sei, jedenfalls haben die Bewegungsabstinenzler und Couch Potatoes dieser Welt eine griffige Formulierung an der Hand, um weiterhin die Polster der heimischen Sofas und Sessel zu strapazieren und Sporthallen und Sportplätze gleich welcher Art zu meiden. Dabei macht Sport Spaß, Sport hilft uns Stress abzubauen, hält uns jung und in Form und lässt uns die täglichen Herausforderungen des Alltags mit mehr Energie und Elan bewältigen. Aber versuchen Sie mal diese Vorzüge in eine ähnlich erfolgreiche Formulierung zu packen!

Dass Sport also kein Selbstmord ist, sondern sehr viele positive Aspekte hat, habe ich Ihnen hoffentlich klargemacht, sofern es Ihnen nicht schon vorher bekannt war. Dennoch möchte ich Ihnen nicht verhehlen, dass es im Sport immer zu kleineren Verletzungen und Blessuren kommen wird. Im Basketball sind das Blasen von den neuen Schuhen, die man erst 20 Minuten vor dem Training erworben hat, Schürf- und Kratzverletzungen, Hämatome von den Knien oder Ellenbogen des Gegners, Finger- und Kapselverletzungen, und so weiter. Und nicht selten bekommt man auch mal einen Ball an den Kopf oder ins Gesicht. Wenn Sie Basketball wettkampfmäßig betreiben, dann werden Sie zudem im Training an Ihre Leistungsgrenzen geführt und manchmal auch ein Stück darüber hinaus.

Aber ein Basketballer sollte in der Lage sein, all das zu ertragen und es kurzerhand wegzustecken, ohne viel Aufhebens darum zu machen. Denn Sportler zu sein heißt auch, ein gewisses Maß an körperlicher und psychischer Abhärtung zu entwickeln. Jeder Mensch besitzt eine physische Leidensfähigkeit, die oft auch als Schmerzgrenze bezeichnet wird. Je öfter der Mensch einem Schmerzimpuls ausgesetzt wird, desto unempfindlicher wird er gegenüber diesem Reiz und desto weiter verschiebt sich die Schmerzgrenze. Zudem muss ein Sportler in der Lage sein, Schmerzen mental auszublenden, im Wettkampf übernimmt diese Aufgabe der erhöhte Adrenalinspiegel. Doch Vorsicht, denn das Schmerzempfinden ist ein Warnsignal des Körpers, welches dem Gehirn mitteilt, beim Einsatz bestimmter Körperteile besonders vorsichtig zu sein, da ein Defekt vorliegt. Als Reaktion auf den Schmerz wird nun versucht, durch Änderung des Bewegungsablaufs die betroffene Körperpartie zu schonen. Als Sportler müssen Sie in der Lage sein, Ihren Körper genau zu lesen und zu verstehen, denn nur dann können Sie entscheiden, wann Sie einen Schmerz einfach ausblenden und wann Sie besser eine Pause einlegen oder das Training oder den Wettkampf sofort beenden. So ist eine Schürfverletzung vom Hallenboden sehr schmerzlich und unangenehm aber mit Sicherheit kein Grund, nicht weiter zu spielen.

In meinen über 25 Jahren als Basketball-Trainer habe ich die Beobachtung gemacht, dass die Leidensfähigkeit der Spieler deutlich abgenommen hat. In den folgenden Kapiteln werde ich Ihnen mit einem Augenzwinkern schildern, wie die harte Schale von Sportlern und Sportverzichtlern gleichermaßen zunehmend im Aufweichen begriffen ist.

# Begrabt mich an der Freiwurflinie

*Es regnet, es regnet, die Erde wird nass.*

*Wir sind nicht aus Zucker uns macht es Spaß.*

*Deutschsprachiges Kinderlied aus dem 19. Jahrhundert*

Sicher kennen Sie alle dieses bekannte Kinderlied. Doch während ich dem Wahrheitsgehalt der ersten Zeile uneingeschränkt zustimmen kann, bin ich mir bei der zweiten Zeile gar nicht so sicher. Im Gegenteil, manchmal habe ich sogar das Gefühl, das kristalliner Zucker immer noch mehr Widerstandskraft gegenüber Regenwasser aufbringt als viele Jugendliche gegenüber den Widrigkeiten einer Sportart, wie Basketball. Die Konsistenz ist da eher schon bei Zuckerwatte angelangt.

Natürlich trifft das nicht auf alle Jugendlichen zu, aber der Trend ist unverkennbar, sofern man überhaupt noch von einem Trend sprechen kann. Das Erstaunliche dabei ist, dass vor allem die Jungen davon betroffen sind, während die Mädchen doch wesentlich taffer sind. Spontan fällt mir eine Spielerin ein, die mit ihren 16 Jahren sehr zierlich gebaut war. Einmal hat sie einen sehr harten Pass aus unmittelbarer Nähe an den Kopf bekommen, der selbst beim bloßen Hinsehen Schmerzen verursachte. Doch die eben erwähnte Spielerin hat das absolut ungerührt weggesteckt, sie ist beim Einschlag nicht einmal für den Bruchteil einer Sekunde zusammengezuckt und hat danach mit keiner noch so kleinen Geste das Gefühl von Schmerz ausgedrückt. Sie zeigte genau die Art von Schmerzunempfindlichkeit, die ein Sportler haben sollte und die ich im vorangegangenen Kapitel angesprochen habe.

Doch leider gab und gibt es in unserer Abteilung nicht genug Spielerinnen und Spieler dieses Kalibers, wie ich in einem Spiel der männlichen U16 feststellen musste. Es war ein Heimspiel und zu Gast war ein neu gegründeter Verein, der einzige Gegner in der kleinen Liga, gegen den wir die Chance auf einen Sieg hatten. Doch dazu, so wusste ich genau, musste alles zusammenpassen. Leider verzichtete einer unserer besseren Spieler von vorneherein auf die Teilnahme am Spiel, er hatte wohl besseres zu tun. Aber das ist ein anderes Kapitel. So mussten also die verbliebenen Spieler aus dem ohnehin kleinen Kader die Sache richten. Meine Hoffnungen ruhten dabei unter anderem auf unserem Center. Stellen Sie sich einen jungen Kerl vor, groß, mit kräftigen Oberarmen und einer imposanten Statur. Vielleicht noch ein bisschen viel Babyspeck, aber OK. Jedenfalls war er mit Abstand der physisch dominante Spieler auf dem Feld.

Ein Basketballspiel beginnt mit einem Sprungball in der Mitte des Spielfeldes. Die beiden größten Spieler einer Mannschaft oder die Spieler, bei denen die Kombination aus Größe und Sprungkraft optimal ist, treten gegeneinander an, um den vom Schiedsrichter hoch geworfenen Ball zu einem ihrer Mitspieler zu tippen. Also: der Ball wird hochgeworfen, beide Spieler springen hoch, der Ball wird weggetippt und ein Mark erschütternder Schrei ertönt. Danach Stille und ich sehe nur noch meinen Center-Spieler regungslos auf dem Bauch liegend, das Gesicht zum Boden zeigend. Was war geschehen? Von meinem Standort sah es so aus, als habe der Fuß des gegnerischen Spielers beim Sprungball gegen das Schienbein getreten meines Spielers getreten, kurz oberhalb des Basketball-Schuhs. Das ist sicher sehr schmerzhaft, aber mit Sicherheit kein Grund ewig auf dem Boden liegen zu bleiben. Doch mein Spieler liegt und liegt und liegt und will überhaupt nicht mehr aufstehen. Er rührt sich einfach nicht mehr. Langsam beginne ich mich zu fragen, ob er vielleicht doch mehr abbekommen hat. Die nahe liegende Vermutung: Umknicken bei der Landung und Bänderriss. Aber davon habe ich nichts gesehen. Während ich also noch so in meine Überlegungen vertieft bin, erbarmt sich der Schiedsrichter und lässt einen Betreuer auf das Spielfeld, der die traurigen und humpelnden Überreste unseres Centers vom Platz führt.

Super! Noch nicht einmal fünf Sekunden gespielt und schon habe ich einen meiner wichtigsten Spieler verloren. Was kann man von einem Spiel erwarten, das schon so beginnt. Ich werde es Ihnen verraten, denn ich hatte ja das zweifelhafte Vergnügen, alles aus nächster Nähe zu beobachten. Und so wurde ich Zeuge eines kleinen Wunders, ja so möchte ich es nennen. Das Spiel lief schon eine ganze Zeit lang und längst hatte ich meinen Center-Spieler aus meinen taktischen Überlegungen verbannt, als eben jener Freude strahlend und quicklebendig hinter mir auftauchte und verkündete, wieder mitspielen zu können. Wenn das nicht an Wunderheilung grenzt, dann weiß ich auch nicht.

Nur einer war in Sachen Wunderheilung noch schneller, aber der war ja auch ein durchtrainierter Spitzensportler. Erinnern Sie sich noch? Damals bei der Fußball-WM 1990 in Italien im Gruppenspiel Deutschland gegen Kolumbien. Der kolumbianische Superstar Carlos Valderrama wurde von Klaus Augenthaler vermeintlich so bösartig gefoult, dass er minutenlang regungslos auf dem Boden liegen blieb. Schließlich wurde er auf einer Trage – oder sollte ich in diesem Fall eher von einer Bahre sprechen – vom Spielfeld getragen und die Partie wurde wieder angepfiffen. Es muss wohl doch eine Trage gewesen sein, denn kaum aufgeladen kamen auch schon die Lebensgeister zurück und er begann durch Gesten und Mimik die ungeheuren Schmerzen auszudrücken, die er verspürte. Kaum hatten die Träger die äußere Spielfeldmarkierung überschritten, als Valderrama von der Transportliege sprang und sich beim Schiedsrichter für das Spiel zurückmeldete. Wahnsinn! Gerade noch Sportinvalide mit Karriere terminierender Verletzung und nur ein paar Sekunden später schmerzfrei und voller Tatendrang. Wenn das keine Wunderheilung ist, dann weiß ich auch nicht. Egal, Hauptsache wieder gesund!

Doch zurück zu unserem Basketballspiel. Wenn Sie glauben, dass mit der Wunderheilung unseres Centers die Verletzungsgeschichte dieses Spiels geschrieben war, dann liegen Sie weit daneben. Denn was jetzt kommt geht richtig unter die Haut, ja, es fließt sogar fast Blut. Ein Flügelspieler hatte beim Kampf um den Ball vollen Einsatz gezeigt und dabei Kontakt mit dem Hallenboden aufgenommen. Und wie so oft in solchen Situationen hat der Hallenboden sein ewiges Mal eingebrannt, dass mindestens für fünf Tage sichtbar bleibt. Diesmal auf dem rechten Knie. Aber kein Problem, denn unser tapferer Flügelspieler ist mehr oder weniger gleich wieder aufgestanden. Die eigentliche Show begann als er wenig später wieder auf der Ersatzbank Platz nahm. Eilfertig kam seine Mutter von der Zuschauertribüne, um die Wunde fachgerecht zu versorgen. Bewaffnet war sie dazu mit einem frischen Papiertaschentuch und einer kleinen Flasche billigsten Mineralwassers. Die Flasche wurde aufgeschraubt, das Taschentuch vor die Öffnung der Flasche gehalten und die Flasche wurde schwungvoll gekippt – einmal, zweimal, dreimal, viermal, fünfmal… Danach wurde die Wunde sorgfältig abgetupft. Das sah alles sehr professionell aus, aber wen wundert es, denn soweit ich weiß arbeite die gute Frau als Gehilfin bei einem Tierarzt. Halb fassungslos und halb belustigt betrachtete ich den Vorgang, der sich mehrmals wiederholte und machte mir Gedanken über die Wirksamkeit dieser Prozedur. Sicherlich ist es nicht falsch eine solche Blessur mit klarem Wasser abzuspülen, allerdings eignen sich Papiertaschentücher nur bedingt zur Wundreinigung, da Fasern in die Wunde eingebracht werden können. Bei gepresstem Zellstoff ist das aber nicht besonders gefährlich. Als die Wundversorgung endlich abgeschlossen war und ich Flügelspieler wieder auf das Spielfeld schicken wollte, bat dieser darum, noch draußen bleiben zu dürfen, weil die Wunde noch brenne. So ist das eben nun mal: Schweiß enthält Salze und metallische Ionen, die bei oberflächlichen Verletzungen direkt an die Rezeptoren des Nervensystems gelangen können, was wir als Brennen empfinden. Ich wollte noch etwas sagen, habe es aber gelassen. Das Spiel war ohnehin längst gelaufen. Ich hatte nur noch einen letzten Wunsch: Begrabt mich an der Freiwurflinie!

# Die Garzeit eines Weicheis

*Oder wie es Sangeskamerad Herbert Grönemeyer einst aber für immer unvergesslich textete: Mama, Mama, wann ist man ein Mann?*

Sicher mögen einige von Ihnen nach der Lektüre des voran gegangenen Kapitels die Hände über dem Kopf zusammenschlagen und etwas Ähnliches sagen oder denken wie: *Du meine Güte, es sind eben noch Kindern*. Das ist schon richtig. Allerdings sollte man doch erwarten können, dass man mit 16 Jahren schon eine kleine Schürfverletzung am Bein verkraften kann. Die körperliche Abhärtung sollte einhergehen mit der Altersentwicklung, sonst entsteht hier ein Defizit, das bei der Ausübung bestimmter Sportarten durchaus zu Problemen führen kann, auch im mentalen Bereich. Ein weiteres Beispiel aus meiner Trainerzeit: es war bei einem U10-Turnier zu dem meine Co-Trainerin und ich mit unseren sieben- bis achtjährigen Kindern angetreten sind. Im Verlaufe des Turniers mussten wir auch gegen die U12-Mannschaft des gastgebenden Vereins antreten, die außer Konkurrenz mitspielte, da die Spieler dieser Mannschaft die Altersgrenze für dieses Turnier schon weit überschritten hatten. Wir stellten unsere Spieler mental auf die körperlichen Vorteile des Gegners ein und sagten ihnen sich nicht entmutigen zu lassen, ganz gleich wie dieses Spiel verlaufen möge. Und so entstand ein Spiel, in dem wir durchaus mithalten konnten. Eine Szene ist uns Trainern dabei besonders im Gedächtnis haften geblieben. Ein für sein Alter großer, schlaksiger Junge, mit der Frisur von Harry Potter und mit der Brille von Harry Potter – also dieser Harry-Potter-Verschnitt hatte in der Nähe unseres Korbes den Ball in beiden Händen und suchte nach einer Anspielstation. Ich rief eine unserer Spielerinnen beim Namen und sagte ihr, sie solle sich den Ball schnappen. Obwohl die angesprochene Spielerin vier Jahre jünger und nur halb so groß war wie Harry Potter, nahm sie ihr Herz in beide Hände und mit einem anderen Händepaar griff sie beherzt nach dem Ball. Ein kurzer, kräftiger Ruck und schon hatte sie den Ball für sich erobert und leitete den Angriff ein. Als wir bereits die Mittellinie mit einer 3:0 Überzahl überquert hatten und ich vor meinem geistigen Auge schon einen weiteren schönen Korberfolg sehen konnte, holte mich ein unerwarteter Pfiff des Schiedsrichters jäh in die Realität zurück. Was war geschehen? Ein technischer Fehler meiner Mannschaft? Nö, da war alles sauber. Nach einem Moment der Orientierungslosigkeit projizierte ich die Trajektorien der beiden Schiedsrichter zum gemeinsamen Schnittpunkt und fand schließlich den Grund für den Pfiff heraus. Noch am Ort des Ballverlustes stehend setzte Harry Potter heulend unsere Zone unter Trollrotz und Wasser. Auf die Befragung, was denn los sei, beschwerte er sich doch tatsächlich, dass man ihm den Ball weggenommen habe! Ist das zu fassen? Vier Jahre älter und drei Köpfe größer und er beschwert sich darüber, dass ein kleines Mädchen ihm den Ball weggenommen hatte? Doch anstatt dem Jungen zu erklären, dass Basketball nun einmal so gespielt wird, bekommt er zum Trost auch noch zwei Freiwürfe geschenkt. Müßig zu sagen, dass ich als Trainer ganz schön angefressen war ob dieser Entscheidung, denn damit wurden wir gleich mehrfach bestraft. Nicht nur, weil uns ein aussichtsreicher Angriff ohne einen vorliegenden Regelverstoß abgepfiffen wurde, zudem nahm man uns noch den Ballbesitz und damit nicht genug gab man dem Gegner auch noch die Möglichkeit selbst zu einfachen Punkten zu kommen. Und das Schlimmste an der Sache war, dass man Harry Potter damit bestätigte im Recht zu sein. Vermutlich hielten die beiden Schiedsrichter ihre

Entscheidung für superpädagogisch aber das genaue Gegenteil ist der Fall, denn über kurz oder lang würde sich der Junge wieder in einer ähnlichen Lage befinden, in der er sich behaupten müsse und der Countdown dafür lief bereits. Auf der anderen Seite hatte meine kleine Spielerin, beseelt von der gelungenen Verteidigungsaktion und dem Lob ihrer beiden Trainer an Selbstvertrauen gewonnen und jeglichen Respekt vor der körperlichen Überlegenheit des Gegners verloren und jagte fortan jedem Ball nach, der in ihre Nähe kam. Und so konnte sie nur kurze Zeit später wieder einen Ballgewinn verbuchen und Sie ahnen es schon, natürlich traf es wieder Harry-Ich-bin-zu-lahm-um-den-Schokofrosch-zu-fangen-Potter. Die Spielsituation war nahezu identisch mit der vorherigen und das gilt auch für die darauffolgenden Reaktionsschemata bei allen aktiven oder passiven Beteiligten. Es ist nicht meine Art, mich in die Angelegenheiten anderer Mannschaften einzumischen, aber das Maß war voll. Genervt von den minutenlangen Unterbrechungen, der Inkompetenz der Schiedsrichter und der Hilflosigkeit der beiden Trainer der anderen Mannschaft fragte ich die Letzteren, ob man die Heulsuse nicht permanent und rückstandsfrei vom Spielfeld entfernen könne, damit wieder Basketball gespielt werden könne. Es ist nur allzu verständlich, dass ich mich mit diesen Äußerungen nicht gerade beliebt gemacht habe, allerdings kam der schärfste Protest von einer Seite, von der ich es am wenigsten erwartet hatte, nämlich von den Schiedsrichtern und den Trainern des Gegners. Bisher waren diese vier Akteure mehr wie die neugeborenen Lämmer in der Herde, anstatt deren Beschützer. Aber dieser akute Anfall von Courage sollte nicht allzu lange andauern, denn nachdem ich noch einmal die Fakten des Vorganges aufgezählt hatte herrschte danach wieder das Schweigen der Lämmer. Unerwartet viel Zuspruch bekam ich dagegen von den zuschauenden Eltern der anderen Mannschaften, die offensichtlich die Situation genauso bewerteten, wie ich es tat: der

Junge war eindeutig mit den Anforderungen des sportlichen Wettkampfs überfordert. Das Fazit: der Trieb des Jungen sich selbst zu behaupten war zu dem damaligen Zeitpunkt völlig unterentwickelt und man muss die Frage stellen, in welche sozialen Strukturen er bisher eingebettet war. Zuallererst hege ich die Vermutung, dass er ein Einzelkind ist, denn der Konkurrenzkampf unter Geschwistern ist normalerweise der erste Prüfstein im Leben, ob man seine persönlichen Gegenstände gegen den Zugriff der anderer verteidigen oder im Notfall auch zurück fordern kann. Aber was ist mit Kindergarten oder Schule? Spätestens hier hätte der Junge die entsprechenden Qualitäten erlernen müssen, was aber auch nicht der Fall zu sein scheint. Ich bin kein Kinderpsychologe aber meines Erachtens wird diese Fähigkeit normalerweise im Kleinkindalter, etwa mit vier bis fünf Jahren erworben. Damit hängt der Junge in seiner Entwicklung bereits um etliche Jahre hinterher. Hier ist dringender Handlungsbedarf angesagt, damit er in Zukunft für sich und seine Angelegenheiten selbst einstehen kann.

Ein anderer Fall von akutem Weichei-Syndrom, diesmal aus der Kategorie *Erheiternd*, avancierte bei meinem damaligen Co-Trainer und mir über Jahre hinweg zu einem Running Gag. Unsere Mannschaft, diesmal eine U14, versammelte sich auf dem Parkplatz vor der Sporthalle zur gemeinsamen Abfahrt zum Auswärtsspiel als plötzlich unser Center auf uns zulief und schon vom weitem verkündete, nicht spielen zu können, da er verletzt sei. Dabei hielt er beide Arme voraus, die Hände mit den Daumen nach oben, die beide geschmückt waren mit handelsüblichen Heftpflastern. Auf die Frage nach der Art der Verletzung gab er Schnittwunden an, die ziemlich tief seien, wie er mehrfach betonte. Natürlich muss ich als verantwortlicher Trainer eine solchen Aussage ernst nehmen, obwohl die beiden Heftpflaster nicht gerade die Message transportierten, dass es sich hier um schwerwiegende Verletzungen handeln würde. Um sicher zu gehen begann ich mit der Befragung: wie kam es zu der Verletzung? Beim Frühstück wollte er sich ein Brötchen mit einer bekannten Nuss-Nugat-Creme schmieren. Wie kann man sich beim Schmieren eines Brötchens in den Daumen schneiden? Die Antwort: nicht beim Schmieren, sondern beim Aufschneiden des Brötchens. Aha. Und wieso sind beide Daumen verletzt? Nachdem er sich in den einen Daumen geschnitten hatte, hätte er das Messer in die andere Hand genommen und sich damit nochmals geschnitten. Aha. Mein Co-Trainer und ich konnten ein lautes Lachen kaum noch unterdrücken. Und weil unser Spieler merkte, dass wir die Geschichte nicht so ganz ernst nahmen, wurde er immer eindringlicher. Er nahm das Pflaster an einem Daumen ab und zeigte uns den Einschnitt. Doch weder mein Co-Trainer noch ich konnten einen Einschnitt erkennen. Auch keine Rötung oder einen ausgefranzten Wundrand, denn schließlich wird er ja nicht mit einem Skalpell sein Brötchen aufgeschnitten haben, sondern mit einem handelsüblichen Messer eines normalen Essbestecks. Schließlich begann unser Spieler noch wie verrückt am Daumen zu pressen, in der Hoffnung es würde noch ein bisschen Blut austreten oder zumindest etwas Blutplasma. Doch, während die Kuppe des Daumens stoisch weiß blieb lief sein Kopf rot an. Schließlich gab er seinen Widerstand auf und wurde von uns kurzerhand als spieltauglich erklärt.

In der Halle des Gegners angekommen wurde die zweite Garstufe von unserem Center-Weichei gezündet. Anstatt die Verletzung selbst zu präsentieren, demonstrierte er uns die fatalen Auswirkungen derselbigen auf sein Spiel: beim Fangen, Passen und Dribbeln des Balles versuchte er die verletzten Daumen zu schützen, was natürlich in der Praxis ziemlich ungeschickt aussah. Nun, wir wissen alle aus eigener Erfahrung, dass auch ein kleiner Schnitt in eine Fingerkuppe unangenehm und lästig ist. Genauso lästig wie in Heftpflaster, welches sich dauernd ablöst, weil man es bereits einmal abgenommen und wieder angeklebt hatte, um seinen ignoranten Trainern die Verletzung zu zeigen und zum anderen, weil Heftpflaster auf schweißnasser Haut nicht besonders gut haften. Doch unser Center benahm sich, als hätte man ihm beide Daumen amputiert. Da wurde es Zeit für eine klare Ansage unsererseits, sich auf das Spiel zu konzentrieren und nicht auf die Schmach, die ihm ein simples Tafelbrötchen am Frühstückstisch zugefügt hatte. Und siehe da, mit zunehmender Ablenkung durch das Spiel und der einsetzenden Wirkung des körpereigenen Adrenalins lieferte er die Performance ab, die wir von ihm gewohnt waren. Nach dem Spiel, beim Verlassen des Innenraumes der Halle stupste ich meinen Co-Trainer an und zeigte nur stumm auf eine Stelle des Hallenbodens, an dem ein uns wohlbekanntes Heftpflaster lag. Muss wohl jemand während des Spiels verloren haben. Wir lachten leise vor uns hin mit der Gewissheit, dass wir an jenem Tag Zeugen waren, wie aus einem Weichei ein Mann wurde.

# Hurra, hurra Olympia

*Fünf Ringe für die sie sich knechten,*

*Fackeln und Flammen entzünden*

*Und an den Olympischen Eid sich binden*

*Frei nach Herr der Ringe von J. R. R. Tolkien*

Olympische Spiele, Olympia, Olympiade – viele Leute benutzen die Wörter als Synonyme füreinander, aber das ist absolut falsch. Deshalb möchte ich gleich zu Beginn dieses Kapitels einmal die Begrifflichkeiten klarstellen. Die Olympischen Spiele – also die Veranstaltungen selbst - sind benannt nach dem Austragungsort Olympia, der im Nordwesten der griechischen Halbinsel Peloponnes gelegen ist. Als Olympiade wird dagegen ein Zeitraum von vier Jahren bezeichnet, der mit dem Beginn der Olympischen Spiele seinen Anfang nimmt. Vielleicht haben Sie sich auch schon einmal gefragt, warum die Olympischen Spiele – sowohl in der Antike als auch in der Neuzeit – nur alle vier Jahre ausgetragen werden. Das liegt daran, das in der Antike die Olympischen Spiele zwar die bedeutsamsten, aber bei weitem nicht die einzigen Spiele ihrer Art waren. Die Olympischen Spiele waren Teil eines Zyklus von vier panhellenischen Spielen, zu denen noch die Pythischen Spiele in Delphi, die Nemeischen Spiele in Nemea und die Isthmischen Spiele auf dem Isthmus von Korinth gehörten. Um diesen Zyklus einmal vollständig zu durchlaufen bedurfte es vier Jahren, bis eben wieder ein neuer Zyklus mit den Spielen von Olympia begann. Die Austragungsorte dieses Zyklus waren die bedeutendsten in der Antike, aber es gab auch noch eine Reihe anderer, die ich jedoch nicht alle aufzählen möchte.

Bei den Spielen der Antike wurden zwar sportliche Wettkämpfe ausgetragen, aber wie damals üblich waren diese zu Ehren der Götter (Zeus und des göttlichen Helden Pelops) gewidmet, so dass die Spiele an sich mehr einen kultischen Charakter hatten als einen rein sportlichen. So ist es auch weiter nicht verwunderlich, dass auch musische Veranstaltungen, wie Musik, Tanz und Theater bei den Spielen aufgeführt wurden. Ich will mich jedoch in diesem kurzen historischen Abriss auf den sportlichen Aspekt konzentrieren.

In den antiken Anfängen der Spiele, die vermutlich bis ins zweite Jahrtausend vor Christus zurückreichen, gab es nur eine Disziplin, und zwar das Rennen über eine Stadionlänge, die 600 Fuß betrug. Nun gibt es kleine Füße und es gibt auch etwas größere Füße, so dass 600 Fuß keine genaue Angabe war. Und so kam es, dass man je nach Austragungsort der Spiele zwischen 167 Meter in Delos und 192,24 Meter in Olympia bis ins Ziel zurücklegen musste. Im weiteren Verlauf kamen immer weitere Disziplinen hinzu und erreichten schließlich die stattliche Anzahl von 18 Disziplinen aus den Bereichen Leichtathletik, Schwerathletik, Reiten und dem antiken Fünfkampf Pentathlon (Speer, Diskus, Lauf, Sprung und Ringen). In der Hochzeit der Olympischen Spiele der Antike dauerten diese fünf Tage lang an, wobei der erste Tag ausschließlich den kultischen Weihen vorbehalten blieb.

Doch jede Tradition findet einmal ein Ende und für die Olympischen Spiele begann der Untergang 148 v.Chr. mit der Eroberung Griechenlands durch die Römer. Von da an waren die Spiele nicht mehr nur den panhellenischen Bürgern vorbehalten. Wann zum letzten Mal Olympische Spiele stattgefunden haben, ist nicht genau belegt, aber vermutlich war es im Jahre 393 n.Chr. Geschichte wurde zu Legende. Legende wurde zu Mythos. Und fast 1400 Jahre lang gedachte niemand mehr der antiken Spiele bis eines Tages im Jahre

1766 die Sport- und Tempelanlagen in Olympia wiederentdeckt wurden. Diese Entdeckung führte dazu, dass Versuche unternommen wurden, die Idee von sportlichen Wettkämpfen nach dem Vorbild der antiken Olympischen Spiele in Frankreich und England wiederzubeleben. So gab es in Frankreich von 1796 bis 1798 die Olympiades de la République, während sich in England seit 1850 in Much Wenlock (Grafschaft Shropshire) die Wenlock Olympian Games entwickelten und noch heute unter dem Namen Wenlock Olympian Society Annual Games durchgeführt werden. Aber auch im Mutterland der antiken Spiele gab es Bestrebungen, die alte Tradition wieder aufleben zu lassen. Von 1859 bis 1889 wurden in Athen im Panathinaiko-Stadion mehrere Spiele durchgeführt.

In diesen Vorläufern der Olympischen Spiele der Neuzeit, sah Baron Pierre de Coubertin das Potential, eine Veranstaltung mit internationaler Beteiligung ins Leben zu rufen. Nach seinen Vorstellungen sollte sich die oft zitierte *Jugend der Welt* in sportlichen Wettkämpfen messen und nicht mehr auf Schlachtfeldern gegeneinander kämpfen. Die internationale Verständigung lag dem Baron sehr am Herzen. Auf einem Kongress an der Sorbonne in Paris im Jahre 1894 stellte de Coubertin seine Prinzipien vor, darunter auch eine Rotation bei den Austragungsorten. Am letzten Tag des Kongresses beschlossen die Teilnehmer die ersten Olympischen Spiele der Neuzeit 1896 in Athen auszutragen. Zu deren Organisation wurde das Internationale Olympische Komitee (IOC) gegründet, dessen erster Präsident der Grieche Dimitrios Vikelas war. Pierre de Coubertin selbst wurde Generalsekretär.

An den Spielen in Athen nahmen 250 Athleten aus 14 Ländern teil und machten die Veranstaltung zu einem so großen Erfolg, dass die griechischen Verantwortlichen sich wünschten, zukünftig alle Spiele austragen zu dürfen. Doch das IOC hielt an seinem Rotationsprinzip bei den Austragungsorten fest und so wurden die Spiele von 1900 in Paris und von 1904 in St. Louis ausgetragen. Diese beiden Spiele hatten jedoch nicht annährend den Erfolg, wie die Spiele von Athen, was zum einen an der schlechten Organisation lag, zum anderen daran, dass die Spiele nicht als eigenständige Veranstaltungen durchgeführt wurden, sondern im Rahmen der jeweils parallel stattfindenden Weltausstellungen. Deshalb wurden die Spiele über Monate in die Länge gezogen, was deren Attraktivität nicht gerade erhöhte.

Im Jahre 1906 wurden in Athen erneut die Spiele durchgeführt, mit widerwilliger Zustimmung des IOC, jedoch ohne offizielle Anerkennung der sportlichen Ergebnisse. Seitens des IOC werden diese Spiele als Olympische Zwischenspiele geführt. Da die Spiele von 1906 an den Erfolg von 1896 anknüpfen konnten, beschloss das IOC weitere Spiele durchzuführen, so dass die Olympischen Spiele der Neuzeit uns auch heute noch erhalten sind.

Baron de Coubertin war es auch, der 1913 das Erkennungssymbol der neuzeitlichen Spiele entwarf: fünf ineinander verschlungene Ringe, in den Farben Blau, Schwarz, Rot, Gelb und Grün auf einem weißen Untergrund. Jeder Ring steht für einen Erdteil und im offiziellen Handbuch der Olympischen Spiele war bis 1951 zu lesen, dass Blau für Europa, Schwarz für Afrika, Rot für Amerika, Gelb für Asien und Grün für Australien steht. Tatsächlich ist es nirgendwo belegt, dass Baron de Coubertin diese Zuordnung im Sinn gehabt hatte, weshalb dieser Eintrag aus dem Handbuch entfernt wurde. Belegt ist dagegen eine Aussage von de Coubertin aus dem Jahre 1931, dass die Farben der Ringe und der weiße Hintergrund die Farben aller Nationalflaggen der damals existierenden Nationalstaaten repräsentieren. Nichtsdestotrotz versuchen einige Journalisten und Kommentatoren auch heute noch die Mär von den farbigen Kontinenten aufrecht zu erhalten. Ein fachliches Update ist an dieser Stelle dringend angeraten.

Die ersten Spiele, die unter dem neuen Banner stattfinden sollten, hätten die Spiele 1916 in Berlin sein sollen. Diese Spiele fanden jedoch nicht statt, da gerade ein Weltkrieg mit der Seriennummer WWI das öffentliche Geschehen in Europa dominierte. So blieb es Antwerpen im Jahre 1920 vorbehalten, der erste Austragungsort unter der neuen Olympischen Fahne zu sein.

Aber nicht nur die Fahne änderte sich, auch die durchgeführten sportlichen Wettbewerbe waren stetigen Veränderungen unterworfen. Heute ist kaum mehr vorstellbar, dass Tauziehen einmal eine olympische Disziplin war. Wintersportarten wurden – sofern es möglich war – in die im Sommer stattfindenden Spiele integriert (Eiskunstlauf 1908 und 1920, Eishockey 1920). Das IOC reagierte darauf, indem es 1921 beschloss, Chamonix nicht nur die Spiele von 1924 durchführen sollte, sondern zusätzlich auch eine Internationale Wintersportwoche. Die Veranstaltung erwies sich als so großer Erfolg, dass diese nachträglich zu den ersten Olympischen Winterspielen erklärt wurden. Von da an wurden in einem olympischen Jahr immer zwei Spiele abgehalten, die traditionellen Sommerspiele und die Winterspiele, wobei der Austragungsort nicht notwendigerweise derselbe war, wie im Fall Chamonix. 1986 beschloss jedoch das IOC den Winterspielen einen eigenen Zyklus zuzuweisen, der gegenüber den Olympiaden der Sommerspiele um zwei Jahre nachfolgte. Erstmals umgesetzt wurde das neue Prinzip 1994 bei den Winterspielen von Lillehammer. Diese Neuerung führte dazu, dass zwischen den Spielen von Albertville (1992) und Lillehammer nur zwei Jahre lagen.

Es war ein langer Weg von der Antike bis heute und ich könnte noch etliche Seiten über die Geschichte der Olympischen Spiele schreiben – aber ich werde es nicht tun. Ihnen zuliebe, verehrte Leserinnen und Leser. Vielmehr möchte ich Ihnen ein paar meiner persönlichen Erfahrungen mit den Spielen nahebringen, denn wann immer Olympische Spiele stattfinden mutiere ich vom Sportfan zum Supersportfan. Da werden dann auch mal Sportarten angeschaut, die sonst nur wenig mediales oder persönliches Interesse finden. Vielleicht liegt meine Begeisterung für die Olympischen Spiele darin begründet, dass ich in einem olympischen Jahr geboren wurde, nämlich 1968. Das waren die Spiele von Mexiko-Stadt. Selbstredend sind meine Erinnerungen an diese Spiele gleich Null, ich kann noch nicht einmal mit Gewissheit sagen, ob wir zu jener Zeit einen Fernseher hatten. Vermutlich hatten wir einen aber wie gesagt, aus meinen eigenen Erinnerungen kann ich das nicht rekonstruieren. Spielt aber auch keine Rolle, ob wir einen Fernseher hatten oder nicht, denn meine Fernsehzeiten waren zu jedem Zeitpunkt noch auf ein absolutes Minimum beschränkt.

Vier Jahre später folgten die Spiele von München, also im eigenen Land. Aber wie wir wissen standen die Spiele in Deutschland bisher nie unter einem besonders guten Stern. Wie bereits erwähnt fanden die Spiele von Berlin 1916 gar nicht erst statt und als zwanzig Jahre später Berlin die Spiele tatsächlich ausgetragen hat, wurde der ohnehin schon Nicht-gute-Stern durch das Hakenkreuz ersetzt. Der negative Höhepunkt der Spiele von 1972 in München war die Geiselnahme und die Ermordung von elf israelischen Teilnehmern durch palästinensische Terroristen. Ein deutscher Polizist war auch noch als Opfer zu beklagen aber auch fünf Terroristen fanden damals den Tod. Die Spiele wurden für einen Tag ausgesetzt. Natürlich habe ich im Alter von vier Jahren noch nicht die Zusammenhänge verstanden, dennoch mir war klar, dass etwas Ungeheuerliches passiert war. Aber ich habe auch noch eine positive Erinnerung an diese Spiele: ein 16-jähriges dürres Mädchen, dass ungefähr drei Meter groß war- so kam es mir jedenfalls vor – sprang über eine horizontal angebrachte gelb-schwarze Stange, die sogar noch höher lag als das Mädchen groß war und wurde damit Olympiasiegerin. Sie wissen es alle, die Rede ist von Ulrike Meyfahrt, einer der deutschen Leichtathletik-Stars bei den Frauen.

Es folgten die Spiele von Montreal (1976) und Moskau (1980), die mehr politische Schlagzeilen erzeugten als sportliche. So blieben 30 Staaten aus Afrika, Asien und Südamerika den Spielen von 1976 fern, um gegen die Teilnahme Neuseelands zu protestieren. Der Grund hierfür: die All Blacks, also das Nationalteam Neuseelands im Rugby hatte eine Tournee durch Südafrika gemacht, und damit gegen die Ächtung des Apartheidsystems durch den internationalen Sport verstoßen. Zudem wurde Taiwan von den Spielen ausgeschlossen, weil Kanada Taiwan nicht als souveränen Staat anerkannte.

Der Höhepunkt politisch-motivierten Boykotts der Olympischen Spiele war dann 1980 in Moskau angesagt. Allein 42 Staaten sagten die Teilnahme ab, wegen des Einmarsches sowjetischer Truppen in Afghanistan und weitere 24 Staaten verzichteten aus finanziellen oder sportlichen Gründen. Somit waren nur 80 teilnehmende Nationen zu verzeichnen, was gleichbedeutend war mit der niedrigsten Anzahl von Staaten seit den Spielen von 1956 in Melbourne. Da sich die westdeutsche Mannschaft dem Boykott anschloss, war ich wenig motiviert, den - wie ich es nannte - russischen Meisterschaften mit internationaler Beteiligung zuzusehen. Manche werden jetzt einwerfen wollen, dass zumindest die Deutsche Demokratische Republik an den Spielen beteiligt war. Ich weiß nicht, wie es Ihnen geht, aber ich für meinen Teil habe die DDR damals nie als Teil Westdeutschlands gesehen, sondern eben als konkurrierende Nation bei der Vergabe der Medaillen. Erfolge der DDR habe ich nie und werde ich auch nie als *unsere* Erfolge adaptieren.

Was blieb also in meinem Gedächtnis haften von den Spielen von 1976 und 1980? Vor allem die schlechte Übertragungsqualität von Bild und Ton. Ganz besonders beim Ton! Denn nicht selten ist damals eine Tonleitung zusammengebrochen und der Kommentator hatte dann über eine normale Telefonverbindung seine Arbeit fortsetzen müssen. Eine analoge Telefonverbindung wohl gemerkt! Das bedeutet, dass das Eingangssignal, also die zuckersüße Stimme des Kommentators erst mal auf den Frequenzbereich von 300 Hz bis 3400 Hz begrenzt wurde, was einer Bandbreite auf 3100 Hz entspricht. Legt man zu Grunde, dass die menschliche Stimme mit Obertönen einen Frequenzumfang von 80 Hz bis 12000 Hz umfasst, dann sorgt also das Telefon selbst für eine gehörige Beschränkung des Ausgangssignals. Hinzu kommen noch alle möglichen Dämpfungs- und Verzerrungseffekte aufgrund der langen Übertragungsstrecken. Aber ich will Sie nicht weiter mit physikalischen Details langweilen. Stattdessen werde ich Sie mit weiteren Details über die Olympischen Spiele langweilen.

Es folgten die Spiele von Los Angeles 1984 und weil die Sowjets sehr nachtragend waren, auch der entsprechende Gegenboykott durch die Sowjetunion und 18 weiterer Staaten. Und weil die Sowjets nicht nur sehr nachtragend sind, sondern auch noch schlechte Verlierer, veranstaltete die Sowjetunion zusammen mit anderen Boykott-Staaten die Wettkämpfe der Freundschaft (Druschba-84). Mir war das egal, denn zum einen waren meine Fernsehprivilegien mittlerweile fast uneingeschränkt, das heißt kein Zwangsmittagsschlaf mehr und bei besonderen Anlässen durfte ich auch mal länger aufbleiben, was bei einer Zeitverschiebung von minus neun Stunden unbedingt notwendig war, zumindest wenn man live dabei sein wollte. Zum anderen waren es die ersten Spiele, die ich bewusst verfolgen konnte und weil die deutsche Mannschaft (West) wieder daran teilnahm, auch verfolgen wollte. Ganz abgesehen davon, dass Los Angeles im sonnigen Kalifornien gelegen als Veranstaltungsort viel mehr auf meiner Wellenlänge liegt als Montreal und Moskau, wo es gefühlt nie wärmer wird als im Kühlschrank. Und Los Angeles, wegen der ortsansässigen Filmindustrie im Volksmund auch Showtown genannt, lieferte nahezu perfekte Spiele ab. Schon die Eröffnungsfeier war spektakulär, mit Raketenmann, einer Western-Show a la *Winning the West* und Superstar Lionel Richie, der seinen Hit *All Night Long* zum Besten gab. Eine laue kalifornische Sommernacht und Steeldrum-Klänge in der Instrumental Break – was gibt es Besseres, um in Cocktail-Laune zu kommen. Und was ist aus sportlicher Sicht von diesen Spielen bei mir hängen geblieben? Eine ganze Menge natürlich, zu viel um hier im Einzelnen aufgezählt zu werden, deshalb nur ein regenbogenfarbiges Spektrum meiner olympischen Momente aus dem Jahre 1984: ein amerikanischer Turmspringer mit griechischen Vorfahren, der den Vergleich mit Adonis selbst nicht zu scheuen brauchte, ein überragender chinesischer Turner, der heute eine große Sportartikelfirma sein eigen nennt, ein japanischer Turner, mit furchtbar schlechten Zähnen, der dem überragenden chinesischen Turner das Leben so schwer wie möglich machte und schließlich ein kleines 15-jähriges deutsches Mädchen mit großer Nase, dass den Demonstrationswettbewerb im Tennis gewann und von dem die Welt noch nicht ahnte, wie sehr sie ihrem Sport in den nächsten Jahren ihren Stempel aufdrücken sollte.

Vier Jahre später in Seoul waren dann wieder fast alle Nationen, die es sich leisten konnten, dabei. Ich sage fast, denn es gibt ja immer Nationen, die unbedingt aus der Reihe tanzen müssen. Damals waren es Äthiopien, Nicaragua, Kuba und – aus heutiger Sicht möchte ich sagen – selbstverständlich Nordkorea. Nordkorea begründete seinen Boykott damit, dass es nicht ausreichend in die Ausrichtung der Spiele mit einbezogen wurde – mit anderen Worten, die nordkoreanische Polit-Führung schmollte. Das tat den Spielen von Seoul jedoch keinen Abbruch: die Eröffnungsfeier war nicht weniger farbenfroh als die von Los Angeles aber deutlich von dem fernöstlichen Charme geprägt, d.h. perfekte Massenchoreographien, unterlegt von den fremden Klängen traditioneller Musikinstrumente, die man als durchschnittlich gebildeter Westeuropäer nicht einmal beim Namen nennen kann, beeindruckende Kampfsportdemonstrationen, sowie elegante und anmutige Tanzdarbietungen.

In den vier Jahren, die seit den Spielen von Los Angeles vergangen waren, ist aus dem kleinen Mädchen mit der großen Nase ein großes Mädchen mit großer Nase geworden – und ganz nebenbei die dominierende Tennisspielerin in der Welt. Sie wissen es längst, die Rede ist von unserer Steffi Graf. Zu einem Spiel von Steffi Graf sollte man immer pünktlich erscheinen, vor allem in den Vorrunden. Nur 20 Minuten Verspätung bedeuteten oft, dass man 90 bis 95 Prozent des Spiels bereits verpasst hat. 1988 siegte sie im Finale der French Open gegen Natalija Swerewa in nur 34 Minuten (6:0, 6:0). Überhaupt war 1988 ihr erfolgreichstes Jahr, in dem sie nicht nur alle vier Grand Slam Turniere (Australian Open, French Open, Wimbledon Championships und US Open) gewann, sondern auch noch die Gold-Medaille im Dameneinzel in Seoul. Für diesen einmaligen Erfolg wurde der Begriff Golden Slam erfunden. Steffi Graf nahm noch eine zweite Medaille aus

Seoul mit nach Hause. An der Seite von Claudia Kohde-Kilsch gewann sie auch noch Bronze im Damendoppel.

Nach abermals vier Jahren erreichten die Olympischen Spiele 1992 wieder einmal das europäische Festland (Barcelona, Spanien), was ich sehr zu schätzen wusste, bedeutete es doch keine signifikante Zeitverschiebung gemessen an meinem eigenen Standort. Andererseits bedeutete das natürlich auch, dass das Gros der Wettkämpfe in der Zeitspanne ausgetragen wurde, in denen man üblicherweise sein Tagwerk verrichtet. Da gilt es sich zu reorganisieren, den Tagesablauf neu zu strukturieren und umzudisponieren. Mit den Erfahrungen der beiden voran gegangenen Spiele konnte ich mich nun von vornherein optimal vorbereiten. Zunächst wurden die Wohnzimmermöbel für die nächsten dreieinhalb Wochen so positioniert, dass das Fernsehbild ständig fest im Blick war. Als nächstes wurde ein zusätzlicher niedriger Tisch benötigt, den man als Arbeitsfläche vor dem Fernsehsessel stellen konnte. Ich fand in einem Servierwagen aus den 1960er Jahren mit Vierkantstahlbeinen und Parkett-freundlichen Rollen genau das richtige Möbel dafür. Darauf wurde nun die Schreibunterlage von meinem Schreibtisch gelegt, der in den nächsten Wochen ohnehin verwaist bleiben würde. Als nächstes wurde der Computer auf dem Tisch aufgebaut. Eigentlich waren es nur Bildschirm, externes Modem, Tastatur, Maus und dazu gehöriges Maus-Pad. Da ich schon immer ein Fan von Big Tower Gehäusen war, wurde der Rechner neben und nicht auf dem Servierwagen platziert. Getreu dem Werbespruch *Im Prinzip geht alles, aber ohne Strom läuft nichts* war als nächstes die Stromversorgung sicher zu stellen. Dafür benötigt wurden ein Verlängerungskabel und eine Steckdosenleiste mit entsprechender Kapazität. Danach folgte die Verkabelung des Computers, wiederum gefolgt von der Herstellung der Kommunikationsverbindungen zur

Außenwelt. Letzteres war zu jener Zeit nicht so einfach zu bewerkstelligen, wie sich das heute anhören mag. Analoge, Kabel gebundene Technik verlangte nach einem zehn Meter langem Telefonkabel und für den Anschluss des analogen Modems an die TAE-Dose wurde ein ebenso langes Kabel benötigt. Der Telefonapparat selbst, fand seinen Platz auf einem kleinen Beistelltischchen zur linken des Sessels. Zur rechten wurden nun noch ein paar Bücher gestapelt, die ich für meine Arbeit benötigte. Nun fehlte nur noch ein wichtiges Utensil und das war die Fernbedienung für den Fernseher, die sich die nächsten dreieinhalb Wochen nicht außerhalb der Reichweite eines im Sessel sitzenden, durchschnittlich gelenkigen Individuums befinden sollte. Derart gut vorbereitet könnte es eigentlich losgehen, doch halt, jeder Spitzensportler weiß, wie wichtig es ist, rechtzeitig vor dem Wettkampf die Kohlenhydratspeicher aufzufüllen, um optimale Leistung zu bringen. Und vor mir lagen ja immerhin dreieinhalb Wochen Spitzensport vom Feinsten. Wohl dem also, der eine fürsorgliche Großmutter hat, die dafür sorgte, dass immer rechtzeitig ein großer Teller Spaghetti bereitstand. Oder ein Müsli. Oder Flasche Wasser. Ansonsten hielt ich es, wie Forrest Gump auf seiner Jogging-Tour quer durch die USA: wenn ich essen musste, dann aß ich, wenn ich schlafen musste, dann schlief ich und wenn ich – Sie wissen schon – dann ging ich!

Nun stand kein logistisches Problem mehr dem ungetrübten Genuss der Olympischen Spiele von Barcelona im Wege und besonders gespannt durfte man auf das Abschneiden der *gesamtdeutschen* Mannschaft sein. Gesamtdeutsche Mannschaft? Ja, richtig, da war doch einiges passiert seit den Spielen von Seoul. Unter anderem der Fall und spätere Abriss des antikommunistischen Schutzwalls, hüben wie drüben auch bekannt als *Die Mauer*, die uns Jahrzehnte lang so vortrefflich vor den Versuchungen und den schädlichen Einflüssen der

Deutschen Demokratischen Republik (DDR) geschützt hatte, insbesondere West-Berlin. So kam es, dass erstmals seit 1964 (Innsbruck und Tokyo) wieder westdeutsche Sportler zusammen mit Sportlern aus der ehemaligen DDR unter einer Flagge antraten. Ausgehend von den Ergebnissen von Seoul, wo die DDR (G 37/S 35/B 30) und die Bundesrepublik Deutschland (G 11/S 14/B 15) zusammen 142 Medaillen gewonnen hatten, durfte man von einer wahren Flut von Medaillen ausgehen. Natürlich konnte man nicht erwarten, dass diese Summe auch nur annähernd erreicht werden würde, aber dennoch wurden die deutschen Sportfans nicht enttäuscht: insgesamt 82 Medaillen (G 33/S 21/B 28) bescherten der deutschen Mannschaft einen hervorragenden dritten Platz im Medaillen-Spiegel von Barcelona hinter der Gemeinschaft Unabhängiger Staaten (GUS) und den USA. Gemeinschaft Unabhängiger Staaten? Ach ja, da war doch noch was. Denn, während wir Deutschen die einzigen Schmoks zu sein schienen, die gegen den allgemeinen Trend von Freiheit und Unabhängigkeit eine Länderverschmelzung durchführten, zersplitterte der Staatenbund der Sowjetunion unter der Politik von Perestroika und Glasnost wie ein Glas Most. Die daraus resultierenden Splitterstaaten dieser politischen Prozesse schlossen sich im Dezember 1991 zur Gemeinschaft Unabhängiger Staaten (GUS) zusammen, jedoch ohne die baltischen Staaten Estland, Lettland und Litauen, die auch in Barcelona bereits als eigenständige Nationen antraten.

Es war mir klar, dass die Medaillenflut von Barcelona sich zukünftig wieder auf einem niedrigeren Niveau einpendeln würde, vermutlich auf das bundesdeutsche Niveau von Seoul, aber nicht wenige Leute fragten mich, wie ich denn auf das schmale Brett käme. Doch was für die einen ein schmales Brett ist, ist für andere eine acht-spurige Autobahn, denn für diese Prognose brauchte man weder einen

Supercomputer noch diffizile mathematische Modelle, sondern lediglich ein bisschen gesunden Menschenverstand. Ich nannte es den Faktor Wiedervereinigung, der sich nach und nach bemerkbar machen würde. Vielleicht werden Sie sich jetzt fragen, inwieweit dieses politische Ereignis ein Faktor bei der Medaillenvergabe ist. Nun, durch die zeitliche Nähe zwischen der Wiedervereinigung und den Olympischen Spielen 1992 profitierten die Sportrecken der ehemaligen DDR noch beinahe im vollen Umfang von den positiven und negativen Facetten des sozialistischen Fördersystems im Spitzensport. Im weiteren Zeitverlauf würden sich aber die unterschiedlichen Standards in Sachen Sportförderung, Talentsichtung und Doping-Kontrollen angleichen, und zwar zu Gunsten des dominanten Partners dieser Länderverschmelzung und das war die Bundesrepublik Deutschland. Ein weiterer Effekt ist, dass die Karriere eines Leistungssportlers zeitlich begrenzt ist, so dass die Anzahl der aktiven Athleten, die noch in der DDR ausgebildet wurden, irgendwann rapide sinken würde. Die neue Generation von Athleten würde wiederum nach den westdeutschen Standards ausgebildet worden sein. Ergo: solange diese Standards bestand haben, wird die Anzahl der gewonnenen Medaillen sich wieder auf dem westdeutschen Niveau von Seoul wiederfinden.

Tatsächlich sank die Anzahl der gewonnen Medaillen seit Barcelona kontinuierlich. Bereits vier Jahre später in Atlanta waren es nur noch 65 Medaillen, in Melbourne 56 Medaillen, in Athen 48 Medaillen und schließlich in Peking 2008 war es dann so weit, mit 41 gewonnen Medaillen war man wieder auf dem Level von Seoul 1988 angelangt. Die Ergebnisse von London 2012 (44 Medaillen) und Rio 2016 (42 Medaillen) bestätigen das Ende des Abwärtstrends. QED!

Nun ja, wenn man zwei oder drei Olympische Spiele so intensiv verfolgt hat, wie ich es tat, dann lässt sich nicht nur die reine Anzahl der Medaillen prognostizieren, sondern auch in welchen Sportarten die deutsche Mannschaft Medaillen holen kann und bei welchen das eher nicht der Fall ist. Erstaunlich gut schneiden deutsche Athleten in den Sportarten ab, in denen der Sportler nicht in direktem Kontakt zum Untergrund steht, als da wären Reiten (Sprung und Dressur), Bahnradfahren, Bobfahren und Rodeln oder in den Disziplinen des Kanu- und Rudersports. Auch mit den Skispringern ist spätestens im Mannschaftswettbewerb immer zu rechnen, genauso wie bei den Nordisch-Kombinierten. Trotz Bodenkontakt leisten die Biathleten und die Sportschützen regelmäßig ihren positiven Beitrag zur Medaillenbilanz. Ringer und Judoka sind es gewohnt harten Bodenkontakt aufzunehmen, deshalb sind unseren Athleten in diesen Sportarten immer für eine Überraschung gut. In der Leichtathletik ergibt sich schon aufgrund der Vielzahl der Disziplinen ein differenziertes Bild. Als Faustregel gilt: die deutschen Athleten sind immer dann gut, wenn es darum geht, mehr oder minder schwere Gegenstände möglichst weit über die grüne Wiese zu werfen, dagegen läuft es nicht so gut in den Lauf- und Schnellkraftdisziplinen. Bei den Mannschaftssportarten sind vor allem die Hockeyspieler (Damen und Herren) eine feste Größe, während die Mannschaften in den anderen Sportarten oft nicht einmal die Qualifikation zu den Olympischen Turnieren schaffen. Natürlich sind diese Leistungen über die Jahre gesehen Schwankungen unterworfen, denn nicht immer ist der Nachwuchs gleich stark. Das liegt zum Teil auch daran, welche Sportarten in Deutschland gerade en vogue sind.

Deutlich im Abwärtstrend sind seit einigen Olympiaden unsere Schwimmer. Seit Barcelona nimmt die Anzahl der von den Kachelzählern gewonnenen Medaillen kontinuierlich ab und in London

2012 endeten jeder Kopfsprung beim Start für die deutschen Teilnehmer mit einem harten Aufschlag auf dem Beckenboden, als hätte jemand das Wasser abgelassen. Im Klartext: es konnte keine Medaille gewonnen werden. Mit dem gleichen Ergebnis bestach das deutsche Schwimm-Team auch in Rio 2016. Als Sportfan und als (fachfremder) Trainer kann ich die Enttäuschung eines jeden einzelnen Athleten nachvollziehen und ich bin weit ab davon entfernt den Sportlern zu unterstellen, dass sie nicht ihr Bestes in der Vorbereitung und im Rennen gegeben hätten. Dennoch muss es ja Gründe für das kollektive Versagen geben und befragt man die Sportler und die Verantwortlichen selbst, bekommt man einen bunten Strauß von Ausreden – sorry, ich meine natürlich von fundierten Analysen – die mir zum Teil die Zornesröte ins Gesicht treiben.

Eine Zeit lang konnte man die Schuld auf die Hightech-Badeanzüge schieben, die wohl von einem namhaften Sportartikelhersteller besser waren als die der anderen namhaften Sportartikelhersteller. Der unbedarfte Leser mag sich nun denken, wo ist das Problem, kauft doch einfach die besseren ein und verwendet diese. Doch so einfach ist die Angelegenheit nicht, denn sowohl das Team Germany als auch die einzelnen Schwimmer verfügen über sogenannte Ausrüstungsverträge. Im ungünstigsten Fall muss der Athlet bei olympischen Spielen auf seinen gewohnten Schwimmanzug verzichten und den offiziell genehmigten Strandstrampler anziehen. Wie groß die Unterschiede zwischen den Anzügen der jeweiligen Hersteller waren lässt sich schwer vergleichen, fest steht jedoch, dass mit der neuen Generation der Wettkampfbekleidung in den Jahren 2008 bis 2010 überproportional viele neue Schwimmweltrekorde aufgestellt wurden, ungefähr 130 an der Zahl. Manche Schwimmer gingen sogar dazu über, mehrere dieser Anzüge übereinander zu tragen. Schließlich sah sich der Weltschwimmverband FINA (Fédération Internationale de

Natation) genötigt, diesem Trend ein Ende zu setzen in dem zunächst im Jahre 2009 die Parameter für neuen Schwimmanzüge beschränkt wurden. Schließlich wurden diese im darauffolgenden Jahr ganz verboten und die Parameter für die zukünftigen Schwimmanzüge wurden neu definiert. Unter anderem wurde festgelegt, welche Körperstellen bedeckt sein dürfen und welche nicht, wie viel Auftrieb der Anzug maximal erzeugen darf, dass die Materialstärke maximal 0,8 Millimeter betragen darf und dass das Material selbst wasserdurchlässig sein muss, und zwar mit mindestens 80 Litern pro Sekunde. Nach all diesen Änderungen wurden die Wettkampfzeiten wieder langsamer und die Chancengleichheit war wiederhergestellt, zumindest was die Ausrüstung anbelangt.

Für die deutschen Athleten hieß es nun nach neuen Erklärungsversuchen für das mehr oder minder schlechte Abschneiden im Rennen zu suchen. Und dabei war man nicht gerade verlegen. Mal war die Wassertemperatur zu niedrig, mal zu hoch oder es stimmte der Chlorgehalt nicht, das Wasser war zu hart oder zu weich, der Wettkampf war zu früh am Morgen, der Wettkampf war zu spät am Abend, bei Wettkämpfen in Übersee ist auch gerne mal der Jetlag schuld an allem und dem einen oder anderen Athleten fehlt der Heimtrainer. Manche wollten auch nur *ein paar Körner* sparen, was in der Sportlersprache so viel heißt wie Kräfte ökonomisch einteilen und manch einer Verspekulierte sich dabei, weil der Vorlauf dann noch schneller war als erwartet. OKAY. Genau das sind die Aussagen, für die ich als Trainer so absolut überhaupt kein Verständnis hätte, wenn das meine Schützlinge wären.

Nehmen wir uns doch mal jede der Aussagen vor und beginnen mit dem wichtigsten Zubehör der Schwimmwettkämpfe, dem Schwimmbecken und seinem Inhalt. Gerade für ein olympisches

Schwimmbecken gelten besonders strikte Anforderungen, sowohl beim Bau des Beckens als auch an das Wasser, damit an den unterschiedlichen Wettkampfstätten vergleichbare Resultate erzielt werden können. Die Beckenlänge beträgt 50 Meter und die Breite 25 Meter, die in zehn Bahnen mit der Nummerierung von 0 bis 9 aufgeteilt wird. Für den Wettkampf werden jedoch die beiden Bahnen am Beckenrand (0 und 9) nicht verwendet. Für die Beckenlänge gelten besonders enge Toleranzen, denn bereits ein Unterschied von einem Zentimeter zwischen zwei Bahnen rechnet sich das in eine Zeitdifferenz von 1/100 Sekunden um. Da es schwierig ist, so enge Toleranzen auf einer Länge von Gesamtlänge von 50 Metern einzuhalten, wurde die Zeitmessung auf 1/1000 Sekunde, die bei den olympischen Spielen in München 1972 eingeführt wurde, auch wieder abgeschafft. Wenn also unser verehrter schwäbischer Dachdeckermeister so unvergessen zu uns sagte, ein Zentimeter sei kein Maß auf dem Bau (natürlich sagte er es bruddelnd im besten schwäbischen Dialekt), so bezog er sich damit auf den Häuslesbau und nicht auf den Bau von olympischen Schwimmbecken. Und vom Häuslesbau verstehen die Schwaben etwas! Für die Beleuchtung gilt: einem Meter über der Wasseroberfläche müssen mindestens 600 Lux gemessen werden. Die Wassertemperatur muss zwischen 25°C und 28°C liegen und wird während des gesamten Wettkampfes konstant auf einem Level gehalten. Beim Härtegrad des Wassers und bei dessen pH-Wert wird es schon ein wenig diffiziler, da durch chemisch-physikalische Vorgänge diese beiden Werte sich gegenseitig beeinflussen. Ideal ist ein pH-Wert zwischen 6,5 und 7,6, was im Wesentlichen durch die Zugabe von chlorhaltigen Verbindungen beeinflusst wird, welche in Verbindung mit Wasser das Chlor freisetzen und damit vorhandene Keime abtöten. Ist der pH-Wert zu niedrig kommt es zu Augen- und Schleimhautreizungen. Bei einem zu hohen pH-Wert erhöht sich die Kalkablagerung und die Desinfektionskraft des freigesetzten Chlors nimmt ab. Außerdem sind diese Vorgänge von der Wassertemperatur abhängig: je wärmer das Wasser, desto mehr Kohlenstoffdioxid wird freigesetzt und desto höher wird der pH-Wert. Je weicher das Wasser (niedriger Calciumcarbonat-Gehalt), desto häufiger und stärker fallen die pH-Wertänderungen aus. Bei hartem Wasser ist dieser Effekt geringer. Durch geeignete Maßnahmen lassen sich die pH-Wertschwankungen eindämmen, der Fachmann spricht hier von einer Pufferung des Wassers.

Wassertemperatur, pH-Wert und Härtegrad des Wassers sind also Einflüsse, die direkt vom Athleten wahrgenommen werden können. Sind damit die Erklärungsversuche der Athleten, die sich über das Medium Wasser beschweren nicht allzu verständlich und damit auch akzeptabel? Auf gar keinen Fall! Diese Ausreden zeigen nur eines, dass den Athleten eine wesentliche Eigenschaft fehlt, nämlich das Adaptionsvermögen, also die Fähigkeit, sich auf die äußeren Wettkampfbedingungen einzustellen und diese so gut wie möglich auszublenden. Wer zu einem internationalen Wettkampf fährt und erwartet, dort die gleichen Bedingungen vorzufinden, wie im heimeligen Trainingsbecken des örtlichen Badeparadieses, wo der eigene Verein trainiert, der wird es natürlich schwer haben, sich voll und ganz auf die sportliche Leistung zu konzentrieren. Eine gut ausgebildete Adaptionsfähigkeit ist ein unbedingtes Muss für jeden Spitzensportler, unabhängig der ausgeübten Sportart. Die Adaptionsfähigkeit ausbilden? Natürlich geht das, zumindest bis zu einem gewissen Grad. So könnte man ab und zu mal die Trainingslokalität ändern oder auch mal andere Trainingsgruppen besuchen. Das sorgt für neue Reize und Eindrücke beim Athleten und fördert zusätzlich den Austausch mit anderen Trainern und Athleten.

Die Zusammenarbeit mit Sportpsychologen oder Mentaltrainern kann ebenfalls helfen, sich auf andere Umgebungssituationen besser anzupassen. Ich bin mir sicher, dass auch der Deutsche Schwimm-Verband (DSV) entsprechenden Experten seinen Spitzensportlern zur Verfügung stellt.

Kommen wir nun zu den Athleten, die über unangenehme Startzeiten klagen. Es gibt eben Leute, die morgens ein wenig besser in die Puschen kommen als andere. Aber darauf kann der Veranstalter eines sportlichen Großereignisses wie den Olympischen Spielen nun wirklich keine Rücksicht nehmen, noch dazu, wenn der Zeitplan vom Internationalen Olympischen Komitee (IOC) abgesegnet werden muss. In der Regel geschieht das ungefähr zwei Jahre vor den eigentlichen Wettkämpfen. Zeit genug also, sich darauf einzustellen, zu einer bestimmten Uhrzeit ins Becken springen zu müssen. Und dennoch wird die frühe Startzeit gerne als Erklärungsversuch genommen, die eigene unzureichende Leistung zu kaschieren. Dabei ist es doch ganz einfach: als Faustregel gilt, mindestens vier Stunden vor dem eigentlichen Wettkampf aufzustehen, um den Kreislauf so richtig in Schwung zu bringen. Für einen Sportler, der um olympische Ehren wetteifern möchte, sollte das eine Selbstverständlichkeit sein. Aber auch auf Basisebene versuchen ich und andere Trainer unseren Spielern diese Faustregel begreiflich zu machen. Doch während es bei mir eher eine freundschaftliche Empfehlung ist, nehmen andere Trainer das sehr viel ernster, so geschehen bei einem Trainer von einem benachbarten Verein. Ein Großteil seiner Spieler feierte an einem Samstag ihren Abi-Ball und hatten am darauffolgenden Sonntagvormittag ein wichtiges Spiel. Um wenigsten halbwegs muntere Spieler zu haben, wies dieser Trainer die Eltern an, die Jungs doch bitte rechtzeitig am Sonntagmorgen, um Nullsechshundert Zulu-Zeit zu wecken. Für die Zivilisten unter uns, jawohl, das ist 6:00 Uhr morgens Ortszeit. Soweit ich weiß hielten sich die meisten Eltern daran, nicht überliefert ist allerdings, wie das Spiel ausging. Was passiert, wenn man sich nicht an diese Faustregel hält, konnte ich unzählige Male bei meinen eigenen Spielern beobachten, stellvertretend sei hier das Beispiel eines U12-Spielers genannt, der bis eine halbe Stunde vor Spielbeginn Decke und Laken seiner Bettstatt warmhielt, um dann natürlich körperlich, geistig und mental völlige unvorbereitet zum Spiel zu erscheinen. Dass er ungekämmt war, war mir egal, dass er kein Frühstück intus hatte schon weniger. Um seinen Kreislauf ein wenig anzukurbeln ließ ich ihn Liegestütz machen, mit wenig Erfolg. Schon nach ein paar Metern Sprint ging ihm die Luft aus, ihm war flau im Magen und seine Reaktionszeit war irgendwo im Sekundenbereich. Ein eilig beschafftes Frühstück war natürlich auch nicht die Rettung, denn das musste ja auch erst verdaut werden. Und so war der Spieler an dem Tag ein Totalausfall, was uns eine knappe Niederlage mit vier Punkten Unterschied bescherte, die völlig vermeidbar gewesen wäre. Erst fünf Minuten vor dem Spielende, das sind etwa zwei Stunden, nachdem der Junge aufgestanden war, brachte er annähernd die gewohnte Leistung. Was lernen wir daraus: akzeptiere den Starttermin und stelle dich darauf ein! Doch zurück zu unserem bunten Reigen an Ausflüchten. Während ich noch ein Fünkchen Verständnis für einen zu frühen Starttermin habe, gibt es in meiner Vorstellung eines nicht: einen zu späten Starttermin. Näher möchte ich jetzt darauf nicht eingehen.

Etwas schwerer wiegt da schon die Ausrede mit dem Jetlag. Aber auch hier gibt es geeignete Maßnahmen, um damit klar zu kommen. Ist eine frühzeitige Anreise zum Austragungsort, zum Beispiel aus Budget-Gründen nicht möglich, um sich zu akklimatisieren, so kann man den Jetlag mit einfachsten Mitteln ganz oder zumindest teilweise kompensieren. Angenommen die Zeitverschiebung zwischen

Trainingsort und Wettkampfort beträgt minus fünf Stunden. So kann man die gesamt Zeitverschiebung kompensieren, wenn man seinen kompletten Tagesablauf um fünf Stunden nach hinten verschiebt. Statt um acht Uhr morgens zu frühstücken, wird diese Mahlzeit auf 13 Uhr verschoben. Das gilt entsprechend auch für die übrigen Mahlzeiten, das Training und sonstige Aktivitäten. Verdunkelte Fenster und Tageslichtlampen sorgen für den zeitgerechten Ausstoß der Schlaf- und Aufwachhormone. Die Maßnahmen mögen für den einen oder anderen von Ihnen bizarr klingen, aber so ist das nun einmal im internationalen Spitzensport, da wird an jeder noch so kleinen Stellschraube gedreht.

Als Leistungsschwimmer braucht man keine hohe strategische oder taktische Intelligenz, denn man muss sich kein kompliziertes Regelwerk merken, keine komplizierten Spielsysteme oder Spielzüge und auch nicht die Stärken und Schwächen der Athleten, die links und rechts auf den Startblöcken aufgereiht sind. Lediglich ein paar simple Regeln sind zu befolgen. Bewege dich nicht zu früh auf dem Startblock, sonst Disqualifikation. Beende die Tauchphase rechtzeitig und auch nur mit der maximalen Anzahl an Armzügen und Beinschlägen, sonst Disqualifikation. Führe Anschlag und Wende regelgerecht aus, sonst Disqualifikation. Und dazwischen schwimme so schnell wie du kannst, und zwar in der richtigen Lage und in der richtigen Reihenfolge der Lagen (nur bei Lagenrennen), sonst Disqualifikation. Schwimmwettkämpfe sind nun einmal klassische Rennen, Athlet gegen die Zeit, und wer als erster ankommt und dabei keine der einfachen Regeln verletzt hat, hat gewonnen. So einfach ist das.

Da fällt mir doch spontan Sydney 2000 ein, erinnern Sie sich noch an Eric *The Eel* Moussambani aus Äquatorialguinea? Irgendwann muss der Kerl mal aufgewacht sein und sich gesagt haben, ich könnte doch bei den Olympischen Spielen über die 100 Meter Freistil antreten. Dabei gab es damals in ganz Äquatorialguinea nicht mal ein 50-Meter-Becken. Er trainierte in einem 15-Meter-Becken in einer Hotelanlange, dass ihm drei Mal in der Woche von fünf Uhr bis sechs Uhr morgens zu Verfügung stand. Dort trainierte er ein Jahr lang, ohne Anleitung und irgendwann war der sein großer Tag gekommen, als er im ersten Vorlauf über die 100-Meter-Freistil antreten musste. Außer ihm waren noch zwei weitere Schwimmer, so genannte Exoten, so wie er selbst am Start. Die beiden anderen Schwimmer produzierten jedoch einen Fehlstart und wurden deshalb disqualifiziert. Moussambani dagegen verletzte keine der einfachen Regel und schwamm so schnell er konnte. Das war zwar nicht besonders schnell, denn bereits nach 50 Meter lag er 18 Sekunden über der damaligen Weltrekordzeit und im Ziel waren es sogar satte 64 Sekunden, aber was solls, er gewann seinen Vorlauf. Gratulation, Eric, alles richtig gemacht …

Wettkämpfe in der zuvor beschriebenen Art lassen nur sehr wenig Potenzial für das Aufsparen von Kräften (oder Körnern) und je kürzer die Wettkampfdistanz desto geringer das mögliche Einsparpotenzial. Das kann man sich höchstens erlauben, wenn man deutlich vorne liegt und dann nur noch so viel Kraft aufwändet, um die momentane Platzierung sicher ins Ziel zu bringen. Und das ist bei deutschen Schwimmern eher selten der Fall. Außer vielleicht bei regionalen Wettbewerben oder den Deutschen Meisterschaften, ist schon klar. Aber das können sich bestenfalls die absoluten Top-Athleten leisten. Für alle anderen sollte sich diese Denkweise generell verbieten. Verbieten sollten sich auch die Überlegungen, welche Vorlaufzeit reichen sollte, um sicher die nächste Runde zu erreichen. Dann wären auch weniger deutsche Schwimmer überrascht davon, warum die Konkurrenten auf den anderen Startblöcken sich ausgerechnet bei DEM sportlichen Großereignis in Top-Form präsentieren und schon in den Vorläufen mächtig aufs Gaspedal treten, um die nächste Runde zu erreichen. Ich möchte an dieser Stelle ausnahmsweise einmal mich selbst sinngemäß zitieren: *... halte dich an die wenigen einfachen Regeln und schwimme so schnell wie du kannst* .... Und für all die Unverbesserlichen, die einfach aus Prinzip widersprechen müssen und schon ein *Ja, aber ...* auf den Lippen ausformen, möchte ich gleich noch einmal hinterherschicken: *... halte dich an die wenigen einfachen Regeln und schwimme so schnell wie du kannst* .... Der Einfachheit halber nennen wir es doch mal das Allgemeingültige Postulat für Wettkampfschwimmer. Uns allen sollte ja noch ein besonders tragischer Fall einer solchen Fehleinschätzung in tiefer Erinnerung sein, die sich zwar nicht bei den Olympischen Spielen, sondern bei den Weltmeisterschaften 1994 in Rom zugetragen hatte. Franziska van Almsick verspekulierte sich (also ignorierte das Allgemeingültige Postulat für Wettkampfschwimmer) in ihrem Zwischenlauf und erreichte nur die neuntbeste Gesamtzeit. Da im Finale jedoch acht Starter Startberechtigt sind, war sie damit faktisch ausgeschieden. Allerdings hatte ihre Teamkollegin Dagmar Hase das Finale erreicht. Dagmar Hase verzichtete jedoch auf die Teilnahme am Endkampf – aus Formschwäche, so die offizielle Verlautbarung – und machte damit den Weg für Franziska van Almsick frei, doch noch im Finale zu starten. Die charakterliche Größe, die Dagmar Hase mit ihrem Startverzicht zeigte, ist meines Erachtens gar nicht hoch genug zu würdigen. Gerade bei Individualsportlern, die auch noch in einer Konkurrenzsituation zueinanderstehen, sind solche Gesten nicht selbstverständlich. Im Finallauf bedankte Franziska van Almsick sich auf ihre ganz eigene Art, nämlich in dem sie sich in geradezu vorbildlicher Manier das Allgemeingültige Postulat für Wettkampfschwimmer umsetzte und so nicht nur den Weltmeistertitel gewann, sondern das auch noch in neuer Weltrekordzeit. So einfach kann Schwimmen sein!

Schwimmer sind Individualsportler und Individualsportler neigen ein wenig dazu sich wie Einzelkinder zu verhalten. Ein ausgeprägtes Ego, Eigenbrödlertum, die Zentralisierung der ganzen Aufmerksamkeit des Trainers und des Mitarbeiterstabes auf den Athleten und die Bereitschaft auch mal unkonventionelle Wege zu gehen, mögen bei der Ausübung von Individualsportarten durchaus wünschenswerte und bewährte Merkmale sein. Gelegentlich kann das aber auch ein Hemmschuh oder sogar ein eklatanter Störfaktor sein. Ein Beispiel: es ist üblich, dass der oder die Bundestrainer mit den Heimtrainern während der Vorbereitung auf einen internationalen Wettkampf zusammenarbeiten, beim Wettkampf selbst jedoch die Bundestrainer das Sagen haben. Mit diesem Arrangement kann sich aber nicht jeder Athlet anfreunden und verlangt deshalb lautstark nach seinem Heimtrainer. Solch ein starrsinniges Verhalten führt innerhalb einer Gruppe zu Irritationen, die den internen Ablauf und die Stimmung innerhalb der Mannschaft stören. Mit Sicherheit hätten die anderen Athleten auch gerne ihren Heimtrainer dabei, aber im Sinne einer klar strukturierten Meinungs- und Führungshierarchie wäre das wohl ein Super-GAU. Ein mündiger Sportler sollte sich doch soweit von seinem Heimtrainer abnabeln können, dass er auch mal die Weisheit von den Titten des Bundestrainers aufsaugt und nicht nur immer von den Titten des Heimtrainers. Das ist doch wohl nicht zu viel verlangt. Ohnehin sollten sowohl der Heimtrainer als auch der Bundestrainer ihrem Schützling beide dieselbe Weisheit zukommen lassen, nämlich in Form des Allgemeingültigen Postulates des Wettkampfschwimmens.

Sagte ich Titten? Ich sagte Titten. Sogar mehrfach! Ich meinte natürlich Lippen. Ein Lapsus linguae. Ich bitte die geneigte Leserschaft in verschärfter Form um Verzeihung.

Da lobe ich mir doch die Amerikaner, denn sobald auf ihren blau-weiß-roten Trainingsanzügen der Schriftzug *Team USA* aufgenäht ist und dieser morgens übergestreift wird, entsteht sofort etwas wie ein Esprit de Corps, dem auch das größte Ego untergeordnet wird und die Animositäten mit den schärfsten Team-internen Konkurrenten eingestellt werden. Und wofür das Ganze? Für ein höheres Gut!

Auf der Suche nach einer geeigneten Definition für Esprit de Corps bin ich bei Wikipedia auf einen Artikel gestoßen, der die Definition aus dem Brockhaus von 1911 enthielt und wie folgt lautete: *... die tätigste Teilnahme jedes einzelnen an dem gemeinschaftlichen Wohl aller, unter Beiseitesetzung aller egoistisch-persönlichen Rücksichten.* Derselbe Artikel führt auch eine moderne Definition auf, die ich Ihnen ebenfalls nicht vorenthalten möchte: *... [Korpsgeist ist, wenn] eine emotionale Gemeinschaft innerhalb einer objektiv abgrenzbaren Gesellschaftsgruppe entsteht, die nach außen hin einheitlich auftritt und untereinander solidarisch handelt und dadurch persönliche Bindungen über das rein gesellschaftliche Maß hinaus fördert...* Diese Definition mag zwar die *wissenschaftlich* korrekte sein, aber für mich klingt das wie das wie der Auszug aus dem Protokoll einer Diskussionsgruppe von Intellektuellen aus den 1968er. Da gefällt mir doch die alte Brockhaus-Definition weit besser, weil das Wesentliche genau auf den Punkt gebracht wird, nämlich dass jeder einzelne sein Möglichstes beiträgt und dabei seine eigenen Interessen hintenanstellt. Das beste Beispiel für den angesprochenen Esprit de Corps ist wohl das US-amerikanische Basketball-Team, das seit Barcelona 1992 aus den besten Spielern der nordamerikanischen Profiliga NBA (National Basketball Association) zusammengestellt wird und seither unter dem Namen *Dreamteam* firmiert. Und glauben Sie mir, wenn ich Ihnen sage, bei zwölf Sportprofis, von denen jeder einzelne ein Superstar ist, gibt es jede Menge egoistisch-persönliche

Rücksichten, die Beiseite gesetzt werden müssen. Aber der Schriftzug *Team USA* und ein im Zweifelsfall ein entsprechend autoritärer Coach machen es möglich.

Dass dieser Team-Geist der Amerikaner nicht nur gespielt ist, zeigt sich mit Hilfe der Video-Plattform YouTube. Sucht man dort unter dem Stichwort amerikanisches Schwimmteam nach entsprechenden Beiträgen, so findet man zahlreiche selbstgedrehte Videos von gemeinsamen Aktivitäten, wie Carpool-Karaoke. Die gleiche Suche auf das deutsche Schwimmteam angewendet liefert dagegen nur die offizielle Berichterstattung der verschiedenen Sportsendungen. Vermutlich müsste man unseren Athleten erst mal klar machen, was Car Pooling überhaupt ist. Das ist, wenn mehrere von euch Individualisten sich gleichzeitig in nur einem einzigen Auto befinden. Eine gewisse Lockerheit kann im Spitzensport durchaus eine leistungsfördernde Wirkung haben.

Auch eine andere Eigenschaft, die bei den Amerikanern tief verwurzelt ist, könnte man sich abschauen und das ist der Competition-Gedanke. Der Amerikaner neigt dazu, aus allem und jedem eine Competition, also einen kleinen Wettkampf, zu gestalten. Das sorgt nicht nur für Abwechslung im normalen Trainingsalltag, sondern auch für den nötigen Biss, um sich im Kampf Mann-gegen-Mann durchzusetzen. Dabei muss es sich nicht immer um einen Schwimmwettkampf handeln, im Gegenteil. Es kann sehr motivierend und hilfreich sein, die eigenen Fähigkeiten auch mal auf ungewohntem Terrain zu testen. Einfach mal über den eigenen Beckenrand hinauszusehen. Das ist natürlich eine allgemeingültige Aussage, denn es gibt sicher vieles, was sich die deutschen Schwimmer, Trainer und Funktionäre bei den anderen, erfolgreicheren Nationen abschauen können, damit in

Zukunft nicht weiter hanebüchene und unhaltbare Ausreden miserable Leistungen erklären müssen.

Aber eine Ausrede habe ich mir noch aufgespart, sozusagen das Beste kommt zum Schluss. Das Szenario, ein deutscher Schwimmer auf der Außenbahn (Bahn 1 oder Bahn 8, ich weiß nicht mehr). Sein Kommentar nach dem Rennen: *... ich fühlte mich gut und schnell, aber weil ich immer zum Beckenrand geatmet habe konnte ich nicht sehen, auf welchem Platz ich lag und meinen Atemrhythmus wollte ich nicht ändern ...* . Was soll man dazu noch sagen?

# Rio 2016 - deutsche Schwimmer waren auch dabei

*Ich weiß wirklich nicht, welche Redensart besser zu dem folgenden Kapitel passt: Getroffene Hunde bellen oder Wer im Glashaus sitzt, der sollte nicht mit Steinen werfen. Auf der anderen Seite besteht auch kein Zwang sich für die eine oder andere Redensart entscheiden zu müssen...*

Nun ja, was soll ich sagen? Meine Erwartungen an das Deutsche Schwimm-Team waren auch bei diesen Olympischen Spielen nicht sehr hoch. Und immer, wenn im Fernsehen eine Übertragung aus dem Aquatic Center angekündigt wurde, dann war es für mich an der Zeit, das TV-Gerät abzuschalten und mir eine andere Beschäftigung zu suchen. Dennoch hat es die deutsche Schwimm-Mannschaft geschafft, meine tief liegenden Erwartungen zu übertreffen, leider mal wieder auf der negativen Achse der Skala. Keine. Einzige. Medaille. Ach was soll es, sagte ich mir, viel mehr habe ich ohnehin nicht erwartet, weshalb ich mir an dieser Stelle eine weitere Auflistung von hilflosen Erklärungsversuchen bedröppelter Sportler und der seit etlichen Jahren andauernden Diskussion um die Strukturen im deutschen Schwimmsport ersparen möchte. Vielleicht noch ein kleiner Vorschlag als Sofortmaßnahme: ab sofort sollten unsere Wettkampfschwimmer an ihrer Wettkampfbekleidung deutlich sichtbar mindestens das Schwimmabzeichen in Bronze anbringen, damit die internationalen Kampfrichter erkennen können, dass die deutschen Schwimmer wirklich-wirklich schwimmen können und sich die Verantwortlichen am Beckenrand keine Sorgen machen müssen, wenn diese mal länger unter Wasser oder außer Sichtweite aller anderen Starter sind.

Zu der Misere im deutschen Schwimmsport passt eine Meldung in den Nachrichten, die während der Olympischen Spiele 2016 veröffentlicht wurde. Darin kritisiert die Deutsche Lebensrettungs-Gesellschaft (DLRG) die Schwimmausbildung an deutschen Grundschulen. Deren Untersuchung hat ergeben, dass immer weniger Viertklässler richtig schwimmen können. Waren es Ende der 1980er Jahre noch 90 Prozent, so sind es heute nur noch 70 Prozent. Am schlimmsten sei es in Hamburg, wo die Quote nur bei 50 Prozent liege. Ausgerechnet in der Freien und Hansestadt Hamburg, dessen geografische Lage an den Mündungen von Bille und Alster, die dort in die Unterelbe fließen von je her den Aufschwung und das Leben dieser Metropole bestimmt haben. Wasser, wohin man sich auch wendet. Der Stadtteil Neuwerk besteht sogar aus drei Inseln und von dort aus entlang der Elbe befindet sich der Tidehafen, der sich von Veddel bis Finkenwerder erstreckt. Am gegenüber gelegenem Elbufer befinden sich St.Pauli und Altona, die mit der anderen Seite durch die Elbbrücken und den Alten und Neuen Elbtunnel verbunden sind. Und obwohl es von Hamburg aus noch gut 100 Kilometer sind, so gibt es nicht wenige Deutsche, die behaupten würden, Hamburg liege an der Nordsee. Nun ja, vielleicht sind ja die Geographiekenntnisse der Deutschen noch schlechter als die Schwimmfähigkeiten der Hamburger Viertklässler. Aber auch ohne Nordsee gibt es genügend Gewässer, dass man den Hamburgern förmlich zurufen möchte: *Hey ihr Plattfische, lernt richtig schwimmen, die nächste Sturmflut kommt bestimmt. Und diesmal wird Helmut Schmidt nicht vorbeikommen, um euch von euren Hausdächern einzusammeln.* Von wegen Waterkant, von einem Hamburger lasse ich mich bestimmt nie wieder als Landratte bezeichnen, was ohnehin unsinnig ist, denn Ratten sind ausgezeichnete Schwimmer ...

Doch zurück von dem Nichtschwimmernachwuchs zu unseren professionellen Schwimmversagern, obwohl ich eigentlich keine Lust verspüre, weitere mit gechlortem Wasser gefüllte Ballons auf unsere viel gescholtenen Aqua-Athleten abzufeuern, wie zum Beispiel, dass sich der Olympiastützpunkt und das Landesleistungszentrum (LLZ) für Schwimmen ausgerechnet in Hamburg befinden, dem Mekka des talentfreien deutschen Schwimmnachwuchses. Vielleicht sollte man diese Einrichtungen für die grundlegende Schwimmausbildung der Hamburger Grundschulkinder nutzen. Eigentlich hatte ich vor, das Kapitel an dieser Stelle zu schließen. Wie gesagt, eigentlich. Doch dann baute sich ein Beitrag aus den Sozialen Medien auf wie eine Monsterwelle und bahnte sich ihren Weg bis in die redaktionell gefilterten Höhen der Tagesschau. In der Meldung wurde der ehemalige Leistungsschwimmer Markus Deibler mit dem folgenden Kommentar auf seiner Facebook-Seite zitiert:

> *In einem Land, in dem ein Olympiasieger 20.000 Euro Prämie bekommt und ein Dschungelkönig 150.000 Euro sollte sich niemand über fehlende Medaillen wundern.*
>
> *Quelle: Facebook, Markus Deibler*

Für alle die es nicht wissen: der Dschungelkönig ist der Sieger einer Reality TV-Show namens *Ich bin ein Star, holt mich hier raus* (RTL), bei der mehr oder weniger bekannte Prominente für 16 Tage in einem Freiluft-Camp im australischen Regenwald á la Big Brother zusammengepfercht werden. Was Big Brother ist werde ich nicht auch noch erklären. Für alle, die es nicht wissen habe ich nur eine Frage: von welchem Planeten kommt ihr denn?

Doch zurück zu dem obenstehenden Zitat. Offensichtlich wollte der Herr Deibler hier einen Dreizack – ich meine natürlich eine Lanze - für sich und seine ehemaligen Kollegen brechen und so wie viele andere meiner Mitmenschen wollte ich spontan seiner Meinung voll und ganz zustimmen, steht es doch außer Frage, dass die Leistung eines

Olympiasiegers wesentlich höher einzuschätzen ist als die Teilnahme an einem TV-Format. Doch solch ein unreflektiertes Verhalten ist nicht meine Art und in Zeiten, in denen gerne mal markante Aussagen aus dem Kontext gerissen werden, habe ich mich erst einmal mit dem Originalwortlaut vertraut gemacht. Vielleicht sollten Sie das auch machen, bevor Sie weiterlesen, aber zwingend erforderlich ist es nicht, da ich versuchen werde, die wesentlichen Aussagen zusammenzufassen.

In dem Facebook-Beitrag findet sich tatsächlich der zitierte Satz als Aufmacher. Des Weiteren führt Markus Deibler als Gründe für das schlechte Abschneiden der deutschen Schwimmathleten die schlechte Sportförderung (der Randsportarten) einerseits und die guten Dopingkontrollen in Deutschland andererseits auf. Ergänzt wird der Beitrag noch durch ein Zitat von Thomas Poppe (@DerPoppe), seines Zeichens ein freischaffender Kolumnist. Dieser fordert, die Athleten während und nach der sportlichen Karriere sehr viel mehr zu fördern oder sich - bei gleichbleibender Förderung - einfach an den Leistungen zu erfreuen, so wie diese abgeliefert werden. Ansonsten wird nicht weiter auf das eingangs erwähnten Statements eingegangen. Allerdings sah Markus Deibler sich veranlasst einen Folgebeitrag zu verfassen, um auf die heftige öffentliche Reaktion zu reagieren. In dem Folgebeitrag lenkt er ein, dass der Vergleich mit dem Dschungelkönig-Preisgeld natürlich sehr plakativ sei. Alles was er gerne möchte ist eine finanzielle Unterstützung, die es ihm erlaube, sich voll und ganz seinem Sport zu widmen, ohne nebenher noch einen Beruf ausüben zu müssen, um so mit den Vollprofis aus anderen Nationen in seinem Sport mithalten zu können. Zum Schluss rechtfertigt Deibler noch seine Aussagen gegenüber einem Kommentar von Franziska van Almsick, die während der Berichterstattung aus Rio Deiblers Beitrag als *emotionale Auswanderung aufm Sofa* beschrieb. Er, der Herr Deibler habe alles genau so gemeint, wie er es gesagt hatte.

Emotionale Auswanderung aufm Sofa … interessante Redewendung, die ich bisher noch nie gehört habe, aber natürlich ist mir intuitiv klar, was damit gemeint sein sollte. Nicht klar ist mir aber nach wie vor, was ich mit dem Vergleich zwischen den Siegprämien für einen Olympiasieger und für einen Dschungelkönig halten soll. Ein Teil meiner Irritation mag damit zusammenhängen, dass es gar keine Siegprämie für den Dschungelkönig gibt, zumindest nicht für die ersten zwölf Staffeln von *Ich bin ein Star - holt mich hier raus*. Erst mit der dreizehnten Staffel im Jahr 2019 führte RTL tatsächlich eine Siegprämie von 100000 Euro ein, aber ich glaube nicht, dass der gute Herr Deibler zum damaligen Zeitpunkt das schon wusste. In all den anderen Jahren bekamen die teilnehmenden Prominenten, eine Antrittsgage, dessen Höhe vornehmlich durch den jeweiligen Bekanntheitsgrad - den Promi-Faktor - bestimmt wurde. Diese Gagen bewegten sich typischerweise zwischen 20000 Euro und 50000 Euro. Großverdiener in dieser Hinsicht war Brigitte Nielsen, die für ihre erste Teilnahme im Dschungel-Camp 150000 Euro bekam, bei der zweiten Teilnahme sollen es sogar 200000 Euro gewesen sein. Damit liegt sie aber weit vor allen anderen – der Promi-Faktor eben. Tatsächlich ist also der Unterschied zwischen der Siegprämie für einen Olympia-Sieg und den Antrittsgagen viel kleiner und in den vielen Fällen sogar gleich, was den Kern von Herrn Deiblers Aussage schon mal gehörig aufweicht.

Des Weiteren finde ich, dass hier einmal mehr in dieser Welt Äpfel mit Birnen verglichen werden. Das fängt schon damit an, dass es sich einmal um eine staatliche Prämie, im anderen Fall um ein privatwirtschaftliches Incentive handelt. Also fangen wir doch einmal damit an, unsere deutschen Äpfel mit den Äpfeln anderer Nationen zu vergleichen, soll heißen, wie sehen die Siegprämien für Olympiasieger in anderen Ländern aus. In Deutschland bekommt ein Olympiasieger wie bereits mehrfach erwähnt 20000 Euro Siegprämie. Die Gewinner einer Silbermedaille können sich über 15000 Euro freuen und bei einer Bronzemedaille springen immerhin noch 10000 Euro heraus. Diese Prämien gelten für Individualsportler unabhängig der Disziplin, die sich in Rio 2016 platziert haben. Zum Vergleich: in London 2012 waren es noch 15000 Euro für Gold, 10000 Euro für Silber und 7500 Euro für Bronze. Ausgelobt werden diese Beträge von der Deutschen Sporthilfe. Für Mannschafts- und Staffelsportler gelten niedrigere Prämien, die gesondert durch den Gutachterausschuss der Deutschen Sporthilfe festgelegt werden. Aber auch die Endlaufplatzierten bekommen noch ein wenig Geld in die Hand, und zwar 5000 Euro für den vierten Platz, 4000 Euro für den fünften Platz, 3000 Euro für den sechsten Platz, 2000 Euro für den siebten Platz und immerhin noch 1500 Euro für Platz acht. Wer jedoch denkt, dass ein Doppel-Olympiasieger auch zwei Mal die Medaillenprämie kassiert, denkt falsch. Jede Medaillenprämie wird nur einmal ausgeschüttet. Zudem erfolgt die Auszahlung erst mit einem Jahr Verzögerung und dann auch noch auf zwölf Monatsraten verteilt. Trotzdem kam auf diese Weise in London 2012 die stolze Summe von 1.3 Millionen Euro an Prämiengeldern zusammen. Wie gesagt, dies sind nur die staatlichen Prämien. Viele Sportler haben mit ihren persönlichen Sponsoren noch individuelle Siegprämien ausgehandelt.

Damit hätten wir die deutschen Äpfel in die Waagschale geworfen. Aber wie sieht es nun in anderen Teilnehmerländern aus? Tatsächlich gibt es Länder, die zum Teil fürstliche Prämien für eine Goldmedaille bei den Olympischen Spielen bezahlen würden. So war den Rumänen eine Goldmedaille in Rio 70000 Euro wert, den Italienern sogar

150.000 Euro. Aber auch das sind nicht die absoluten Spitzenwerte. In London bot Thailand seinen Sportlern 310.000 US-Dollar für eine Goldmedaille, allerdings auszahlbar über einen Zeitraum von 20 Jahren. Da kann man den thailändischen Sportlern nur eines wünschen: lebe lang und erfolgreich! Japanische Olympioniken erhalten für eine Goldmedaille 43.000 Euro. Da Schwimmen in Japan eine sehr beliebte Sportart ist, dürfen sich japanische Schwimmer im Falle eines Olympiasieges über eine satte Prämie des Hauptsponsors in Höhe 258.000 Euro freuen. Natürlich bekommen auch die Gewinner von Silber und Bronze eine zusätzliche Prämie, allerdings zeigt der Hauptsponsor mit seiner Staffelung sehr deutlich, was so ein zweiter und dritter Platz wert sind. So bekommt ein Silbermedaillengewinner nur ein Zehntel der Prämie (25.800 Euro), bei Bronze sind es gar nur noch rund 8600 Euro. Mit Aserbaidschan (510.000 US-Dollar), Georgien (700.000 US-Dollar) und Singapur (800.000 US-Dollar) erklimmen wir so langsam den Olymp der Prämienangebote. Daneben gibt es noch Länder, die ihren Olympiahelden eine lebenslange (finanzielle) Unterstützung zukommen lassen, oder wie im Falle Chinas ein Haus oder ein Apartment zur Verfügung stellen. Die Ungarn zahlen ab dem 35. Lebensjahr des siegreichen Athleten eine lebenslange zusätzliche Rente, die sich aus den Einkünften des Sportlers zum Zeitpunkt seines Olympiasieges errechnen. Durchschnittlich sind das 513 Euro pro Monat.

Wenn man sich den voran gegangenen Abschnitt so ansieht, dann könnte man meinen, dass Herrn Deiblers Kritik an den deutschen Prämien gerechtfertigt ist. Es soll hier aber kein schiefes Bild entstehen, denn es gibt auch (prominente) Beispiele für Nationen, die niedrigere Prämien ausschütten als Deutschland. So müssen sich Kenias so erfolgreiche Läufer mit 10.000 Euro für einen Olympiasieg begnügen. Unter Umständen musste der arme Kerl dafür die

Marathonstrecke zurücklegen. Rechnet man die Prämie auf die Wettkampf-Kilometer um, dann ist man doch als deutscher Schwimmer mit den 20.000 Euro gut bedient. Würden Sie das nicht auch sagen, Herr Deibler? Noch härter trifft es die Athleten Großbritanniens, die überhaupt keine staatliche Siegprämie erhalten. Genau so ergeht es den Schweden, die aber immerhin noch ein kleines symbolisches Präsent erhalten: für eine Goldmedaille gab es ein großes Rio-Maskottchen, für Silber ein mittelgroßes und für Bronze ein kleines Maskottchen. Doch ungeachtet der stiefmütterlichen Behandlung seitens der jeweiligen Regierungen haben die britischen Schwimmer in Rio es sich nicht nehmen lassen, eine Goldmedaille und fünf Silbermedaillen aus dem Becken zu fischen. Und die schwedischen Schwimmer, angespornt von der Aussicht auf den Gewinn eines Kuscheltieres gewannen jeweils einmal Gold, Silber und Bronze, was angesichts der Ausbeute von elf Medaillen des gesamten schwedischen Olympia-Teams keine schlechte Quote ist.

Damit sind nun auch die internationalen Äpfel in der anderen Waagschale platziert. Aber was sagt die voran gegangene Aufstellung nun aus? Wie muss man die Zahlen interpretieren? Wie zu erwarten war, wird das gesamte Spektrum der möglichen Prämien abgedeckt, von einem feuchten Händedruck für die Briten bis zum goldenen Handschlag durch den singapurischen Stellvertreter von König Midas. Natürlich wird die Höhe der Prämien nach bestimmten Gesichtspunkten und Zielen festgesetzt. So ist es kein Wunder, dass die höchsten Prämien von Ländern bezahlt werden, die mit Olympiasiegern nicht gerade gesegnet sind und sich nichts sehnlicher wünschen, als das nationale und internationale Ansehen durch den Gewinn einer Goldmedaille anzuheben. Es geht also um Prestige, um Volkshelden, die als Vorbilder für die eigenen Landsleute dienen sollen und nach außen als Botschafter ihres Landes verkauft werden können.

Die meisten Länder jedoch betrachten ihre Prämien als das, was sie sein sollten, nämlich als Bonus für die Athleten, die eine hervorragende Leistung gezeigt haben und nicht als finanzielle Kompensation für den geleisteten Trainings-Aufwand.

Und wie reiht sich nun das deutsche Prämiensystem in dieses Spektrum ein? Wie zu erwarten war, ist es nicht eines der am höchsten dotierten, aber es gehört auch nicht zu den niedrigsten. Persönlich finde ich, dass hier ein sehr gutes Maß gewählt wurde, dass dem Anlass entsprechend durchaus angemessen ist. Besonders sympathisch an dem deutschen System ist, dass nicht nur die Medaillengewinner berücksichtigt werden, sondern auch Endlaufplatzierte bedacht werden. Auf diese Weise bekommen Athleten, die unerwartet gute Leistungen gezeigt haben, ein finanzielles Bonbon und Athleten, die eigentlich mit Medaillenhoffnungen in den olympischen Wettkampf gegangen sind, noch ein monetäres Trostpflaster. Die finanziellen Anreize für eine sportlich gute Leistung sind also bei dem deutschen Prämiensystem durchaus gegeben. Kritik daran scheint mir daher völlig unangebracht, zumal nicht die Höhe der Prämie die Leistung des Athleten bestimmt, sondern einzig und allein die Leistung des Athleten die Höhe der auszuzahlenden Prämie festlegt.

Bevor ich es vergesse: sicher möchten Sie noch wissen, ob das singapurische Olympia-Team eine oder mehrere Goldmedaillen gewinnen konnte und es damit zur Auszahlung der Prämie von 800.000 US-Dollar kam. Die Bilanz dieses Teams: keine Bronzemedaille, keine Silbermedaille aber tatsächlich eine einzige Goldmedaille. Jackpot, Mr. Joseph Schooling! Ironischerweise - aus Sicht dieses Kapitels - ist Joseph Schooling ein Schwimmer, der als erster Olympiasieger (100 Meter Schmetterling) seines Landes nicht nur olympische Geschichte geschrieben hat, sondern auch noch den großen Michael Phelps daran gehindert hatte, seine 23.Goldmedaille bei Olympischen Spielen einzustecken.

Hmmm, vielleicht sollte man doch noch mal über die Worte von Herrn Deibler nachdenken...?

# Ostblockhärte versus Sporthilfe-Softies

*Haben Sie schon einmal über das Wort Talentschmiede nachgedacht? Die allgemeine Assoziation bei Schmieden ist: Umformen durch äußere Gewalteinwirkung. Sie werden sehen, die Wahrheit ist gar nicht so weit davon entfernt!*

Wenn man danach fragt, warum bestimmte Nationen in manchen Sportarten so überaus dominant sind, während andere Nationen quasi nicht mal auf den Starterlisten erscheinen, geschweige denn in den Siegerlisten auftauchen, dann kann es dafür vielfältige Gründe geben. Das kann an der Popularität einer Sportart liegen (Randsportarten), die von Land zu Land sehr unterschiedlich sein können, an geographischen oder klimatischen Vorteilen, an genetischen Vorteilen und so weiter. Doch woran liegt es, wenn Nationen, die nahezu identische Voraussetzungen bieten und außerdem ähnlich ausgestattet sind an finanziellen Mitteln und Trainingseinrichtungen, trotzdem in der Leistungsdichte weit auseinanderdriften. In den allermeisten Fällen liegt das an den etablierten Systemen zur Auswahl und Ausbildung von zukünftigen Leistungssportlern.

Der Weg von einem jungen, vielversprechenden Talent zu einem nationalen oder internationalen Spitzensportler ist lang und aufwändig. Und der Erhalt oder sogar noch der Ausbau der Wettbewerbsfähigkeit im Sinne einer möglichst langen und möglichst erfolgreichen Sportler-Karriere ist ebenfalls mit sehr viel Leidenschaft und sehr viel Aufwand verbunden. Je komplexer die Sportart, desto höher ist der Aufwand, der von allen Seiten erbracht werden muss. Doch anstatt nur allgemein über dieses Thema zu sprechen, lassen Sie mich eine exemplarische Sportart herauspicken und die unterschiedlichen Wege zum Leistungssportler in verschiedenen Ländern betrachten.

Als Sportart wähle ich das Geräteturnen als quasi urdeutsche Sportart schlechthin. Urdeutsch deshalb, weil ein Deutscher mit dem imposanten Namen Johann Friedrich Ludwig Christoph Jahn (1778-1852), auch bekannt als Turnvater Jahn, die deutsche Turnbewegung begründete, aus der das moderne Geräteturnen hervorging. Reck und Barren, sowie zahlreiche andere Turngeräte, wurden sogar von ihm eingeführt und die Erstgenannten sind selbst heute noch im modernen Wettkampfturnen vertreten. Im Jahre 1811 schuf Turnvater Jahn den ersten öffentlichen Turnplatz an der Berliner Hasenheide, an der sich einmal in der Woche Jahn und seine Turnjünger zur Leibesertüchtigung trafen. Bis 1817 wurden allein in Preußen über einhundert solcher Turnplätze eingerichtet, damals natürlich noch mit dem Hintergrund, körperlich fitte Männer für das Militär zu bekommen. Dieser Aspekt führte in den folgenden Jahren dazu, dass Herr Jahn Turnverbot erhielt und aufgrund seiner politischen Aktivitäten für mehrere Jahre ins Gefängnis musste. Die turnerische Bewegung war trotzdem nicht mehr aufzuhalten und so hat beinahe jeder Sportverein heute eine Abteilung Turnen. Ohne es näher recherchiert zu haben, kann ich mir gut vorstellen, dass deutsche Turner in den Anfängen des Wettkampfturnens recht erfolgreich waren, bis andere Nationen aufgeholt und die Führungsrolle in dieser Sportart übernommen haben. Sieht man einmal von den Erfolgen der jüngeren Vergangenheit ab, die Fabian Hambüchen, Philip Boy und Co. unter der Führung von Fabians Vater als Bundestrainer einmal ab, so war das Geräteturnen in den letzten Jahrzehnten fest in der Hand von Nationen, wie den USA, Russland, China oder auch der Deutschen Demokratischen Republik (DDR). Und damit haben wir auch schon die

Vergleichsnationen gefunden. Was wird anders oder sogar besser gemacht in diesen Ländern als bei uns?

Um ein erfolgreicher Leistungssportler zu werden, gleichwohl in welcher Sportart, ist es wichtig möglichst früh in der Kindheit damit zu beginnen, um die erforderlichen motorischen, sensorischen und koordinativen Fähigkeiten zu erlernen. Das gilt erst recht für so eine komplexe Sportart wie dem Wettkampfturnen. Talent und geeignete körperliche Anlagen setze ich als gegeben voraus. In Deutschland wird von vielen Turnvereinen ein Eltern-Kind-Turnen für Kinder ab drei Jahren angeboten, um einen frühen Einstieg zu ermöglichen. Ein Sportart-spezifisches Training findet in solchen Kursen nicht statt, sondern es wird ein breites Spektrum an Bewegungsarten und Bewegungsformen angeboten, die teilweise auch rhythmisiert durchgeführt werden. Der Spaß an der Bewegung steht im Vordergrund, Fordern und Fördern der Kinder stehen in einem ausgeglichenen Verhältnis zueinander und der Fokus liegt nicht auf der Auswahl besonderer Talente, sondern ist ganz auf den Breitensport ausgerichtet. Die Teilnahme am Eltern-Kind-Turnen ist freiwillig, erfordert aber die Mitgliedschaft in dem jeweiligen Turnverein oder der Abteilung Turnen und ist somit kostenpflichtig (Mitgliedsgebühr). Je nach Vereinsangebot können für diese Kurse zusätzliche Gebühren erhoben werden. Die Kosten sind jedoch überschaubar und sollten für fast jede Familie erschwinglich sein. Im Alter von sechs Jahren werden die Kinder dann in das reguläre Turn-Training des Vereins überführt. Eine Musterung hinsichtlich des Talents, der physischen Voraussetzungen für das Turnen oder gar Empfehlungen für andere Sportarten werden an dieser Stelle nicht durchgeführt. Nun beginnt die Sportart-spezifische Ausbildung der Kinder, die typischerweise ein bis zweimal in der Woche für jeweils anderthalb Stunden trainieren. Die Intensität des Trainings ist jedoch nicht dazu geeignet,

Leistungssportler zu formen, es steht also weiterhin der Breitensportgedanke im Vordergrund.

Szenenwechsel. Irgendwo in Deutschland passiert folgende kleine Episode: mit knapp sechs Jahren zockelt ein kleiner Junge namens Phillip an der Hand seiner Mutter zu seinem ersten Training, denn er möchte unbedingt ein Geräteturner werden. Nach nur einem Jahr stellt sich heraus, dass er den Körperbau, das Talent und den entsprechenden Ehrgeiz besitzt, um es in dieser Sportart weit zu bringen. Zur selben Zeit irgendwo anders in Deutschland in einem kleinen Dorf mit einer ebenso unbedeutenden Turn-Abteilung, fragt sich ein ebenso unbekannter wie untalentierter Buchautor, wie aus einem talentierten Turn-Boy namens Philip ein Eliteturner werden könnte. Wie funktioniert die Talentsichtung? Wie funktionieren der Aufbau und die Förderung der jungen Talente? Wie viele Stunden muss ein Turntalent in der Woche in Deutschland trainieren? Naiv wie der untalentierte Buchautor zuweilen ist, rief er beim Deutschen Turnerbund (DTB) an und hatte auch gleich den passenden Mann an der Strippe, jedenfalls nach dessen eigener Auskunft. Also stellte der untalentierte Buchautor seine qualifizierten und präzisen Fragen, doch was als Antworten zurück kam war dann doch etwas karg. Und mit karg meine ich, dass die Antworten ziemlich inhaltslos waren, trotz der wiederholten Bestätigungen seitens des DTB-Mitarbeiters, an der richtigen Stelle gelandet zu sein. Schließlich gab der DTB-Mitarbeiter dem untalentierten Buchautor zu verstehen, dass die Fragen schriftlich einzureichen seien, da der auskunftskarge DTB-Mitarbeiter Angst hatte, falsch zitiert zu werden, obwohl der untalentierte Buchautor ihm anbot, den betreffenden Auszug aus dem noch unveröffentlichten Manuskript gegenzulesen und gegebenenfalls zu korrigieren. Aber der DTB-Mitarbeiter blieb hart und so wurde eine E-Mail mit einem entsprechenden Fragenkatalog aufgesetzt und deutlich weniger als zwei Stunden nach dem Telefonat an den DTB-Mitarbeiter abgeschickt. Dies alles geschah am 22. Februar 2019. Bis die Antwort auf die E-Mail kommen sollte, wurden die Arbeiten an diesem Kapitel erst einmal eingestellt und damit begann das Warten. Es gibt einige Studien die das Responseverhalten auf E-Mail-Anfragen als Untersuchungsgegenstand haben. Sehr gute Responsezeiten im professionellen Bereich liegen bei unter drei Stunden. Der Bereich zwischen 24 Stunden und 48 Stunden wird ebenfalls noch als normal bis gut bewertet. Wer nach vier bis sechs Wochen noch immer keine Antwort erhalten hat, der kann davon ausgehen, dass sich daran auch nichts mehr ändern wird. Mittlerweile zeigt der kleine Zeiger der Kalender-Sanduhr den 24. Juli 2020 an und noch immer wartet der untalentierte Buchautor auf die erhellenden Antworten des wortkargen DTB-Mitarbeiters.

Gerne hätte ich an Ihnen an dieser Stelle die Wege aufgezeichnet, die unser kleiner, fiktiver Turner-Boy Phillip gehen müsste, um einmal ein international gefeierter Star im Geräteturnen zu werden. Und ebenso gerne hätte ich mich danach beim Deutschen Turnerbund für die hervorragende Zusammenarbeit bedankt und ein bisschen positive Publicity verbreitet. Stattdessen muss ich konstatieren, dass man seitens des Verbandes ein Verhalten an den Tag gelegt hat, dass so typisch ist für deutsche Verbände (nicht nur im Sport), nämlich die fehlende Flexibilität, wenn es darum geht, eine unerwartete Gelegenheit beim Schopfe zu packen und für sich zu nutzen. Das wäre bei den US-Amerikanern – übrigens eine sehr erfolgreiche Nation im Geräteturnen - sicher ganz anders gelaufen. Eine Eigenschaft, die man adaptieren sollte, anstatt immer noch den Drei Säulen des Beamtentums zu verfahren. Säule 1: Das war schon immer so! Säule 2: Das war noch nie so! Säule 3: Da könnte ja jeder kommen! Den Job mit ein wenig mehr Eigeninitiative zu erledigen kann nicht schaden.

Richtig absurd erscheint das ganze Verhalten des DTB vor dem Hintergrund, dass es für mich als deutschen Buchautor viel leichter war, dieselben Information für China oder Russland zu erhalten, als von dem deutschen Verband. Schließlich wissen wir alle, wie wenig auskunftsfreudig die Russen und die Chinesen sein können, wenn es darum geht, Wettbewerbsvorteile zu sichern. Im Folgenden möchte ich Ihnen nun gerne das Talentsichtungs- und Ausbildungsprogramm der Volksrepublik China vorstellen.

Während in der westlichen Welt die Ausbildung in einer Sportart meist über Schulen, Vereine und Clubs organisiert wird, werden in China die Kinder in einem Scouting und Rekrutierungsverfahren von den jeweiligen Sportschulen ausgewählt. Das Scouting der vier- bis fünfjährigen Kinder findet dabei in den Kindergärten statt. Dazu besuchen die Scouts zwei Mal im Jahr die entsprechenden Einrichtungen in tausenden von Städten und Dörfern innerhalb des Einzugsgebietes der jeweiligen Turnschule und wählen die geeigneten Kinder aus. Beim Auswahlprozess werden wissenschaftliche Ansätze eingesetzt, die zahlreiche physische Parameter enthalten. Von Größe und Gewicht über die Muskelmasse bis hin zur Haltung und Statur. Eines unter zehn Kindern erfüllt die Auswahlkriterien und wird in einer der Turnschule aufgenommen, insgesamt sind es fünf Millionen Kinder. Natürlich haben die Eltern das Recht, das Aufnahmeangebot der Turnschule abzulehnen, tatsächlich ist es aber so, dass viele Eltern es als Ehre betrachten, wenn ihre Kinder ausgewählt werden und akzeptieren damit auch den Druck, unter dem die Kinder fortan stehen werden. Und die Kinder werden nach westlichen Maßstäben einem gewaltigen Druck ausgesetzt sein. Das beginnt früh morgens mit dem Antreten in Schuluniform auf dem Schulhof bei Wind und Wetter mit anschließendem Morgenappell und dem Singen der Nationalhymne. Danach haben die Kinder Unterricht in Mathematik und ihrer

Muttersprache. Nachmittags stehen drei Stunden intensives Turntraining auf dem Programm und das alles an sechs Tagen in der Woche. An dieser Stelle möchte ich auf den eingangs erwähnten Begriff der Talentschiede eingehen, denn mit den Kindern wird alles andere als zimperlich umgegangen. Nicht selten setzt sich ein Trainer auf die kleinen Kinder und bringt deren Arme und Beine in eine Stressposition, um einen maximalen Dehnungseffekt zu erzielen. Wie gesagt: Umformen durch äußere Gewalteinwirkung. Beim Vergleich mit ähnlichen Einrichtungen in Frankreich ist festzustellen, dass die chinesischen Turnkinder bereits in diesem Altersstadium viel intensiver trainieren. In Frankreich trainieren die Kinder in der ersten und zweiten Klasse lediglich fünf Stunden in der Woche, während es in China 18 Stunden sind, an manchen Eliteschulen, wie dem Institute for Professional Sports, sogar 24 Stunden. Das ist zwar sinnvoll, da in diesem Alter sich die motorischen, sensorischen und koordinativen Fähigkeiten sich entwickeln und die Kinder in dem Alter am meisten Lernen, aber auf Dauer sind gesundheitliche Schäden zu erwarten. In Relation gesehen haben diese Kinder mit 15 Jahren bereits zehn Jahre Leistungssport hinter sich.

Natürlich trainieren die Chinesen nicht ohne Grund so hart, denn dahinter steht das erklärte Ziel, die Amerikaner vom ersten Platz der (olympischen) Medaillenspiegel zu verdrängen. Da aber die US-Amerikaner, insbesondere die Afro-Amerikaner unter ihnen an Körpergröße und Kraft weit überlegen sind, werden zahlreiche Erfolge in der Leichtathletik durch die Chinesen eher nicht zu erwarten sein, und so konzentrieren sich Ostasiaten auf die technisch anspruchsvollen Sportarten, wie eben dem Geräteturnen. Um dieses Ziel zu erreichen hat China allein im Jahre 2013 mehr als eine Milliarde US-Dollar in die nationalen Olympischen Trainingseinrichtungen gesteckt, weit mehr als jede andere Nation. Damit verfügen die

Chinesen über das größte Recruitment und Trainingssystem der Welt. In China trainieren mehr als 400.000 Kinder in speziellen Olympic Schools und etwa 50.000 Athleten in den regionalen und nationalen Eliteeinrichtungen. Kritiker sagen, dieses System grenze an Kindesmissbrauch, doch die Verantwortlichen kontern, dass die Kinder in diesen Einrichtungen eine weit bessere Schulbildung und bessere Perspektiven bekommen als viele andere Kinder an herkömmlichen Schulen. Aber die Chancen, dass diese Kinder jemals bei den Olympischen Spielen starten werden sind ziemlich gering. Die Voraussetzungen, neben der sportlichen Excellenz, sind möglichst verletzungsfrei zu bleiben und es bis ins Nationalteam zu schaffen. Wer es bis dahin schafft, kann tatsächlich auf eine lebensverändernde Belohnung hoffen. Im Falle einer olympischen Goldmedaille sind das ein hoher Regierungsposten und ein Preisgeld von 200.000 US-Dollar, nicht berücksichtigt sind dabei die Zuwendungen aus der Privatwirtschaft durch Ausrüster- und Sponsorenverträge, sowie Werbeverträge. Allein die Aussicht darauf ist für alle Beteiligten Grund genug, all die Strapazen und Entbehrungen auf sich zu nehmen.

Das soeben vorgestellte System der Chinesen ist die konsequente Weiterentwicklung des Systems, dass bereits zu Zeiten der UdSSR und anderer Ostblockstaaten zur Anwendung kam. Umfang und Intensität des Trainings in diesen Ländern prägten den Begriff der Ostblockhärte. Ein System, dass in den Demokratien der westlichen Welt keine Akzeptanz und Unterstützung finden würde. Das soll jetzt nicht heißen, dass westliche Athleten, die das Adoleszenzalter überschritten haben, nicht genauso hart trainieren, wie es die Chinesen oder die Russen es tun, der Unterschied liegt in der frühen Selektion und der hohen Trainingsintensität von Kindesbeinen an, ein Vorsprung, der sich nur selten wettmachen lässt.

Aufgrund des kargen Informationsflusses seitens des DTB muss ich Ihnen mal wieder ein paar meiner Beobachtungen zum Besten geben. In der jungen Generation deutscher Leistungssportler ist mir ein Trend aufgefallen, der für den deutschen Leistungssport insgesamt fatal enden könnte. Immer mehr deutsche Athleten beenden ihre Karriere frühzeitig, das heißt lange vor dem Ablaufdatum für einen Leistungssportler der jeweiligen Sportart und wenden sich der Ausbildung, dem Studium oder gleich dem Berufsleben zu. Exemplarisch möchte ich hier noch einmal auf Markus Deibler aus dem vorangegangenen Kapitel hinweisen oder auf Vanessa Bauer, die bei den Deutschen Meisterschaften im Paarlaufen die Goldmedaille im Juniorenbereich gewann. Neben der Veröffentlichung von Fitness-Videos auf YouTube verdingt sie sich seit einiger Zeit in Eisrevuen auf Kreuzfahrtschiffen. Was gibt es besseres, als die weite Welt zu bereisen und dabei auch noch Geld zu verdienen und das alles mit der Sportart, die man so sehr liebt, dass man dafür Jahre lang alles andere im Leben untergeordnet hatte. Die Begründung für das frühe Karriereende scheint dabei immer die gleiche zu sein, nämlich, dass sich die Schinderei im Training und der permanente Wettkampfdruck finanziell nicht auszahlen. Gerade in den Randsportarten ist diese Einstellung unter den Athleten sehr verbreitet, was bei einer durchschnittlichen Förderung von etwas mehr als 600 Euro durch die Deutsche Sporthilfe nur allzu verständlich scheint. In der Tat ist die Frage nach der Motivation in den für dieses Kapitel ausgewählten Ländern Deutschland, Russland und China auch eine Frage der Mentalität und der wirtschaftlichen Entwicklung. Mit Deutschland haben wir ein wirtschaftlich hoch entwickeltes Land mit weit verteiltem Wohlstand und zahlreichen Möglichkeiten, die eigene soziale Stellung zu verbessern. In Russland und China sind diese Möglichkeiten immer noch begrenzt und für viele Menschen ist der erfolgreiche Weg über den Leistungssport immer noch die einzige Chance für den sozialen Aufstieg.

Kehren wir noch einmal zu dem Breitensport-orientieren Ansatz in Deutschland zurück, unter besonderer Berücksichtigung unseres Turn-Boys Philip und seinem Provinzverein. Als Faustregel gilt: je kleiner ein Verein und je geringer die Erfolge in der jeweiligen Abteilungssportart zu bemessen sind, desto schlechter ist die Sportart-spezifische Ausbildung. Das liegt doch auf der Hand, denn woher sollte die Expertise auch kommen? Da kann man für unseren talentierten Philip nur hoffen, dass er einen Trainer hat, der für das Thema Talentförderung sensibilisiert ist und ihn zu einem Verein schickt, wo er sich unter Seinesgleichen wiederfindet und seinem Talent entsprechend gefördert wird. Aber häufig ist es in den Provinzvereinen leider so, dass entweder das Talent nicht erkannt oder nicht richtig eingeschätzt wird oder dass der verantwortliche Trainer seinen talentierten Schützling in den eigenen Reihen halten will, um das eigene Image aufzupolieren. In letzteren Fall besteht die Gefahr, dass das Potenzial unseres Turn-Boys in der Provinz verschwendet wird. Dabei wäre es gerade in seinem Alter wichtig, die beste turnerische Ausbildung zu bekommen, die er kriegen kann. Die besten Trainer gehören nun einmal den jüngsten Sportlern zugeordnet. In der Praxis ist es aber meistens so, dass das Training der Jüngsten durch den vereinseigenen Trainernachwuchs bewerkstelligt wird, was die Kinder zu Versuchsobjekten für die Jungtrainer macht.

Wenn Sie, meine lieben Leserinnen und Leser glauben, dass ein Trainer nur dazu da ist, um die sportliche Ausbildung zu übernehmen, dann muss ich Ihnen mitteilen, dass Sie der Zeit etwas hinterherhinken. Das Bild des Trainers hat sich in den letzten Jahrzehnten gewaltig verändert. Heutzutage erwarten die Eltern, dass die Trainer die Kinder bespaßen, die sportliche Ausbildung ist dabei nebensächlich. Die Trainer wiederum müssen den Kindern Dinge beibringen, die mit der Sportart selbst absolut nichts zu tun haben, wie soziales Gruppenverhalten, sich Eingliedern in einer Hierarchie oder Schuhe zubinden. Zudem haben die Trainer immer mehr gegen fehlende Aufmerksamkeit oder ein schlechtes Durchhaltevermögen zu kämpfen. Nach jeder kleinen Trainingseinheit wird eine Trinkpause von den Kindern eingefordert, auch wenn im regulären Trainingsplan bereits zwei oder drei Trinkpausen vorgesehen sind. Bei Ballsportarten ist auch die folgende Frage sehr verbreitet: wann spielen wir? Unter all diesen Störfaktoren leidet die Konzentration auf das Training und damit dessen Effizienz. Aus Sicht der Eltern sollten die Trainer auch viel Loben. Lob ist ein wichtiger Bestandteil des Motivationssystems und sollte deshalb sparsam und leistungsgerecht verteilt werden. Von einer Mutter habe ich sogar mal den Vorschlag erhalten, bei jedem Lob Gummibärchen zu verteilen. Diesen Vorschlag habe ich kategorisch abgelehnt, denn die Kinder während des Sports mit Süßigkeiten vollzustopfen halte ich für absurd.

Geändert haben sich aber nicht nur die Anforderungen an die Trainer oder die Erwartungen der Eltern an eine Trainingsstunde, sondern auch die Kinder an sich. Diese weisen bereits in jungen Jahren ein Selbstbewusstsein auf, das seinesgleichen sucht. Allerdings ist davon keine Spur mehr zu finden, wenn es heißt, bei der Heimmannschaft nach Bällen zum Warmspielen zu fragen oder wenn es im Spiel gilt, dem Gegner Paroli zu bieten.

Wer von Ihnen bereits das vorangegangene Kapitel über die Misere im Deutschen Schwimmsport gelesen hat, könnte zu der Ansicht gelangen, dass Medaillen das Einzige sind, was für mich, die Medien und die anderen Zuschauer zählt. Das ist natürlich nicht so. Das ist ganz und gar nicht so! Das ist ein absolutes Missverständnis dessen, was ich zum Ausdruck bringen wollte! Papperlapapp, natürlich geht es um Medaillen. Wozu sollte man sonst Wettbewerbe ausrichten und die ersten drei Plätze auch noch besonders auszeichnen, wenn man nicht die Besten der Besten ermitteln wollte? Und nicht nur das, sondern die ersten drei Plätze werden auch noch unterschiedlich belohnt, und zwar in einer Art und Weise, die keinen Zweifel daran lässt, welcher der ersten drei Plätze wirklich erstrebenswert ist. Die Medaillen sind es, auf die die Arbeit der Athleten, der Trainer, der Betreuer und wer sonst noch für den Erfolg seinen Beitrag leistet, ausgerichtet ist. Die Medaillen sind es, die am Ende den nicht unerheblich finanziellen Aufwand in Ausrüstung, Trainingsstätten und letztendlich auch in den Athleten selbst rechtfertigen. Bei all dem Aufwand, der heutzutage notwendig ist, um einen Leistungssportler zu einem Top-Athleten in seiner Sportart zu machen, sollte man erwarten können, dass zu einem Top-Ereignis auch eine Top-Leistung erbracht wird.

Angesichts der drückenden Überlegenheit mancher Sportnationen in bestimmten Sportarten kann ich aber auch sehr gut damit leben, wenn es keine Medaillen gibt, aber deutlich sichtbar ist, dass der Athlet sein ganzes Potenzial während des Wettkampfes abgerufen hat. Dabei spielt es keine Rolle, ob der Athlet in einem Vorkampf oder erst im Finale gescheitert ist, solange dabei eine persönliche Saisonbestleistung (Seasons Best, SB) eine persönliche Bestleistung (Personal Best, PB) oder ein nationaler Rekord das Ergebnis der Bemühungen sind. Daran lässt sich erkennen aus welchem Holz ein Athlet geschnitzt ist, ob er mit Ostblockhärte zum Wettkampf antritt oder eher ein Sporthilfe-Softie ist.

Für unseren kleinen Turn-Boy Philip können wir nur hoffen, dass er immer an die richtigen Trainer und Vereine gerät und dass er eines

Tages seinen Weg in die deutsche Talentförderung seitens des DTB finde möge, der in diesem Kapitel leider so karg dokumentiert wurde. Und wer weiß, vielleicht wird er dann eines Tages so erfolgreich wie Fabian Hambüchen oder Philip Boy!

# Nur einen deutschen Basketballspieler

*Den Entwicklungsstand einer Sportart in einem beliebigen Land kann man oft daran erkennen, wie viele Sportler dieser Nation für ausländischen Ligen rekrutiert werden. Es ist also an der Zeit mal zu sehen, wann und wie viele deutsche Sportler, bevorzugt Basketballer in ausländischen Ligen engagiert wurden. Und das Maß aller ausländischen Ligen ist und bleibt die NBA.*

Gemäß den Aussagen eines ADIDAS Commercials aus dem Jahre 1986 importierten die Amerikaner im Vorjahr (in diesem Fall das Jahr 1985) 29 Milliarden Flaschen deutsches Bier, 860.000 deutsche Frankfurter Würstchen, 159.000 deutsche Autos, aber interessanterweise importierten sie nur einen deutschen Basketballspieler. Detlef Schrempf. Er bekam von den Amerikanern den Spitznamen *Det the Threat* verpasst. Detlef Schrempf war erst der dritte deutsche Basketballspieler, der den Sprung in die – nach eigenen Aussagen – weltbeste Liga, nämlich in die NBA geschafft hatte. Vor ihm schafften das nur Charlie *Dutch* Hoefer 1946 im Gründungsjahr der NBA und Frido Frey im darauffolgenden Jahr. Danach passierte erst einmal lange Zeit nichts. Im Sog von Detlef Schrempf kam noch ein weiterer deutscher Spieler im Jahr 1985 in die NBA, nämlich Uwe Blab. Das wurde unter Deutschlands Basketballspielern und Fans wohlwollend zur Kenntnis genommen, aber das eigentliche Basketballfieber in Deutschland wurde von einem ganz anderen Spieler in der NBA entfacht, der zur selben Zeit wie die beiden Deutschen seine Karriere in der amerikanischen Profiliga begann, nämlich Michael Jeffrey Jordan, auch bekannt als *Air Jordan*, *His Airness* oder einfach nur *MJ*.

Und die jugendlichen Basketballspieler orientierten sich nicht etwa dem damals besten deutschen Spieler, sondern an der besonders spektakulären Spielweise von MJ. Grundsätzlich ist nichts Falsches daran, den Besten der Zunft nachzueifern, allerdings sollte man sich im Klaren darüber sein, dass nur die allerwenigsten Nachwuchsspieler auch das Potential haben in der besten Liga der Welt Fuß zu fassen. Wer ernsthaft eine Karriere als professioneller Sportler anstrebt, der sollte nicht nach den Sternen greifen, sondern konsequent und Schritt für Schritt die Etappenziele erreichen. Mal sehen, wohin dann die Reise geht.

Doch woran liegt es eigentlich, dass in vierzig Jahren NBA nur vier Deutsche in dieser Liga gespielt haben. Die Popularität einer Sportart in dem jeweiligen Land ist in jedem Fall ein gewichtiger Faktor. Vor der Zeit von *MJ* und *Det the Threat*, gab es in Deutschland nicht so viele Basketballvereine wie heute. Aber die Jordan-Mania hat dazu beigetragen, dass mit einem Mal die Anzahl der eigenständigen Basketballvereine und die Anzahl der Basketballabteilungen in den etablierten Sportvereinen sprunghaft angestiegen ist. Das lag natürlich an der entsprechenden Nachfrage von Leuten, die Basketball auch im Verein und nicht nur dem Freiplatz spielen wollten. Aber in neugegründeten Vereinen muss sich erst einmal eine Struktur und wertvolle Erfahrung akkumulieren, bevor dieser Verein guten Nachwuchs ausbilden und konkurrenzfähige Mannschaften stellen kann. Und das kann unter Umständen etliche Jahre dauern, abhängig nicht nur von der im Verein vorhandenen Expertise, sondern auch von der sportlichen Wettbewerbssituation in der regionalen Umgebung.

Zu Beginn der Saison 2016/2017 spielten 113 internationale Spieler aus 41 Nationen in der NBA und stellten damals den Rekord für die Anzahl ausländische Spieler auf. In der darauffolgenden Saison waren es zwar nur 108 Spieler, dafür aber wurde ein neuer Rekord bei der Anzahl der beteiligen Nationen aufgestellt. Und in der Saison 2020/2021 verteilte sich die internationalen Spieler auf folgende Länder und Territorien.

| Nationalität | Aktive Spieler | Spieler insgesamt |
|---|---|---|
| Ägypten | 1 | 2 |
| Amerikanische Jungferninseln | 1 | 4 |
| Angola | 1 | 1 |
| Antigua und Barbuda | 0 | 1 |
| Argentinien | 1 | 13 |
| Australien | 8 | 26 |
| Bahamas | 2 | 5 |
| Belarus | 0 | 1 |
| Belgien | 0 | 1 |
| Belize | 0 | 3 |
| Bosnien und Herzegowina | 1 | 6 |
| Brasilien | 3 | 17 |
| Bulgarien | 0 | 3 |
| Demokratische Republik Kongo | 1 | 4 |
| Deutschland | 6 | 18 |
| Dominikanische Republik | 2 | 9 |
| Dominica | 0 | 1 |
| Estland | 0 | 1 |
| Finnland | 1 | 4 |
| Frankreich | 10 | 25 |
| Französisch-Guyana | 0 | 2 |
| Gabun | 1 | 2 |
| Georgien | 1 | 10 |

Tabelle 1: Internationale Spieler der NBA der Saison 2020 / 2021

| Nationalität | Aktive Spieler | Spieler insgesamt |
|---|---|---|
| Ghana | 0 | 1 |
| Griechenland | 3 | 13 |
| Haiti | 0 | 3 |
| Iran | 0 | 1 |
| Irland | 0 | 3 |
| Island | 0 | 1 |
| Israel | 1 | 4 |
| Italien | 4 | 12 |
| Jamaika | 1 | 9 |
| Japan | 2 | 5 |
| Kamerun | 2 | 4 |
| Kanada | 19 | 51 |
| Kap Verde | 0 | 1 |
| Katar | 0 | 2 |
| Kroatien | 4 | 23 |
| Kuba | 0 | 2 |
| Lettland | 4 | 7 |
| Libanon | 1 | 4 |
| Libyen | 0 | 2 |
| Litauen | 3 | 13 |
| Mali | 0 | 2 |
| Mexiko | 1 | 5 |
| Montenegro | 2 | 8 |

Tabelle 1: Internationale Spieler der NBA der Saison 2020 / 2021 (Fortsetzung)

| Nationalität | Aktive Spieler | Spieler insgesamt |
|---|---|---|
| Neuseeland | 1 | 3 |
| Niederlande | 0 | 5 |
| Nigeria | 7 | 24 |
| Nordmazedonien | 0 | 4 |
| Norwegen | 0 | 1 |
| Österreich | 1 | 1 |
| Panama | 0 | 4 |
| Philippinen | 1 | 3 |
| Polen | 0 | 4 |
| Puerto Rico | 2 | 15 |
| Rumänien | 0 | 1 |
| Russland | 0 | 13 |
| Schweden | 0 | 2 |
| Schweiz | 1 | 2 |
| Senegal | 3 | 12 |
| Serbien | 6 | 30 |
| Slowakei | 0 | 1 |
| Slowenien | 3 | 12 |
| Spanien | 5 | 17 |
| Sudan | 0 | 1 |
| Südkorea | 0 | 1 |
| Südsudan | 1 | 2 |
| Tansania | 0 | 1 |

Tabelle 1: Internationale Spieler der NBA der Saison 2020 / 2021 (Fortsetzung)

| Nationalität | Aktive Spieler | Spieler insgesamt |
|---|---|---|
| Trinidad und Tobago | 0 | 2 |
| Tschechien | 1 | 4 |
| Tunesien | 0 | 1 |
| Türkei | 3 | 12 |
| Ukraine | 2 | 9 |
| Ungarn | 0 | 1 |
| Uruguay | 0 | 1 |
| US-Immigranten | 4 | 30 |
| Venezuela | 0 | 6 |
| Vereinigtes Königreich / England | 1 | 11 |
| Vereinigtes Königreich / Schottland | 0 | 1 |
| Volksrepublik China | 0 | 6 |

Tabelle 1: Internationale Spieler der NBA der Saison 2020 / 2021 (Fortsetzung)

Insgesamt spielten außer den US-Amerikanern 256 Europäer, 61 Afrikaner, 152 Nord-, Mittel- und Südamerikaner (incl. Kanada), 22 Asiaten und 29 Ozeaner bis dato in der NBA. Bei genauerer Betrachtung des nationalen Anteils unter den Europäern merkt man schnell, in welchen Länder Basketball auf hohem Niveau gespielt wird. Dabei ist auffällig, dass der ehemalige Staat Jugoslawien mit insgesamt 83 Spielern das größte Kontingent stellt. Nach dem Bürgerkrieg und den weiteren Aufspaltungen aufgrund der politischen Verhältnisse im Lande verteilt sich diese Anzahl auf die Splitterstaaten Bosnien und Herzegowina (6), Kroatien (23), Serbien (30), Montenegro (8), Nordmazedonien (4) und Slowenien (12). Das ist absolut nicht verwunderlich, denn in Ex-Jugoslawien gehörte Basketball neben dem Fußball zu den beliebtesten Sportarten. Serbien und Kroatien zählen bei Welt- und Europameisterschaften immer noch zum Kreis der Top-Favoriten. Ebenfalls sehr stark vertreten im Laufe der NBA-Geschichte waren auch Frankreich (25), Spanien (17), Italien (12) Griechenland (13) und die Türkei (12). Auch in diesen Ländern ist der Basketballsport sehr beliebt und die lokalen Ligen verfügen über ein sehr hohes Spielniveau und sind auch für ausländische Spieler sportlich und finanziell lukrativ.

Seit der Dirk-Nowitzki-Ära in der NBA ist auch in Deutschland ein erhöhtes Interesse und eine erhöhte Nachfrage nach deutschen Top-Spielern bei den Scouts der NBA wahrzunehmen. Und so sind seit Detlef Schrempf weitere 15 deutsche Basketballspieler in der amerikanischen Profiliga gelandet. Allerdings schafften nur wenige den Durchbruch zu einer langjährigen Karriere, obwohl einige davon durchaus das Potential dazu gehabt hätten. So endete die Verpflichtung in der NBA für einige der deutschen Top-Spieler schon nach einer oder zwei Spielzeiten. Ein Beispiel ist Tim Ohlbricht, der zwar über alle Anlagen zu einem NBA-Spieler verfügt, aber leider nur gefühlte 24 Stunden in der amerikanischen Top-Liga verweilen durfte.

Ein ganz anderes Thema sind die talentierten Spieler, die als nächsten NBA-Kandidaten gehandelt werden. Meist durch entsprechende Berichterstattung in der deutschen Presse und anderen Medien hochgelobt, erweisen sich diese Spieler sowohl auf europäischer Vereinsebene als auch in der Nationalmannschaft als nicht konkurrenzfähig. Ein deutliches Anzeichen dafür sind die stark schwankenden Leistungen innerhalb eines Turniers. Wer in einem Spiel 20 Punkte erzielen kann, der sollte doch in der Lage sein, dieses Potential auch in den folgenden Spielen erneut abzurufen. Leider sieht es aber meistens so aus, dass sich das 20-Punkte-Ergebnis als Eintagsfliege erweist. Natürlich kann jeder mal einen schlechten Tag erwischen, genauso umgekehrt kann jeder Spieler auch mal einen außergewöhnlich guten Tag haben. Aber derart schwankende Leistungen sind für eine dauerhafte Karriere in der NBA nicht ausreichend, wo in rund 84 Spielen der Regular Season (plus zusätzlichen Spielen in den Playoffs, sofern sich das Team zur Teilnahme qualifiziert hat) mehrfach in der Woche eine Top-Leistung abgerufen werden muss.

Ein stets heiß gehandelter deutscher Kandidat für die NBA war Robin Benzing. Selbst im bereits fortgeschrittenen Sportleralter von 30 Jahren glauben einigen Sportjournalisten immer noch an einen Wechsel in die beste Profiliga der Welt, was aber eine sehr realitätsfremde Sichtweise ist. Und selbst wenn der Sprung doch noch gewagt werden sollte, dann ist sehr fraglich, ob er dort für den Rest seiner Basketball-Karriere bestehen könnten. Und dagegen sprechen einige Zahlen und Fakten. Selbst in der deutschen Nationalmannschaft kommt er nur auf 9,73 Punkte im Schnitt und das als Spieler aus der Starting Five (Startaufstellung). Die Spieler der Starting Five erhalten die meiste Spielzeit und sollten jederzeit in der Lage sein, zweistellig zu punkten. Aber leider scheitert ein besseres Abschneiden in der Punktestatistik sowohl an dem manchmal etwas schwachen Nervenkostüm als auch an der Wurfauswahl und der instabilen Wurftechnik. Irgendwie fehlt es beim Wurf an einer richtigen Körperkontrolle, so dass ein Wurf anders aussieht als der andere. Vergleicht man die Punktausbeute in der Nationalmannschaft von Robin Benzing mit der von Dirk Nowitzki, so muss man feststellen, dass hier eine ganz gewaltige Lücke klafft. Der Punktedurchschnitt von Dirk Nowitzki liegt bei 19,73 und die höchste erzielte Punktezahl in einem Spiel bei 47 Punkten. Robin Benzings Spielrekord liegt bei *nur* 27 Punkten. Nichtsdestotrotz hat er eine schöne und erfolgreiche Basketball-Karriere hingelegt, auch wenn er die überzogenen Erwartungen an ihn nicht ganz erfüllen konnte.

Apropos, die überzogenen Erwartungen der Medien und manchmal auch der verschiedenen Sportverbände sorgen oft dafür, dass anstatt einem ansehnlichen Ergebnis bei den internationalen Turnieren meist nur eine Enttäuschung für die Fans und alle anderen Beteiligten herauskommt und das, obwohl in den jeweiligen Mannschaften genug Potential gehabt hätten, um besser abzuschneiden. Beispielhaft soll dazu einmal der Turnierverlauf der Basketball-Euromeisterschaften 2013 (EuroBasket 2013) in Slowenien betrachten werden. Die deutsche Nationalmannschaft startete damals in der Gruppe A zusammen mit der Ukraine, Belgien, Großbritannien, Israel und Frankreich. Die Franzosen mit dem NBA-Profi Tony Parker zählten damals zu den Top-Favoriten des Turniers. Alle anderen Mannschaften in dieser Vorrundengruppe kann man nicht gerade zu den Großmächten des europäischen Basketballs zählen. Die Paarung

Frankreich gegen Deutschland war für beide Mannschaften das jeweilige Auftaktspiel in diesem Turnier und wider Erwarten gelang der deutschen Nationalmannschaft die kleine Sensation mit einem nicht unbedingt eingeplanten Sieg (74:80). Leider sorgte diese Leistung nicht dafür, weiterhin mit breiter Brust in den kommenden Spielen aufs Feld zulaufen und so folgten gegen Belgien (73:77 n. V.) und die Ukraine (83:88) zwei unerwartete Niederlagen. Und diese beiden Mannschaften zählen nun nicht gerade zu der Creme de la Creme des europäischen Basketballs. Und schon befand sich das deutsche Team hinter den Vorgaben des geplanten Turnierverlaufs wieder. Stattdessen befand man sich nun unter Druck, die ausstehenden Spiele gewinnen zu müssen. Aber anstatt sich voll auf das nächste Spiel zu konzentrieren und wieder eine akzeptable Leistung abzurufen, gab es eine weitere Niederlage gegen Großbritannien (81:74) und fortan sah man sich in der misslichen Lage, das Weiterkommen nicht mehr aus eigner Kraft zu schaffen, sondern auf die Schützenhilfe der anderen Gruppenmannschaften angewiesen zu sein. Rein rechnerisch war das zwar noch möglich, aber nicht sehr wahrscheinlich. Und so endete der Traum von der EuroBasket 2013 bereits in der Vorrunde. Ganz nebenbei bemerkt, Frankreich wurde damals Europameister und Tony Parker erzielte die meisten Punkte (209) in dem Turnier und wurde auch noch zum besten Spieler gekürt.

Dieses Schema gilt nicht nur für die deutschen Basketball-Nationalmannschaft, sondern auch für einige andere Mannschaftssportarten, wie Volleyball, Handball und besonders schmerzlich auch für die Fußballnationalmannschaft beim FIFA World Cup Russia 2018, als die Mannschaft nur den letzten Platz in der Vorrundengruppe erreichte. Oder ein anderes Beispiel aus noch jüngerer Vergangenheit: die Handballweltmeisterschaften 2021 in Ägypten bei der man zwar die Vorrunde als zweitplatzierte

Mannschaft abschließen konnte, aber in der Hauptrunde war dann auch hier Endstation und das Viertelfinale fand ohne Beteiligung der Deutschen statt.

Doch zurück zum Basketball. Der Grundstein für das Spielniveau eines zukünftigen Bundesligaspielers und damit auch für die gesamte Bundesliga wird natürlich in der entsprechenden Jugendausbildung in den Vereinen gelegt. Nicht umsonst fordert Dirk Bauermann, ehemaliger Bundesligaspieler, Clubtrainer mit Engagements rund um den Globus und (ehemaliger) Nationaltrainer von Deutschland, Polen, Iran und Tunesien, dass die besten Trainer bei den jüngsten Nachwuchsspielern eingesetzt werden sollten. Bei den Trainingsinhalten sollte der Fokus auf die Basic Skills und Fundamentals gerückt werden. Die Realität sieht aber ganz anders aus, denn entweder sind qualifizierte Trainer in den jeweiligen Vereinen und Abteilungen nicht oder nicht im ausreichenden Maße vorhanden oder die jüngsten Vereinsmitglieder werden in die Obhut von wenig qualifizierten Nachwuchsspielern der älteren Jahrgänge übergeben. Und da kann man die dollsten Dinge erleben. Nicht selten wird die kostbare Trainingszeit mit Sit-Ins und langatmigen Erklärungen und Diskussion verbracht, was wahrscheinlich aus Sicht der Trainer besonders pädagogisch sein soll. Oder es werden Übungen durchgeführt, die didaktisch nicht für die Entwicklung des Basketballspiels förderlich sind. Aber am schlimmsten sind die Trainer, die nach dem Laisse-faire-Prinzip ihre Spieler schalten und walten lassen und nicht für Ordnung und Disziplin in der Trainingsgruppe sorgen. Überlässt man die jugendlichen Spieler sich selbst, dann kann man davon ausgehen, dass nur gemacht wird, was richtig Spaß bringt aber nicht was der Entwicklung der sportartspezifischen Fähigkeiten dient. Und damit gehen viele Talente bereits frühzeitig verloren.

Aber das Training wird heute nicht nur von Trainern bestimmt, sondern oft auch durch die Eltern, die zu den Trainingszeiten in der Halle verweilen. Die Trainingsinhalte werden dadurch quasi fremdbestimmt. Ein besonders einprägendes Beispiel war, als eine Mutter ihr Kind nicht mehr ins Training kommen ließ, weil beim Erlernen des Rebounds der Trainer darauf hinwies, dass bei der Landung die Ellenbogen nach außen hin zu halten sind, um den Zugriff auf den Ball für gegnerische Spieler zu erschweren. Das erschien der pazifistisch-philanthropischen Einstellung der Mutter wohl nicht zu entsprechen, dabei ist das einfach nur der korrekte Bewegungsablauf beim Spreizbuckelsprung, wie es auf bizarre Art und Weise im deutschen Fachjargon heißt. Vielleicht sollte der Filius doch lieber in den Schachverein eintreten. Oh, das Wort *eintreten* ist nicht im destruktiven Sinne gemeint, gute Frau Mama.

Ein beliebtes Mittel bei vielen Nationen, um kurzzeitig das internationale Wettkampfniveau anzuheben ist die schnelle Einbürgerung von erfahrenen und erfolgreichen Sportlern aus anderen Nationen, die aufgrund der dort herrschenden Konkurrenzsituation nicht mehr für internationale Wettkämpfe berücksichtig werden. Turnen, Tischtennis oder Leichtathletik sind dabei nur ein paar der Sportarten, die auf diese Möglichkeit zurückgreifen. Können die eingebürgerten Sportler nach ihrer aktiven Karriere als Trainer in das Nachwuchstraining überführt werden, dann ist das ein doppelter Gewinn für jeweiligen Sportverband.

Am Ende des Tages bleibt nur noch die Frage, wer ist unser nächster Mann in der NBA und wird sich dieser dauerhaft durchsetzen können, so wie Detlef, Dirk und Dennis (Schröder), auch wenn dessen Vorname nicht mit einem D beginnen sollte. Also, liebe deutsche Nachwuchsspieler, wenn ihr auch eines schönen Tages in der amerikanischen Profiliga spielen wollt, dann denkt immer an den Werbespot von Ex-NBA-Profi Grant Hill: *If you wanna make it to the NBA, practice! If you need a refreshing drink, drink Sprite just like Grant Hill!*

# Super Size Me vs. The Biggest Loser

*Trends kommen und Trends gehen und außerdem so sagt man, kommt jeder Trend irgendwann einmal wieder. Aber hat man je davon gehört, dass gleichzeitig zwei Trends zu derselben Zeit koexistieren, obwohl diese im Wesentlichen diametral ausgerichtet sind?*

Hat man je davon gehört, dass Rauchen gesundheitsschädlich ist? Schätzungen zufolge sterben in der Bundesrepublik Deutschland jährlich 140.000 Menschen an den Folgen des Rauchens und laut einer Studie der Weltgesundheitsorganisation (WHO, World Health Organization) aus dem Jahr 2010 sterben weltweit rund 600.000 Menschen an den Folgen des Passivrauchens, davon etwa 3300 Personen pro Jahr in Deutschland. Seit Mai 2016 erfreuen wir uns an abschreckenden Bildern und Texten auf den Zigarettenverpackungen, die Raucher vom Tabakkonsum abhalten sollen. Das Verbot von Tabakwerbung im Fernsehen, die Altersbeschränkung beim Kauf von Zigaretten, auch beim Kauf am Zigarettenautomaten, sofern es diese überhaupt noch gibt deuten ferner daraufhin, dass der potentielle Konsument vor den schädlichen Auswirkungen des Tabakkonsums gewarnt und bestenfalls davon abgebracht werden soll. Trotz dieser Maßnahmen gibt es immer wieder Schadenersatzforderungen in Milliardenhöhe gegen die Tabakindustrie, meistens in Form von Sammelklagen durch geschädigte Raucher, die angeblich von den negativen Auswirkungen ihres Zigarettenkonsums nichts gewusst haben wollen. Ab dem Jahr 2021 will die Bundesrepublik Deutschland die bisherigen Einschränkungen für Tabakwerbung weiter verschärfen, um vor allem die Jugendlichen vom Zigarettenkonsum abzuhalten.

Aber bereits in den letzten 25 Jahren ist der Zigarettenabsatz deutlich zurückgegangen. Laut dem Statistischen Bundesamt wurden im Jahr 2015 etwa 75 Milliarden Zigaretten produziert, was gegenüber dem Vorjahr einen Rückgang von 6,3 Milliarden Stück (7,7 Prozent) entspricht. Diese Anzahl von Zigaretten wurde ebenfalls 2019 produziert, während es im Jahre 1991 noch fast doppelt so viele Zigaretten waren. Der tägliche Konsum an Zigaretten sank von 13 bis 16 Stück am Tag (1995) auf nur noch 9 bis 10 Zigaretten (2017). Der Rückgang des Tabakkonsums in Deutschland hat mehrere Gründe, so ist der Preis pro Schachtel in den letzten Jahren deutlich angestiegen. Zum anderen gibt es mittlerweile mehrere Alternativen zur Zigarette angefangen von der E-Zigarette bis zu dem vor allem bei Jugendlichen sehr beliebten Shishas und den mittlerweile legalisierten Konsum von selbstgedrehten Hanfzigaretten, besser bekannt als Joints. Und ja, auch diese Alternativen zur Zigarette sind gesundheitsschädigend, insbesondere der Konsum von Hanfzigaretten, der auch zum Einstieg zu härteren Drogen führen könnte.

Und um die eingangs dieses Themenabschnitts gestellte Frage zu beantworten: ja, man könnte schon einmal davon gehört haben, dass Rauchen gesundheitsschädlich ist!

Hat man je davon gehört, dass übermäßiger Konsum von Alkohol schädlich ist? Zugegeben, Alkohol hat nicht annähernd das Gefährdungspotenzial für die unmittelbare Gesundheit, wie es das Rauchen von Zigaretten hat. Dennoch sind die Gefahren des Alkoholkonsums, erst recht des regelmäßigen und übermäßigen Alkoholkonsums nicht zu unterschätzen. Obwohl der Konsum von Alkohol hierzulande als gesellschaftliche legitimiert gilt, sollte das Suchtpotenzial von alkoholhaltigen Getränken nicht unterschätzt werden. Laut den Zahlen, die von der Deutschen Hauptstelle für

Suchtfragen e.V (DHS) auf deren Homepage veröffentlicht wurden, liegt hierzulande in der Altersgruppe der 18- bis 64-Jährigen (rund 51,5 Millionen Menschen), der Alkoholmissbrauch bei 1,4 Millionen Personen. Die Anzahl der Alkoholabhängigen in derselben Altersgruppe liegt bei 1,6 Millionen Personen. Grund genug, dass das Jugendschutzgesetz (JuSchG) die Abgabe und den Konsum von branntweinhaltigen Getränken an Minderjährige untersagt. Andere alkoholische Getränke, die durch alkoholische Gärung und nicht durch Destillation erzeugt werden, dürfen an Kinder und Jugendliche unter 16 Jahren weder abgegeben noch zum Verzehr angeboten werden.

Aber man muss nicht zwangsläufig zum Alkoholiker werden, um durch den unvorsichtigen Umgang mit alkoholischen Getränken sich und andere zu gefährden. Man denke zum Beispiel an alkoholbedingte Arbeits- oder Verkehrsunfälle, die nicht nur erheblichen Sachschäden führen, sondern auch Tote und Verletzte fordern. Im Jahr 2019 wurden 35,590 alkoholbedingte Verkehrsunfälle polizeilich erfasst. Darunter befanden sich 13,949 Unfälle mit Personenschäden, die zu 228 Verkehrstoten und 17,183 Verletzten geführt haben. Aber positiv sei zu bemerken, dass sowohl die Gesamtzahl der Unfälle als auch die Zahlen der Toten und Verletzten gegenüber 2007 deutlich abgenommen haben. Damals zählte die Polizei noch 51,153 alkoholbedingte Verkehrsunfälle, davon 20,785 mit Personenschäden (565 Tote, 26,594 Verletzte). Zu diesem positiven Trend hat nicht nur eine bessere Fahrzeugtechnik beigetragen, sondern auch vermehrte Verkehrskontrollen, erhöhte Bußgelder und Strafen, sowie eine ständige Verschärfung der Promillegrenzen. Bereits im Jahre 1953 legte der Bundesgerichtshof fest, dass bei einem Gehalt von 1,5 Promille Alkohol im Blut ohne weitere Voraussetzungen eine Ordnungswidrigkeit vorliegt. Im Sommer 1973 wurde die Grenze auf 0,8 Promille gesenkt und schließlich im Jahre 2001 mit 0,5 Promille ein weiteres Mal herabgesetzt. Für das Gebiet der Deutschen Demokratischen Republik (DDR) galt im Übrigen von 1956 bis zur Wiedervereinigung im Jahre 1990 die Null-Promille-Grenze. Für Fahrzeugführer in der Probezeit gilt aktuell ebenfalls dieser Grenzwert für das gesamte Gebiet der Bundesrepublik Deutschland. Und was die Bußgelder betrifft, so ist man selbst bei einfachen Vergehen ein paar hundert Euro los und sammelt dabei auch noch Punkte.

Und um die eingangs dieses Themenabschnitts gestellte Frage zu beantworten: ja, man könnte schon einmal davon gehört haben, dass der übermäßige Konsum von Alkohol schädlich ist!

Hat man je davon gehört, dass falsche Ernährung gesundheitsschädlich ist? Falsche Ernährung kann viele Formen haben. Entweder ist man zu viel oder man isst zu wenig, man isst zu süß oder man nimmt zu viele Kohlenhydrate oder Fette zu sich. Zu viele Vitamine zu sich zu nehmen kann ebenso ungesund sein, wie zu wenige und dasselbe gilt wohl auch für die Mineralstoffe und Spurenelemente. Die optimale Ernährungsformel zu finden ist aufgrund von vielen Einflüssen nicht gerade einfach. Im Allgemeinen führt falsches Essverhalten zu falscher Ernährung, die sich in verschiedenen Arten äußern kann und zu weiteren Folgeerkrankungen führen.

Die Volkskrankheit Nummer Eins in den Industrienationen ist das Übergewicht. Übergewichtige Personen haben ein höheres Risikopotenzial an Herz-Kreislauf-Erkrankungen, Diabetes, Verfettung der Organe und sogar an Krebs zu erkranken. Auch die Bewegungsfähigkeit ist eingeschränkt, Knochen und Gelenke werden über die Maßen beansprucht, was zu entsprechenden Verschleißerscheinungen führt.

Und um die eingangs dieses Themenabschnitts gestellte Frage zu beantworten: ja, man könnte schon einmal davon gehört haben, dass falsche Ernährung gesundheitsschädlich ist.

Ein großes Problem der industriellen Wohlstandsnationen ist die wachsende Anzahl übergewichtiger und adipöser Personen. Laut einer Studie des Robert Koch-Institutes (RKI, Studie DEGS1) aus dem Jahre 2014 sind in Deutschland 67 Prozent der Männer und 53 Prozent der Frauen übergewichtig oder sogar stark übergewichtig (adipös), das heißt, der Body-Mass-Index (BMI) ist höher als 30. Einen solchen BMI weisen 23 Prozent der übergewichtigen Männer und 24 Prozent der übergewichtigen Frauen aus. Die Kosten für das Gesundheitswesen, die durch Übergewicht und dessen Folgeerkrankungen entstehen gehen in die Milliarden von Euro und könnten durch mehr Bewegung und eine gesunde Ernährungsweise vermieden werden.

Die Gründe für dieses schwerwiegenden Problem liegen vor allem in der Art und Weise, wie sich der Alltag in Bezug auf die Essgewohnheiten der Bevölkerung geändert hat. Das traditionelle Drei-Mahlzeiten-System zu festgelegten Zeiten wurden abgelöst durch gelegentliche Verzehreinheiten. Viele Menschen frühstücken heute nicht mehr, sondern kaufen sich unterwegs einen Becher Kaffee oder holen sich ein Schinken-Käse-Croissant beim Bäcker auf dem Weg zur Arbeit. Gegessen wird unterwegs oder am Arbeitsplatz, wo auch gerne mal die eine oder andere süße Versuchung zu sich genommen wird. In den meisten Firmen ist die Versorgung mit koffeinhaltigen Heißgetränken zum Nulltarif sichergestellt. In den Besprechungen wartet schon der entsprechende Besprechungskeks in einer dekorativen Schale auf seinen kurzen und krümeligen Auftritt. Große und kleine firmeninterne Feiern, wie Einstände und Ausstände oder Geburtstagsfeiern von Mitarbeiter bescheren oft weitere

Schmunzetten, bei denen man nicht ans Kalorienzählen denkt. In der Mittagspause warten entweder die hauseigenen Kantinen mit einem reichhaltigen Speiseangebot auf oder man versorgt sich dezentral bei den umliegenden Dönerbuden, Restaurants oder Supermärkten. Nach Feierabend bestellt man sich vielleicht noch eine Pizza für sich und seine Lieben zuhause bei den zahlreichen Abhol- und Lieferdiensten, um noch eine gemeinsame Mahlzeit im Familienkreis einzunehmen und zum gemeinsamen Fernsehabend landen die Snacks von Chips & Co in den Mägen der Bevölkerung, zumindest teilweise, denn der Rest endet in den Sofa- und Sesselspalten. Wer bei all den Angeboten und Gelegenheiten zur Nahrungsaufnahme nicht so genau auf die tägliche Kalorienzufuhr achtet und auch nicht durch ausreichend Bewegung und Sport für den entsprechenden Ausgleich sorgt, der landet sehr schnell in Übergewichtsfalle.

In diesem Zusammenhang wird auch gerne auf die Schädlichkeit von Fast Food verwiesen. Unter diesem negativen Image leiden nicht nur die großen zumeist amerikanischen Fast-Food-Ketten, sondern auch die einzelne Gastrobetriebe, denn der Burger ist zurzeit schwer im Trend und das nicht nur in Deutschland. Aber schaut man sich die Nährwerte der angebotenen Speisen einmal genauer an, dann stellt man fest, dass es nach wie vor darauf ankommt, welche Produkte man bestellt und in welcher Menge. Tatsächlich gibt es also keinen wirklichen Grund, auf einen gelegentlichen Besuch in einer der beliebten Fast-Food-Ketten zu verzichten.

Das negative Image von McDonald's und Co rührt in erster Linie durch eine unsachliche, zumeist einseitige Berichterstattung in den Medien her. Dazu hat nicht zuletzt auch der Film *Super Size Me* des US-amerikanischen Regisseurs Morgan Spurlock aus dem Jahre 2004 beigetragen. Ab dem 15. Juli 2004 war der Film hierzulande in den Kinos zu sehen und sorgte in der Öffentlichkeit für sehr viel Aufsehen.

Morgen Spurlock mimt nicht nur die Hauptrolle in diesem als Dokumentarfilm getarnten Selbstversuch, sondern schrieb auch noch das Drehbuch, führte die Regie und übernahm die Produktion des Films. Der Inhalt des Films ist schnell erzählte. Spurlock wollte sich 30 Tage lang nur von Produkten der Fast-Food-Kette McDonald's ernähren, aufgeteilt in drei Mahlzeiten pro Tag. Dabei wollte er jedes angebotene Produkt mindestens einmal bestellen. Sollte ihm ein Menü als Supersized angeboten werden, in Deutschland besser bekannt als Mach's maxi, so wollte er dieses Angebot jedes Mal akzeptieren. Und wenn die Amerikaner supersized sagen, dann meinen die das auch so. Allerdings wurde Spurlock dieses Angebot bei seinen 90 Mahlzeiten, die er innerhalb des Versuchszeitraums bei McDonald's zu sich genommen hatte, nur insgesamt neunmal angeboten, was einer Quote von lediglich zehn Prozent entspricht. Als weitere Versuchsbedingung wollte Spurlock sein tägliches Bewegungspensum auf 5000 Schritte beschränken, was ungefähr dem Bewegungsprofil eines im Büro arbeiten Amerikaners in seiner Altersgruppe gleichkommt. Vor, während und nach dem Selbstexperiment wurde er von drei Ärzten und einer Ernährungsberaterin untersucht und überwacht, die in dem Film von ihm interviewt wurden.

Das Ergebnis des Selbstversuchs: nach den 30 Tagen hatte Spurlock 11,1 Kilogramm an Gewicht zugenommen, was etwa 13 Prozent seines Körpergewichtes entsprach. Um wieder auf sein Ausgangsgewicht zu kommen, benötigte er insgesamt 14 Monate. Die Intension des selbstlosen Selbstversuches war klar, Spurlock wollte zeigen, wie schlecht Fast Food sich auf die Gesundheit und das allgemeine

Wohlbefinden auswirken kann. Unklar ist, ob der Film direkt gegen McDonald's konzipiert war oder sich gegen die gesamte Fast Food-Industrie wendete, den der Dokumentarfilm knüpft an die Klage zweier amerikanischer Mädchen an, die eine Schadenersatzklage gegen McDonald's eingereicht hatten, in dem sie der Fast-Food-Kette die Schuld an ihrer Adipositas und den gesundheitlichen Folgeschäden gaben. Die Klage scheiterte jedoch.

Ebenso unklar ist mir persönlich auch der Sinn solcher Selbstexperimente. Würde man den Dokumentarfilm wohlwollend bewerten, dann würde man vermutlich darauf hinweisen, dass Spurlock auf spektakuläre Art und Weise auf die gesundheitsschädigenden Folgen einer einseitigen und viel zu reichhaltigen Ernährung, gepaart mit einem Mangel an ausreichend Bewegung aufmerksam machen wollte. Allerdings: hat man je davon gehört, dass falsche Ernährung gesundheitsschädlich ist? Und dazu kann man nur eines sagen: ja, man könnte schon einmal davon gehört haben, dass falsche Ernährung gesundheitsschädlich ist.

Fertigte man einen Querschnitt durch die Programminhalte der zahlreichen Fernsehkanäle an, so würde man feststellen, dass gerade zwei entgegengesetzte Trends um die Gunst des TV-Publikums aller Gewichtsklassen kämpfen. In der blauen Ecke - von regional bis international, vom Food Truck bis zum Fine Dining, von der Lust auf rohes Fleisch bis zum veganen Hackfleisch - Ladies und Gentlemen: die Kochshows. Und in der roten Ecke – vom Waschbärbauch zum Waschbrettbauch, von der Couchpotato zur Adonis-Statue, vom Biggest Loser zum Ninja Warrior – Ladies und Gentlemen: die Abnehm- und Fitness-Shows!

Zurzeit ist Deutschlands Kochfieber heißer als Frittenfett. Das fängt schon früh morgens in den Morgenmagazinen an, in denen uns ein

Fernsehkoch zeigt, was wir zum Mittagessen oder Abendessen zubereiten können. Und so wie der TV-Tag am Morgen begonnen hat, so geht es auch Schlag auf Schlag weiter, sogar bis in die Primetime und zum Teil darüber hinaus, obwohl zu dieser Zeit die Nahrungsaufnahme bereits abgeschlossen sein sollte.

Die Inhalte der Kochsendungen präsentieren sich in allen Facetten des Kochstellen-Spektrums, vom einfachen Vorkochen durch bekannte TV-Köche, zu Kochduellen zwischen Hobbyköchen, Küchenprofis oder Prominenten aus anderen Genres, wahlweise im Modus Mann-gegen-Mann oder im Team. Manchmal ist das Kochen mit der Anbahnung zwischenmenschlicher Beziehungen verknüpft. In Dokumentarbeiträgen oder in Infotainment-Formaten erfährt der Fernseh-Gourmet alles über die neuesten Food Trends, die besten Locations und deren Chefs oder über die Herkunft und Verarbeitung unserer Lebensmittel. Zwischendurch wird auch mal gebacken, aber Backen ist für einen richtigen Koch eine Zumutung. Nicht selten verführen die abendlichen Shows dazu, noch einen zusätzlichen Happen zu sich zu nehmen, oder die Sendungen mit ein paar Snacks zu genießen.

Und, während die Fans der Kochsendungen sich genüsslich ansehen, wie man sich auf angenehme Art und Weise ein wenig Hüftgold zulegen kann, sind andere schwer damit beschäftigt mitzuverfolgen, wie andere Menschen sich bemühen gegen ihr Hüftgold anzukämpfen. Hat man dieses Ziel erst einmal erreicht, dann ist aber noch lange kein Ausruhen angesagt, denn im Rahmen des aktuellen Fitness- und Körperkults und dem Drang zur Selbstoptimierung des eigenen Erscheinungsbildes, kommen nunmehr andere Sendungen in Betracht, im weitesten Sinne auch solche, bei denen die Kandidaten und Kandidatinnen halb- oder gar ganz nackt vor der Kamera stehen und ihre körperlichen Vorzüge der breiten Öffentlichkeit zur Schau stellen, die sonst nur im Heimkino zu sehen sind. Selbst in der Werbung zwischen den Sendungen dreht immer mehr TV-Spots um Fitness- und Ernährungstrends und technisch hoch entwickelte Gadgets und Apps unterstützen uns dabei.

Und so kommt es, dass wenn das TV-Gerät abgeschaltet ist und man den Bedürfnissen des alltäglichen Lebens nachgeht, wie dem Einkauf im Supermarkt oder der Zubereitung der täglichen Mahlzeiten man den Spagat zwischen Super Food, High-Protein-Produkten und dem veganen Schinken Spicker der Rügenwalder Mühle einerseits oder doch lieber den althergebrachten Versuchungen anderseits machen muss. Und so sehr ich es auch versuche, so kann ich mich nicht an den Gedanken gewöhnen kann, dass ein geradezu vor Fleisch strotzendes Wort wie Schinken Spicker auch vegan sein kann, denn der traditionelle Schinken Spicker besteht aus Brät (von althochdeutsch: brāto *schieres Fleisch*) gespickt mit Schinkenstücken. Nichts für ungut, liebe Rügenwalder. Doch unabhängig davon, so steht eines unerschütterlich fest: der Mensch muss essen und das am besten täglich. Und denken Sie immer daran, liebe Leserinnen und Leser, dass das Frühstück die wichtigste Mahlzeit des Tages ist. Und zwar noch vor dem zweiten Frühstück um halb zehn in Deutschland, dem elf Uhr Snack für den kleinen Hunger zwischendurch, dem Mittagessen, dem fünf Uhr Teefix, dem Abendessen, dem Mitternachtssüppchen und dem joghurtleichten Betthupferl!

# Teil 2: Weicher Kern

## Charakter :: Werte :: Vorbilder

*Lasst wohlbeleibte Männer um mich sein,*

*mit glatten Köpfen, die des Nachts gut schlafen.*

*Der Cassius dort hat einen hohlen Blick.*

*Er denkt zu viel: Die Leute sind gefährlich.*

*Julius Cäsar I, 2. (Cäsar)*


*William Shakespeare (\* 23.04.1564, † 23.04.1616)*

*englischer Dichter und Dramatiker*


Als wir die umtriebigen Römer in der Einleitung zum ersten Teil des Buches verließen, hatten sie unter großen körperlichen Anstrengungen und vielen Entbehrungen ein beeindruckendes Imperium aufgebaut und genossen seither die Früchte ihrer Eroberungen und das in vollen Zügen und im wahrsten Sinne des Wortes. Warum auch nicht, es sei den Bürgern des römischen Imperiums gegönnt. Doch schlimmer als der körperliche Verfall ist es, wenn die Werte, die das tägliche Zusammenleben regeln und bestimmen dem allmählichen Verfall unterliegen. Ein solches Wertesystem ist wichtig für die Stabilität des gesellschaftlichen Gefüges, aber auch für jedes Individuum. Entscheidungen und

Handlungen, gleich welcher Art müssen mit dem allgemein anerkannten Wertesystem konform sein. Menschen, denen es gelingt, ihr Leben weitestgehend nach dem anerkannten Wertesystem auszurichten, sollten wir uns als Vorbilder nehmen. In seltenen Fällen können auch solche Menschen als Vorbilder herangezogen werden, die bestimmte Aspekte des Wertesystems leicht beugen oder sogar brechen, zum Beispiel, weil diese Werte sich mit der Zeit überlebt haben oder die gesellschaftlichen Strukturen und deren maßgeblichen Einflussfaktoren neue oder angepasste Werte benötigen.

# New Values vs. Alte Werte

*Seit dem Jahr 2000 gibt es in Deutschland immer mal wieder einen Streit über die Leitkultur, also über das gesellschaftliche und kulturelle Normenpaket, nach dem wir in diesem Land leben wollen. Aber auch in kleinerem Maßstab zeigt sich deutlich eine Veränderung im Wertesystem und wie so häufig nicht gerade zum Besseren.*

Wenn früher ein neuer, junger Spieler zu mir ins Training gekommen ist, dann hat sich dieser erst einmal mit seinem Namen vorgestellt, mir die Hand gereicht und mich selbstverständlich in der Höflichkeitsform angeredet. Kam der Spieler in Begleitung von Erwachsenen, dann übernahmen diese meist die namentliche Vorstellung, der Rest des Prozederes blieb jedoch wie gehabt. Auch wenn man den Spielern das typische Du unter Sportlern angeboten hatte, so war der Respekt vor dem erwachsenen Trainer oft so groß, dass der Spieler noch nach Wochen die Höflichkeitsform gebrauchte, bis er sich in die Trainingsgruppe integriert hatte. Auch das Grüßen außerhalb des Trainingsplatzes und der Trainingszeiten, war eine Selbstverständlichkeit.

Darüber muss man sich heutzutage keine Sorgen mehr machen. Anstatt eines Händedrucks gibt meist nur eine flüchtige, undefinierte Wink-Bewegung, oft begleitet von einem ebenso flüchtigen Grußwort wie Hi oder Hey. Noch bis vor wenigen Jahren wäre ein Ansprechen seines Gegenübers mit Hey als Einleitung zu tendenziell aggressivem Verhalten interpretiert worden. Aber da die Deutschen ein Völkchen sind, das gerne Anglizismen in den eignen Sprachgebrauch übernimmt, wurde das Hey auch in seiner ursprünglichen Bedeutung abgeschwächt und damit in weiten Teilen der Bevölkerung gesellschaftsfähig gemacht.

Im deutschen Sprachgebrauch, vor allem auch in der Jugendsprache finden sich einige Anglizismen, die absolut nichts mehr mit der originären Bedeutung zu tun haben. Prominente Beispiele hierfür sind das Handy oder auch das Wort touchy als Attribut für eine Person, die ihre Gesprächspartner bei der Konversation gerne begrabscht, wohingegen die originäre Bedeutung von konträrer Natur ist, nämlich schüchtern oder zurückhaltend. Doch zurück zum eigentlichen Thema, ich versuche die Verwendung der Grußformel Hey generell zu vermeiden, und wenn ich mich doch einmal dem aktuellen Trend anpasse, dann nur, wenn ich mir bei meinem Gegenüber sicher bin das dieser es auch richtig interpretiert.

Bei der namentlichen Vorstellung scheinen Nachnamen nicht mehr en vogue zu sein und das Duzen ist selbstverständlich. Bekommt man doch einmal eine Hand zur Begrüßung gereicht, dann fühlt es sich meist so an, als halte man eine Qualle in der eigenen Hand und nicht ein Konstrukt, das 27 Knochen enthält. Dafür ist die Hand des Gegenübers meist genauso feucht ist wie das wirbellose Weichtier. Nicht dass ich auf einen formal korrekten Händedruck zur Begrüßung besonders viel Wert legen würde, noch dazu im sportlichen Umfeld, wo die gesellschaftlichen Gepflogenheiten doch ein wenig zwangloser gehandhabt werden, aber bei einem Sportler sollte man doch ein wenig mehr Substanz erwarten können. Wenn der Volksmund sagt, dass ein fester Händedruck von einem festen Charakter zeuge, so habe ich fast Angst diese Aussage auf die gegenwärtige Situation anzuwenden. Als Ausgleich für das fehlende haptische Erlebnis beim Händedruck muss man sich über das Begrüßt werden außerhalb der Trainingszeiten fast keine Sorgen mehr machen. Man wird so gut wie es geht übersehen oder ignoriert, bis eine Begrüßung quasi nicht mehr zu vermeiden ist. Heraus kommt dann nur eine schamvoll bis peinlich berührte Minimalbegrüßung, weil man eventuell den anwesenden Freunden erklären muss, dass das der Vereinstrainer ist.

Welche Werte die erwähnte Leitkultur in Deutschland haben sollte, hat Bassam Tibi 1996 in einer Beilage der Wochenzeitung *Das Parlament* der Bundeszentrale für politische Bildung veröffentlicht und zudem den Werte-Verlust in der heutigen Gesellschaft beklagt. Nach seiner Meinung müssten diese Werte der kulturellen Moderne entspringen, die sich aus den Werten der Demokratie, des Laizismus, den Werten der Aufklärung, den Menschenrechten und den Werten der Zivilgesellschaft zusammensetzen.

Das klingt für Nicht-Eingeweihte ziemlich abstrakt, deshalb ein kurzer Einblick darauf, was man sich darunter vorzustellen hat. In der Epoche der Aufklärung nannte der deutsche Philosoph Johann Friedrich Herbart (4. Mai 1776 bis 14. August 1841) die Werte Kardinalstugenden und zählte dazu die Tapferkeit, die Freiheit, die Güte und die Gerechtigkeit. In der Moderne wurden diese Kardinalstugenden von dem Philosophen Joseph Pieper (4. Mai 1904 bis 6. November 1997) durch die Wertevorstellungen von Thomas von Aquin (kurz nach Neujahr 1225 bis 7. März 1274) ersetzt und lauteten fortan: Klugheit, Gerechtigkeit, Tapferkeit, Mäßigung.

So hoch will ich die Früchte in diesem Buch gar nicht hängen, sondern eher auf einige handfeste und alltagstaugliche Werte schauen, als da wären gegenseitiger Respekt, Höflichkeit, Toleranz, Pünktlichkeit, Fleiß und Sparsamkeit. Die Liste erhebt dabei keinen Anspruch auf Vollständigkeit.

Die soeben genannten Werte sind dem jeweiligen Zeitgeist unterworfen, man könnte auch sagen, ein Wertesystem unterliegt einem gewissen Trend. Fragt man zum Beispiel den Duden nach der Bedeutung des Wortes Respekt so erhält man zwei mögliche Antworten darauf. Erstens, eine auf Anerkennung oder Bewunderung beruhende Achtung oder zweitens, eine aufgrund einer höheren, übergeordneten Stellung empfundenen Scheu, die sich in dem Bemühen äußert, kein Missfallen zu erregen. Doch wie sieht es tatsächlich aus? Viele Menschen der jüngeren Generation gehen davon aus, dass man ihnen Respekt zollen müsse, im Gegenzug jedoch andere Menschen nur aufgrund ihres Alters, Geschlechts, der Herkunft oder Religion keinen Respekt entgegenbringen. Neben dem fundamentalen Respekt, der jedem Menschen im Sinne der Menschenrechte zusteht, galt bis vor gar nicht allzu langer Zeit der Zusatz, dass man sich mehr Respekt erst verdienen müsse und dass in erster Linie durch Taten.

Den Fleiß beschreibt der Duden ebenfalls auf zwei Arten nämlich als strebsames und unermüdliches Arbeiten und als ernsthafte und beharrliche Beschäftigung mit einer Sache. Und über den Fleiß kann man sagen, was man will, in der Betrachtung wurde dieser Wert immer als positiv empfunden. Ganz anders als das Streben, wie es auch in der ersten Definition des Fleißes als Adjektiv genannt wurde. Wer hat in der Schule nicht seine Mitschüler aufgrund strebsamen Verhaltens als Streber betitelt, und dass zumeist in negativer Absicht.

Anders verhält es sich bei der Sparsamkeit. Dank des weitreichenden Einflusses der Werbung wurde die negative Form der Sparsamkeit, nämlich der Geiz zur neuen Maxime des Geldausgebens erhoben. Geiz ist eben geil und macht uns alle zu Schnäppchenjägern, koste es was es wolle. Überhaupt nicht mehr angesagt ist dagegen der Ehrgeiz, obwohl darin auch das Teilwort Geiz enthalten ist.

Ein weiterer zeitloser Wert, der mir in den Sinn kommt, hat paradoxerweise mit der Zeit selbst zu tun. Namentlich bekannt ist dieser Wert als Pünktlichkeit oder nach der Definition das präzise Einhalten eines vereinbarten Zeitpunktes oder Termins. Pünktlichkeit ist eine Form der Verlässlichkeit, selbst wenn man die gesellschaftlich tolerierte Form der Unpünktlichkeit, das sogenannte Akademische Viertel, stets bis zum Anschlag ausnutzt. Gleichzeitig ist Pünktlichkeit auch eine Form der Höflichkeit, denn niemand wartet gerne und jemand anderen warten zu lassen ist nicht gerade ein Zeichen für eine besonders hohe Wertschätzung dieser Person. Überprüfen Sie es doch einmal an sich selbst. Stellen Sie sich dazu vor, Sie setzen sich in ein Café oder ein Restaurant und warten darauf, bis ein Kellner kommt, der Ihre Bestellung aufnimmt. Es kommt und kommt jedoch keiner. Wie lange warten Sie, bevor Sie aktiv einen Kellner ansprechen. Sie werden überrascht sein, dass die Zeitspanne viel kleiner ist, als Sie es jetzt vermuten. In unserem durchgetakteten Lebensalltag bedeutet Pünktlichkeit nicht nur höflich zu sein, sondern ist die Grundvoraussetzung für den reibungslosen Ablauf eines Tages. Das war nicht immer so und auch heute gibt es noch Kulturen, in den die Pünktlichkeit eine belanglose Nebensache ist. Doch wie ist es dazu gekommen, dass die Pünktlichkeit in den heutigen Industrienationen einen so hohen Stellenwert erreicht hat?

Die frühesten Ansätze der Pünktlichkeit findet man in der Antike überall dort, wo die Menschen begannen sesshaft zu werden und Ackerbau zu betreiben. Die damals wichtigen Termine betrafen die optimalen Zeitpunkte für Aussaat und Ernte, und das beste Beispiel hierfür ist das alte Ägypten und die jährlich auftretende Nilschwemme, die durch den Monsun im äthiopischen Hochland entsteht und sich vom Blauem Nil bis ins Nildelta ausbreitet. Nach unserem heutigen Kalender kommt es zwischen Mai und August in den fast 4000 Meter hohen Bergen Äthiopiens zu starken Niederschlägen, die anschließend von Anfang August bis Mitte September die Nilregionen flussabwärts überfluten. Diese Flutwellen wurden dazu benutzt, um Wasserreservoirs zu füllen, mit denen die Felder bewässert werden konnten. Gleichzeit wurde mit der Flut Nilschlamm in den Überschwemmungszonen abgelagert, der den Boden fruchtbar machte. Die optimale Zeit für die Aussaat begann je nach Nilregion in der letzten Septemberwoche.

Im 5. Jahrhundert vor Christus legte Herodot die Zeit der Nilschwemme im Nildelta auf den Tag der Sommersonnenwende, was dem 22./23. Juni entspricht. Damit wurde ein exakter Zeitpunkt im Jahreszyklus bestimmt. Die Dauer der Nilschwemme setzte Herodot aufgrund von überlieferten Informationen auf 100 Tage fest. Somit ergab sich ein zweiter kalendarischer Zeitpunkt, nämlich der 25.September, der das Ende der Überschwemmungszeit bezeichnete und die zeitliche Markierung für die Aussaat auf den Feldern setzte.

Einen weiteren Evolutionsschritt in Richtung Pünktlichkeit unternahm die Menschheit durch die Erfindung der mechanischen Räderuhr im Spätmittelalter (etwa um 1300 n. Chr.) in Mitteleuropa. Diese technische Neuerung verbreitete sich zunächst in den Städten an öffentlichen Plätzen, wie dem Marktplatz in Form von Kirchturm- und Rathausuhren und veränderte das öffentliche Leben der Stadtbewohner erheblich. Der Tagesablauf und die Handlungen der Stadtbewohner folgten von nun an festgelegten Zeitabschnitten. Die Verbesserung der Uhren führte zu immer präziseren Terminabsprachen und mit Erfindung der Eisenbahnen wurden Zeitpläne geschaffen, in denen Ankunfts- und Abfahrtszeiten festgelegt wurden. Pünktliches Handeln wurde im Zeitalter der Industrialisierung zur Grundlage von Effizienz und Produktivität.

Diese verkürzte Darstellung zeigt, wie die Pünktlichkeit zu einem hohen Stellenwert in unserem Leben kam. Das ist jedoch nicht in allen Kulturen und Regionen der Erde der Fall und so unterscheidet man heute zwischen monochronen und polychronen Kulturen. Die Begriffe Polychronismus und Monochronismus wurden 1959 vom amerikanischen Anthropologen und Ethnologen Edward T. Hall eingeführt, als Kennzeichnungen für die gegensätzliche Ausprägungen von – wie er es nannte – *Graden der Zeiteinteilung* (englisch: time dimensions).

Der Monochronismus definiert sich unter anderem durch die folgenden Aspekte: Aufgaben werden sequentiell erledigt, und dass mit hoher Konzentration. Dazu werden Zeitpläne aufgestellt und Terminabsprachen werden ernst genommen und eingehalten. In monochronen Kulturen hat die Pünktlichkeit einen hohen Stellenwert.

Im Gegensatz dazu wird in einer polychronen Gesellschaft an mehrere Aufgaben gleichzeitig gearbeitet, Termine und Pläne spielen keine große Rolle. Entsprechend gering ist der Stellenwert der Pünktlichkeit, man nimmt sich die Zeit, um die jeweiligen Aufgaben zu erledigen. Dafür spielen die zwischenmenschliche Interaktion und die Kommunikation eine wichtige Rolle.

Aber wie bereits erwähnt ist selbst in einer monochronen Gesellschaft die Pünktlichkeit den gesellschaftlichen Strömungen und dem allgemeinen Zeitgeist unterworfen. Lassen Sie mich dazu ein paar Beispiele aufzählen, die ich in der jüngeren Vergangenheit gemacht habe.

In dem ersten von mir beobachteten Fallbeispiel traf sich eine Gruppe von Fußballern, um ein wenig Fußball zu spielen, außerhalb der üblichen Trainingszeiten. In Gruppen dieser Art gibt es immer ein Mitglied, dass sich total auf das Gekicke freut und es kaum erwarten kann, bis es endlich los geht und deshalb schon 20 Minuten früher auf dem Sportplatz eintrifft als ausgemacht. Nennen wir dieses Mitglied den Enthusiasten. Leider hat der Enthusiast keinen Ball mitgebracht und musste deshalb auf die anderen warten. Zwanzig Minuten später, es war der Zeitpunkt des vereinbarten Treffens. Zwei weitere Mitstreiter trafen ein, nennen wir sie die Verlässlichen. Leider hatten auch die Verlässlichen nicht an einen Ball gedacht, aber mit vereinten Kräften ließ sich rekonstruieren, wer für das Mitbringen des Spielgerätes verantwortlich war. Dieses Gruppenmitglied bekommt die Bezeichnung der Gerätewart. Weitere 15 Minuten später war das Akademische Viertel abgelaufen, aber leider waren keine weiteren Zugänge zu verzeichnen, oder anders ausgedrückt, in dieser Gruppe gab es keine Akademiker. Dafür fanden die anderen Gruppenmitglieder, dass es an der Zeit wäre, den Gerätewart zu kontaktieren. Doch trotz modernster Kommunikationsmittel gelang es das vorerst nicht. Dreißig Minuten nach dem vereinbarten Zeitpunkt stieß ein weiteres Gruppenmitglied zur Truppe und eröffnet damit die Teilgruppe der Unzuverlässigen, in der sich weitere 15 Minuten später nochmals zwei Spieler einordneten. Seit dem Eintreffen des Enthusiasten sind mittlerweile 65 Minuten vergangen. Es fehlte nur noch der Mann mit dem Ball. Die wiederholten Versuche zur Kontaktaufnahme mit dem Gerätewart waren schließlich von Erfolg gekrönt und ihm wurde eingeschärft, auf alle Fälle seinen Ball mitzubringen. Dennoch dauerte es noch weitere 30 Minuten, bis der Gerätewart die Gruppe komplettierte, aber die Freude über das finale Eintreffen wurde überschattet durch das Versagen in seiner Funktion als Gerätewart, denn trotz wiederholter Mahnungen hatte er zur Überraschung aller keinen Ball dabei. Seine Erklärung: der Ball wäre platt gewesen und er habe keine Luftpumpe zur Hand gehabt. Lassen Sie mich die Ereignisse bis zu diesem Zeitpunkt zusammenfassen:

anstatt bereits seit 75 Minuten dem gemeinsamen Hobby - dem eigentlichen Zweck dieser Zusammenkunft - zu frönen, ist man gerade einmal so weit gekommen, dass zumindest die Gruppe komplett war. Für den Trottel der Gruppe, dem Enthusiasten, der doch tatsächlich von der Verlässlichkeit seiner Kameraden ausging, sind es sogar schon 95 Minuten Wartezeit. Fehlte nur noch ein Ball, um die bei der Terminabsprache formulierte Absicht des gemeinsamen Fußballspielens auch nachkommen zu können. Nach zehnminütiger Beratung fuhr ein Mitglied der Gruppe los und kehrte nach fünf Minuten wieder zurück – mit dem heißersehnten Spielgerät. Anpfiff 90 Minuten nach Spielbeginn. Auf die Idee fünf Minuten in die Beschaffung eines Balles zu investieren hätte man auch früher kommen können.

Glauben Sie bloß nicht, ich hätte hier ein besonders schlechtes Beispiel ausgesucht. Eine nahezu identische Geschichte, mit ähnlichen Zeitabständen, dem Eintreffen des Gerätewartes als letztes Gruppenmitglied, wiederum ohne entsprechendes Spielgerät, hatte ich auch bei einer Gruppe von Basketballern beobachten können. Da der Ablauf dem ersten Beispiel so ähnlich ist, möchte ich Ihnen und mir die detaillierte Schilderung ersparen.

Das dritte Beispiel, dass ich wieder etwas ausführlicher erzählen möchte, hat eine ganz andere Dimension. Es spielte sich in einem Restaurant ab, in dem man gerne mal mehrere Stunden verweilt und die Gruppe, um die es hier geht, wurde an einer Tischreihe in meiner Nähe platziert. Das ist jedoch für meine Beobachtungen irrelevant, denn die neu ankommenden Gruppenmitglieder mussten zunächst einmal an meinem Tisch vorbei gehen. Die Zusammensetzung der Gruppe wurde mir auch schnell klar, es handelte sich um einen Lehrer, der vermutlich seine Abschlussklasse zum Abendessen eingeladen hatte. Der Lehrer war auch der erste, der zu dem Treffen erschien. Da er zu alt war, um noch der Enthusiast zu sein, der ihn damals dazu bewogen haben mochte diesen immer schwieriger werdenden Beruf zu ergreifen, ging ich davon aus, dass er pünktlich gekommen war, was die Uhr zu bestätigen schien, denn es war ziemlich genau 18:00 Uhr. Die Gruppe der Verlässlichen nutzte das akademische Viertel voll aus und bestand aus vier Leuten von insgesamt 15 Gruppenmitgliedern, wie sich später noch herausstellen sollte. Vier weitere Gruppenmitglieder tröpfelten während der nächsten 45 Minuten herein und nach einer Stunde des Wartens beschlossen die anwesenden Mitglieder mit dem Essen zu beginnen. Irgendwann, so gegen Mitte des Mahls würde ich sagen, schaffte es nochmal eine Splittergruppe dazuzustoßen und nur zwei Gruppenmitglieder blieben nach wie vor dem Dinner fern. Mein Tipp war, dass diese zur Gänze der Veranstaltung entsagen würden, aber da hatte ich die jungen Leute total falsch eingeschätzt. Gegen 22:30 Uhr, der gemütliche Teil neigte sich für die anderen bereits dem ultimativen Ende zu und die ersten Gäste der Gruppe waren bereits gegangen, da kam der verloren geglaubte Sohn und die verlorene Schwiegertochter und hemmten durch deren unvermittelte Präsenz den allgemeinen Trend zum Aufbruch. Ich kann die Gruppe der Unzuverlässigen nicht verstehen: da ist ein Lehrer, der seine Klasse zum gemeinsamen letzten Abendmahl lädt, also einem geselligen, zwanglosen Ereignis mit der Aussicht auf ein kulinarisches Highlight der Woche und nicht mal das reicht als Motivation aus, um pünktlich zu sein. Ich meine, das ist ja kein Nachsitzen und schon gar kein Unterricht, also warum kann man sich nicht einmal zu einem freiwilligen und positiven Ereignis zusammenreißen und den Termin einhalten. Wenn ich schon nicht die Gruppe der Unzuverlässigen verstehen kann, so kann ich die beiden letzten Mitglieder überhaupt nicht verstehen. Nennen wir diese beiden die absolut Planlosen. Der gesunde Menschenverstand müssten den Planlosen doch gesagt haben, dass viereinhalb Stunden nach dem festgelegten Termin die Party schon längst gelaufen sein müsste und dass man sich den Weg dorthin auch sparen könnte. Also, was hat unsere Planlosen motiviert, den Weg dennoch anzutreten? Wollte man gar nicht teilnehmen, obwohl man zugesagt hatte und das schlechte Gewissen hat sich zu Wort gemeldet? Hatte man bis zuletzt auf bessere Optionen für den Abend gehofft, die sich aber nicht ergeben haben und ist dann doch noch losgezogen? Oder dachten die Planlosen das läuft wie in der Dorfdisco, 18:00-21:59 Uhr ist Kinderdisco und Alkoholausschank beginnt erst um 22:00 Uhr? Was immer der ausschlaggebende Gedanke auch gewesen sein mochte, und ich bin mir sicher, dass es wohl durchdacht war, gelohnt hat sich das Kommen jedenfalls nicht, denn für alle anderen war die Veranstaltung gelaufen.

Wenn ich mir die Beispiele so ansehe, vor allem die der Sportskameraden, dann werfen sich bei mir ein paar Fragen auf. Erste Frage: warum nimmt die Gruppe der Zuverlässigen das Verhalten der Gruppe der Unzuverlässigen so kritiklos hin? Müssten nicht die Zuverlässigen darauf hinwirken, dass sich die Unzuverlässigen zum gemeinsam abgesprochenen Termin einzufinden haben. Das sollte doch beim Verfolgen eines gemeinsamen Ziels im Interesse aller Beteiligten liegen.

Zweite Frage: Warum ist es den Unzuverlässigen egal, ob sie die anderen Gruppenmitglieder warten lassen? Ist es fehlender Respekt gegenüber den Anderen oder fehlendes Interesse an dem gemeinsamen Ziel? Wäre es in beiden Fällen nicht angebracht, auf die Teilnahme an der gemeinsamen Aktivität zu verzichten und sich lieber auf eine andere Tätigkeit zu konzentrieren, die den Unzuverlässigen mehr am Herzen liegt.

Dritte Frage: Warum verlassen sich die alle Gruppenmitglieder auf jemanden, auf den offensichtlich kein Verlass ist? Die Frage bezieht sich in erster Linie auf den Gerätewart, der außerdem auch noch zu der Gruppe der Unzuverlässigen gehört.

Was würden wohl die Gruppenmitglieder der unterschiedlichen Fraktion selbst auf diese Fragen antworten? Möglicherweise bekäme man eine Antwort, wie *Chill dich mal, Alter*. Für alle, die der aktuellen Jugendsprache bereits entwachsen sind sei gesagt, dass das Wort chill von dem englischen Wort chilling (abkühlen) entlehnt ist und im amerikanischen Slang auch die Bedeutung von sich entspannen, sich abregen oder abhängen, im Sinne von faulenzen gebraucht wird. Damit übersetzt sich der obige Satz zu *Entspann' dich mal, Alter!* Chilling ist zu einem wichtigen Begriff in der aktuellen Jugendszene geworden und ersetzt zumindest teilweise das Wort cool der 1980er Jahre. Gleichzeit ist chilling ein zutiefst polychrones Verhalten und damit absolut inkompatibel mit der Pünktlichkeit unserer monochronen Gesellschaft. Deshalb findet auch keine Korrektur des Verhaltens zwischen Gruppenmitgliedern mit homogener Altersstruktur mehr statt. Doch während unter gleichalterigen Freunden das Schneckenrennen um den letzten Platz noch tolerabel ist, so ist im richtigen Leben vor allem im Berufsleben die Pünktlichkeit immer noch eine gern gesehene Tugend. Konflikte in Gruppen mit unterschiedlicher Alterszusammensetzung, zum Beispiel in der Schule, beim Sport und vor allem im Arbeitsalltag sind damit vorprogrammiert.

Wir haben den unaufhaltsamen Aufstieg der Pünktlichkeit zu einem traditionellen Wert in den Industriestaaten verfolgt und auch den

Einfluss, den der Zeitgeist auf diese Tugend haben kann. Stellt sich also die Frage, wie lange sich dieser traditionelle Wert gegenüber neuen Werten behaupten kann und wann ist es an der Zeit, neue Werte zu übernehmen. Auch wenn jede neue Generation in ihrer Sturm- und Drang-Phase glaubt, dass ausschließlich die eigenen neuen Werte die einzig Richtigen sind, so muss man doch darauf verweisen, dass es einen Grund gibt, warum die alten Werte Generationen überdauert haben. Alte Werte haben etwas Universelles, etwas Zeitloses in sich, und enthalten ein wertvolles Allgemeingut oder Prinzip. Und nur weil etwas neu ist, ist das nicht gleichbedeutend das es auch besser ist. Lediglich im Falle tiefgreifender Veränderungen in der Gesellschaft sollte man das bestehende Wertesystem sehr sorgfältig prüfen und gegebenenfalls neue Werte adaptieren und integrieren.

Was die Pünktlichkeit betrifft, so bin ich ziemlich optimistisch, dass dieser traditionelle Wert noch lange erhalten bleiben wird und sogar noch an Bedeutung in der Welt gewinnen wird. Denn wie heißt es in einem Bonmot: Pünktlichkeit ist die Höflichkeit der Könige (Ludwig XVIII. (1755–1824) im Jahre 1820).

# Der Kenianer, der zu faul war zum Laufen

*Eine Redensart besagt: Das Glück kommt zu dem, der warten kann. Erst recht, wenn man gar nicht erst daran denkt davon zu laufen.*

Jeder Sportfan weiß, wenn die Topsportler aus Äthiopien, Kenia oder Marokko kommen, dann kann es sich dabei nur um eine Sportart handeln: dem leichtathletischen Laufen. Und dass möglichst lange. Ja, je länger, desto besser möchte man fast sagen. Von den 800 Metern bis zum Marathon gehören vor allem die Läufer aus der ostafrikanischen Republik Kenia schon seit etlichen Jahren zur Weltspitze. Die Leistungs- und Talentdichte in diesem Land ist so hoch, dass kenianische Meisterschaften und Ausscheidungswettbewerbe nicht selten die Qualität einer Weltmeisterschaft, eines internationalen Leichtathletik-Meetings oder eines olympischen Finallaufs haben. Auch die Umkehrung dieser Aussage gilt, wenn nämlich der eine oder andere internationale Wettbewerb zum kenianischen Schaulaufen degeneriert.

Dass ausgerechnet die Republik Kenia sich zu der dominanten Läufernation entwickelt hat ist natürlich kein Zufall. Hier treffen mehrere begünstigende Faktoren zusammen, die in der Summe den perfekten Ausdauerläufer formen. So ist die Laufkultur bereits in der traditionellen Lebensweise der Kenianer als Hirten der Savanne begründet. Von Kindesbeinen an sind die Kenianer daran gewöhnt, täglich größere Strecken zurück zu legen, sei es, um die Grundschule zu besuchen oder auf dem Weg zur nächsten Wasserstelle oder Brunnen. Nicht selten hört man von den jeweils aktuellen Topläufern genau diese Geschichten. Ein leichter Körperbau, sowie die

Höhenlagen Kenias begünstigen ebenfalls die Entwicklung hin zu einem perfekten Ausdauerathleten.

Wer also in Kenia als Sportler zu Ruhm, Ehren und Reichtum gelangen möchte, der muss fast zwangsläufig Läufer werden. Würden Sie dem nicht auch zustimmen? Doch nur tote Fische schwimmen mit dem Strom, auch wenn ich mir nicht sicher bin, dass man als Savannen-Bewohner ausrechnet dieses metaphorische Bild vor dem geistigen Auge aufblitzen sieht. Sei es drum, so oder so ähnlich muss es gewesen sein, als ein kleiner Junge den Entschluss fasste, einer ganz anderen leichtathletischen Disziplin nachzugehen. Doch schön der Reihe nach. Geboren wurde dieser Junge am 04. Januar 1989 in der im Westen Kenias gelegenen Verwaltungsbezirk Nandi County. Als Kind hütete er das Vieh seines Vaters, also ganz in der Landestradition Kenias. So weit, so gut, noch läuft alles in den traditionellen Bahnen und der Weg zu einer Karriere als Läufer ist noch intakt. Doch eben bei dieser Tätigkeit, die ich gerade noch als Einflussfaktor für die Entwicklung der Laufkultur in Kenia nannte, geschah es und das Schicksal nahm eine unerwartete Wendung. Zum Zeitvertreib schnitzte der Junge aus Ästen aus dem Unterholz Stöcke, die er stundenlang mit seinen Kumpels sinnlos durch die Gegend warf. Auf der Schule ging das Stöcke Werfen weiter. Hier eiferte er seinem älteren Bruder nach, der sich im Speerwurf übte. Fortan wurde das sinnlose Stöcke Werfen zielgerichteter und Weiten orientierter. Aus der Passion wurde Obsession und zur Verbesserung seiner Technik studierte er Videos europäischer Speerwurf-Legenden auf einem Internetportal namens YouTube. Zu seinen Vorbildern gehörten vor allem die Weltklasseathleten Jan Železný, Andreas Thorkildsen und Tero Pitkämäki. Jan Železný ist nicht nur der erfolgreichste Speerwerfer der Olympischen Spiele (dreimal Gold und einmal Silber), sondern verbesserte auch mehrfach den Weltrekord. Außerdem bereicherte er den Speerwurf durch seine eigenwillige Technik: anstatt den Anlauf mit einem Stemmschritt abzuschließen, ließ er die Anlaufbewegung in einen Hechtsprung übergehen. Doch diese Informationen nur am Rande.

Mittlerweile ist der Junge erwachsen, von Beruf Polizist (dass seine Dienstwaffe ein Speer ist, ist natürlich nur ein Mythos) und selbst ein Speerwerfer der Weltklasse. Zu seinen bisherigen Erfolgen zählen unter anderem zweimal Gold bei den Afrikameisterschaften, einmal Gold bei den Afrikaspielen, einmal Gold bei den Commonwealth Games, einmal Gold bei Leichtathletik-Weltmeisterschaften und zuletzt Silber bei den Olympischen Spielen 2016. Der interessierte Leichtathletik-Fan weiß mittlerweile bestimmt, von wem ich die ganze Zeit rede: es ist Julius Kiplagat Yego.

Warum ich Ihnen das so ausführlich erzählt habe? Weil ich finde, dass es ein inspirierendes Beispiel dafür ist, wie man es mit entsprechender Leidenschaft und ein wenig Improvisationstalent auch heute noch mit einfachsten Mitteln schaffen kann, zu einem Athleten der Weltklasse aufzusteigen. Und wann immer sich Sportler im wohlhabenden Deutschland mal wieder über schlechte Trainingsbedingungen, eine mangelnde Förderung und die Doppelbelastung durch den Sport einerseits und Studium oder Beruf andererseits beschweren, dann denke ich an das Beispiel von Julius Yego und die großartigen Erfolge, die er in seiner beeindruckenden Karriere errungen hat. Und dass sogar, obwohl der Kerl zu faul war zum Laufen.

# David versus Goliath

> *Da trat aus dem Lager der Philister ein Vorkämpfer namens Goliat aus Gat hervor. Er war sechs Ellen und eine Spanne groß. Auf seinem Kopf hatte er einen Helm aus Bronze und er trug einen Schuppenpanzer aus Bronze, der fünftausend Schekel wog. Er hatte bronzene Schienen an den Beinen und zwischen seinen Schultern hing ein Sichelschwert aus Bronze. Der Schaft seines Speeres war (so dick) wie ein Weberbaum und die eiserne Speerspitze wog sechshundert Schekel. Sein Schildträger ging vor ihm her.*
>
> *– 1 Sam 17,4-7 EU*

Wer kennt nicht die alttestamentarische Geschichte bei der David, der jüngste Sohn von Isai aus Betlehem und von Berufs wegen ein Schafshirte gegen den kriegserfahrenen Vorkämpfer der Philister, Goliath aus Gat zum Kampf Mann gegen Mann antritt? Der eine schmächtig, aber von edler Statur, der andere riesenhaft und gut gerüstet. Ein Duell zwischen zwei ungleichen Kontrahenten, dessen Ausgang unvermeidlich fest zu stehen scheint. Kein Wunder also, dass bei der - mangels Kartellämtern - einzigen Agentur für Sportwetten in der Antike (Bwin-at-odd-bet-inter-mobile-safe-way-home-tipi-and-Co) mit Firmensitz im exklusiven Babylon Business Tower - Goliath aus Gat als Haus hoher Favorit gehandelt wurde. Umso erstaunlicher und überraschender, dass dann eben doch der krasse Außenseiter David (Quote 1:2000) den Sieg für sich verbuchen konnte.

Welch ein Schock! Wie konnte das nur passieren? Hatte David seine prozentual gesehen kleine Chance genutzt oder war er doch nicht so unterlegen, wie es zunächst den Anschein hatte. Untersuchen wir den Fall doch einmal genauer.

Wenn wir weiter in der Bibel nachlesen, dann finden wir auch das Casting von David in der Show *Ein Gegner für Goliath* beschrieben, dass für uns ein paar entscheidende Hinweise enthält. Das Casting wurde von Jury-Mitglied Saul durchgeführt, der zunächst ebenfalls nicht von Davids Siegchancen überzeugt war. Im Verlaufe des Interviews erfahren wir zum Beispiel, dass David hoch motiviert war gegen den Philister anzutreten, weil er den Herrn Zebaoth, den Gott des Heeres Israels verspottet hatte. Eine hohe Motivation ist wichtig, garantiert aber noch lange nicht den Erfolg. Dennoch kann man hier davon ausgehen, dass David damit einen Vorteil gegenüber Goliath hatte, der in dem Kampf mehr eine berufliche Routine sah als eine persönliche Angelegenheit. Damit sinkt die Außenseiterquote Davids auf etwa 1:1800.

In der weiteren Befragung durch Saul sollte David über seine Kampferfahrung berichten. Also erzählt David, wie er als Schafhirte bereits des Öfteren die ihm anvertraute Herde gegen Löwen und Bären mit bloßen Händen verteidigt habe. Wahrscheinlich waren sogar ein paar Säbelzahntiger dabei, wer kann das heute noch sagen. Fakt ist jedoch, dass er es also gewohnt war gegen größere und kräftigere Gegner erfolgreich zu kämpfen. Das Nullifiziert den physischen Vorteil des Philisters und senkt weiter die Außenseiterquote auf 1:900. Das überzeugte auch Saul und er beendete das Casting, nicht zuletzt auch auf Grund der Tatsache, dass keine weiteren Kandidaten zur Verfügung standen und entsendete David als Vertreter, um gegen den Philister anzutreten.

Zu guter Letzt möchte ich noch die Waffentechnik ansprechen, mit der David zu Felde gezogen ist. Denn während Goliath nur mit

Nahkampfwaffen bestückt war, wie dem Schwert oder Speer, so war David mit einer Steinschleuder ausgerüstet, also einer Distanzwaffe. Mit diesem Reichweitenvorteil konnte er seinen Gegner bereits bekämpfen, noch ehe er auch nur in die Nähe von Goliaths Waffenreichweite kam und so seinen Kontrahenten niederstrecken. Ein Umstand, der aus dem Underdog David einen 1,2:1 Favoriten macht.

Der Kampf David gegen Goliath erinnert mich ein wenig an eine Szene aus dem Film *Die Jäger des verlorenen Schatzes*, in der Indiana Jones einem Kämpfer mit einem riesigen Krummschwert gegenübersteht, der den meisterhaften Umgang mit dieser Waffe demonstriert. Die Demonstration der Kampfkunst wird abrupt beendet als Indy seinen Revolver aus dem Gürtelhalfter zieht und den Meister des Krummschwertes aus sicherer Entfernung erschießt. Und über Indiana Jones wissen wir ja, dass er mehr als nur fundierte Kenntnisse über das Alte Testament besitzt. In dem Film *Indiana Jones und der Tempel des Todes* befand sich Indy in einer ähnlichen Lage, diesmal waren es zwei Schergen mit Krummschwertern, dafür waren die Waffen nur halb so groß. In diesem Fall sollte jedoch die biblisch manifestierte Kampftaktik an einem kleinen, aber wesentlichen Detail scheitern: als Indy nämlich in bewährter Manier an den Gürtel griff, fand er nur eine leere Pistolentasche daran. Nun ja, unser Außenseiter-Held hat natürlich diese Situation überlebt, somit ist Hollywood wieder Bibel-konform.

Doch zurück zum Originalgeschehen. Wie es sich nun darstellt, war David alles andere als der absolute Außenseiter. Er war hoch motiviert, verfügte über Kampferfahrung gegen körperlich überlegen Gegner und er besaß den unschätzbaren Reichweitenvorteil seiner Waffen. Ich für meinen Teil sehe keinen Grund, den Sieg Davids zu glorifizieren, hatte sich doch einmal mehr der Favorit durchgesetzt. Darüber sollte man mal nachdenken zumal heute immer noch der biblischen Kampf David versus Goliath als Vergleich für die Auseinandersetzung zweier ungleicher Konkurrenten benutzt wird, bei denen der haushohe Favorit als Goliath bezeichnet wird.

Vor allem Sportreporter verwenden gerne diesen alttestamentarischen Beleg, zum Beispiel in den ersten Runden des DFB-Pokals, wenn ein unterklassiger Verein gegen einen Bundesligisten antreten muss oder wenn der Gegner einer erfolgreichen Fußballnation von den Färöer-Inseln kommt. Gewinnt dann der unterklassige Verein, dann bekommt dieser das Prädikat Pokalschreck. Oder man vergibt sich selbst ein Prädikat wie Weltpokalsiegerbesieger, so geschehen am 06-Februar-2002 nach dem Bundesliga-Sieg des FC St.Pauli gegen den Bundesliga-Goliath schlechthin, den FC Bayern München. Bis heute ist das T-Shirt mit dem Aufdruck Weltpokalsiegerbesieger einer der größten Merchandising-Gags in der Geschichte der Bundesliga mit über 120.000 verkauften Exemplaren. Den Abstieg des FC St.Pauli in jener Saison konnte dieser Sieg jedoch auch nicht mehr verhindern. Ein Sieg der Färöer-Inseln gegen Goliath aus Deutschland ist bisher noch nicht verzeichnet worden. Auch im Tennis wird der Vergleich zwischen David und Goliath gerne mal herangezogen, wenn zum Beispiel ein Spieler aus der Top 10 der Weltrangliste gegen die Nummer 180 antreten muss, obwohl die Leistungsdichte im Tennis, vor allem im Herrenbereich so hoch ist, dass es gar nicht so unwahrscheinlich ist, gegen einen Spieler aus den niederen Rängen zu verlieren.

Leider ist nicht überliefert, was aus der antiken Sportwetten-Agentur geworden ist. Vermutlich ist diese aufgrund der falsch eingeschätzten Quote für David und der anschließenden Auszahlung an jene, die auf den Schafhirten getippt hatten, Pleite gegangen. Der feudale Firmensitz fiel wegen fehlender Instandhaltung in sich zusammen und erst 2000 Jahre später schossen neue Sportwetten-Agenturen wie Pilze aus dem Boden.

# Stehpisser vs. Sitzpinkler

*Seien Sie ohne Sorge, es geht in diesem Kapitel nicht primär darum, wie sich ein Mann korrekterweise gegenüber einer sanitären Sitzkeramik verhalten sollte. Vielmehr geht es um die kleinen Unterschiede in der Entwicklung zwischen der Fraktion, die es traditionell eher im Stehen macht und jenen, die sich dazu lieber hinsetzen.*

Wann war die Männerwelt in den europäischen Industrienationen noch in Ordnung? Auf diese Frage würde der männliche Chauvinist vermutlich antworten: vor anno Domini 1789. Wenn man in dieser Zeit sein Augenmerk auf das blühende und glanzvolle Leben der Metropole von Paris richtete, konnte man feststellen, dass zum Wohlgefallen des sakralen Rosettenauges der Nôtre-Dame de Paris sich die folgende ebenso malerische wie friedliche Seine-rie ausbreitete: der Invalidendom war noch barrikadenfrei zu erreichen, der Besucheransturm auf die Bastille hielt sich in Grenzen, so dass die dienstbaren Geister dieses Etablissements sich voll und ganz der Aufrechterhaltung von Gesetz und Moral in der Stadt widmen konnten. Seine Majestät Louis XVI. und seine ebenso charmante wie diplomatisch geschulte Ehefrau Maria Antonia Josepha Johanna Erzherzogin von Österreich (1755-1793) konnten sich in ihrem königlichen Domizil noch sans souci den nachmittäglichen Genüssen der hauseigenen Patisserie hingeben, während das gemeine Volk vor der quälenden Frage stand, ob es lieber Brot oder Brioche essen sollte und selbst Les Miserables fühlten sich nicht ganz so elend. Und überall dem schwebte die sphärische Musik von Christine und dem Phantom der Oper.

Doch dann ging erst einmal für eine gewisse Zeit alles den Bach runter und die Ideen der Aufklärung sprudelte aus den Köpfen des Bildungsbürgertums ebenso ergiebig wie das Blut aus den Häuptern der Adligen unter der patentierten Guillotine, so dass die Égout immer gut gefühlt waren.

Es war in eben jener Zeit, da sich eine gewisse Olympe de Gouges (eigentlich Marie Gouze; 7. Mai 1748 bis 3. November 1793) - dem allgemeinen Trend zum revolutionär-aufklärerischen Denken folgend – ihre eigenen, bis dato völlig absurden Ideen untermengte und so die volle rechtliche, politische und soziale Gleichberechtigung aller Geschlechter forderte. Und in der euphorischen Champagnerlaune in den Jahren nach der Revolution fielen diese Ideen doch tatsächlich auf fruchtbaren Boden und beenden damit die Ära der männlichen Glückseligkeit in ganz Europa und der Neuen Welt. Als die Champagnerlaune wich und so allmählig der Katerstimmung Platz machte, erkannte man den ungeheuren Fauxpas, den man sich und den anderen großartigen Nationen angetan hatte. Lediglich die Égalité in der Politik konnte gerade noch verhindert werden und blieb auch weiterhin Sache der rein männlichen Fraternité. Auf diese Weise konnte wenigsten noch ein Stück der gewohnten Liberté bewahrt werden. Merci beaucoup, das ist Französisch und bedeutet: Danke für nichts!

Die nachfolgenden zwei Jahrhunderten brauchte der Rest der freien Welt, um die Tsunamis der Aufklärungswellen aus Frankreich zu verdauen. Doch Anfang des 20. Jahrhundert wurde weiterer Anschlag auf die letzte Männerdomäne verübt, diesmal aus den Angelsächsischen Provinzen diesseits und jenseits des Atlantiks. Diesmal ging es lediglich um das Wahlrecht für Frauen und um das Recht, ebenfalls in die Parlamente gewählt zu werden, den letzten

Zufluchtsorten für gestresste Ehemänner, die gerne mal ein Pfeifchen oder eine Zigarre in Ruhe bei der Lektüre einer Zeitung oder eines guten Buches genießen wollten. Die gelangweilten Frauen des Bürgertums, nutzen die freie Zeit, während sie unbeaufsichtigt zuhause saßen, weil ihre Väter und Ehemänner wichtigen Staatsgeschäften in den Parlamenten nachgingen, um für das Wahlrecht (englisch: suffrage) für Frauen auf die Straßen zu gehen. Man nannte sie Suffragetten und zur Überraschung aller nannten sie sich selbst auch so. Vorbild und Anführerin dieser Damen war Emmeline Pankhurst (15.Juli 1858 bis 14. Juni 1928), ihr Ehegatte verbrachte wohl besonders viel Zeit beim Schmökern und Rauchen. Der geballten Frauenpower in züchtiger Kleidung hatte kaum ein Staat etwas entgegenzusetzen und so wurde überall in Europa das Frauenwahlrecht eingeführt, in Deutschland war es 1918. Überall in Europa? Nein! Ein von unbeugsamen Käsemachern bevölkerter Staat hörte nicht auf, dem Eindringen dieser wahnwitzigen Idee Widerstand zu leisten. Aber steter Tropfen höhlt den Stein und so wurde 1971 auch in diesem Zwergstaat, ich meine natürlich Bergstaat, das Frauenwahlrecht eingeführt. Aber dort, wo die besten Uhrwerke der Welt gefertigt werden und man sich die Wartezeit mit einer guten Schokolade versüßt, dauern die Dinge nun einmal etwas länger.

Es folgte ein ganz trauriges Kapitel in der kurzen Weltgeschichte der Zeit, aus der jedoch insbesondere die deutschen Frauen in Ansehen und Selbstbewusstsein gestärkt wieder hervorgingen. Man nannte sie Trümmerfrauen, weil sie aus den Trümmern der Trümmerbuden noch kleinere Trümmer machten, um damit die Städte wiederaufzubauen. Ganz nebenbei mussten sie sich noch um die Erziehung der Kinder kümmern. Seit damals gewann die Stellung der Frauen in Deutschland immer mehr an Bedeutung und hält bis zum heutigen Tage an.

Wie gesagt, so würde wohl ein männlicher Chauvinist die Dinge sehen.

Tatsächlich ist es so, dass das traditionelle Frauenbild sich immer noch im Wandel befindet. In ebensolchem Tempo ändert sich aber auch das traditionelle Männerbild. Beides geschieht gleichzeitig und so schnell wie auch anderen Bereichen unserer modernen Welt sich ändern. Galt bis Anfang des 20. Jahrhunderts noch das Drei-K-Prinzip – Kinder, Küche, Kirche – so ist daraus mittlerweile Kinder, Küche und Karriere geworden. Vor allem die Karriere ist den modernen Frauen sehr wichtig. Dabei soll das Wort Karriere nicht notwendigerweise bedeuten, dass eine Führungsposition angestrebt wird. In einem allgemeineren Sinn geht es darum im Berufsleben Fuß zu fassen und durch ein eigenes Einkommen zu mehr Selbstständigkeit zu gelangen. Bei der Berufswahl ist vermehrt festzustellen, dass die moderne Frau sich nicht mehr nur mit den klassischen Frauenberufen zufriedengibt, sondern vermehrt in Berufsgruppen vordringt, die bisher als typische Männerdomäne galten. Das gilt für sämtliche Handwerksberufe, dem Zoll, der Polizei und ebenso für die männlichste Männerdomäne, nämlich der Landesverteidigung durch die Bundeswehr. Allerdings war es ein langer Weg, bis Frauen auch den Dienst an der Waffe aufnehmen durften, denn ein Gesetz von 1955 untersagte den Frauen den aktiven Militärdienst. Erst 1975 wurden Frauen wieder bei der Bundeswehr zugelassen, jedoch stand ihnen nur der Dienst im Sanitätsbereich offen. Eine weitere Öffnung im Tätigkeitsfeld bei der Bundeswehr wurde im Jahr 1991 beschlossen, von nun an standen alle Laufbahnen im Sanitätsdienst und im Militärmusikdienst offen.

Es war das Jahr 1996, als eine junge Frau namens Tanja Kreil aus Hannover mit der Fachausbildung zur Energieelektronikerin ungewollt eine weitere Einzelkämpferin in Sachen Gleichberechtigung wurde. In diesem Jahr bewarb sie sich bei der Bundeswehr als gewöhnliche

Soldatin, was zum damaligen Stand der Gesetze jedoch nicht möglich war. Also zog sie vor den Europäischen Gerichtshof (EuGH) und klagte erfolgreich gegen die Bundesrepublik Deutschland. Am 11. Januar 2000 gab der EuGH der Klage statt und mit der Begründung, dass damit die freie Berufswahl entgegen des Gleichberechtigungsgesetztes verletzt werde. Damit schuf der EuGH die rechtlichen Voraussetzungen für den aktiven Dienst an der Waffe auch für Frauen. Als Folge dieses Urteils wurde das nationale Recht der Bundesrepublik durch den Bundestag am 19. Dezember 2000 auf folgende Weise angepasst: Frauen dürfen auf keinen Fall zum Dienst an der Waffe verpflichtet werden, aber freiwilligen Bewerberinnen stehen alle Laufbahnen der Bundeswehr offen. Das Gesetz trat nach dessen Verabschiedung 2001 in Kraft. Im Jahr 2019 waren von den 183.000 deutschen Militärangehörigen gut 22.500 Frauen, was einen prozentualen Anteil von etwa zwölf Prozent ausmacht.

Doch, während die Frauen zunehmend mobilmachen, lässt sich gleichzeitig bei den Männern eine entsprechende Gegentendenz erkennen. Es gibt immer mehr Männer, die sich für Berufe interessieren, die nach wie vor von Frauen dominiert werden. Als Beispiel hierfür möchte ich den Beruf des Erziehers in Kindertagesstätten und Kindergärten nennen. Nach dem Drei-K-Prinzip galten auch die Küche und das Kochen von jeher als die Domäne der Frauen. So war die traditionelle Rollenverteilung quasi seit der Steinzeit. Die Küche war also eine sehr, sehr lange Zeit ein exklusives Hoheitsgebiet der Frau. Also sollte man erwarten, dass die besten Köche der Welt Frauen seien. Doch weit gefehlt, denn unter der Kochlöffel-schwingenden Elite dieser Welt findet sich nur eine Hand voll Frauen wieder. Um es einmal auf den Punkt zu bringen: die französische Fachzeitschrift *Le Chef* veröffentlicht alljährlich die Liste der 100 besten Köche der Welt. Das Besondere an dieser Liste ist, dass die Auswahl der besten Köche ausschließlich von anderen Kochkollegen getroffen wird, und nicht von Fachjournalisten oder Gastrokritikern. In der Liste aus dem Jahr 2020 findet man lediglich fünf Schürzenträgerinnen. Und was ist mit Backen und dem anderen Süßkram, besser bekannt als der Fachbereich der Patisserie? Auch hier ist unter den Top-Ten der Kuchenbäcker keine Frau zu finden.

Es ist sogar noch schlimmer, denn abseits des professionellen Kochgewerbes und dem allgemeinen Trend zum Single-Daseins interessieren sich immer mehr junge Männer für das Küchenhandwerk. Da steckt vermutlich der pure Selbsterhaltungstrieb dahinter, denn wenn niemand da ist der einem Single-Mann abends nach getaner Arbeit eine Mahlzeit auf den Tisch zaubert, so hat der Single-Mann trotzdem noch Hunger. Und schließlich kann nicht jeden Abend Mutti oder der Pizzaservice einspringen.

Was das letzte der drei K betrifft, nämlich die Kinder, so muss man feststellen, dass Deutschland immer noch sehr konservativ eingestellt ist. Es gilt nach wie vor das traditionelle Bild von dem Mann, der für den Unterhalt der Familie sorgt und die Frau ist für den Haushalt und die Erziehung des Nachwuchses zuständig. Dabei sind gerade in Deutschland die Gesetze und die öffentlichen Einrichtungen für ganztägliche Betreuung der Kinder gegeben, so dass die Frauen sowohl an eine Karriere als auch an Nachwuchs denken können. Auch gesellschaftlich ist das Modell von Vätern, die sich um den Haushalt und die Kinder kümmern akzeptiert. Aber trotzdem bleibt die Gleichberechtigung in diesem Punkt außen vor.

Jedoch, während die Frauen immer selbstbewusster und dominanter werden, scheint es bei den einstigen Herren der Schöpfung so zu sein, dass eine gewisse Feminisierung einsetzt hat, die allgemein als metrosexuell bezeichnet wird. Um es ganz klar vorweg zu sagen: trotz des Teilwortes sexuell geht es hier nicht um eine spezielle Form der sexuellen Orientierung. Metrosexuelle Männer sind in erster Linie heterosexuell, verkörpern aber einen modernen Lebensstil, der feminine Ansätze in Bezug auf Mode und Kosmetik aufweist. Kleine Accessoires und der dezente Einsatz von Dingen wie transparentem Nagellack, Lippenbalsam, Lidstrich und Lidschatten und natürlich ein trendiger Haarschnitt mit entsprechenden Styling-Produkten gehören dazu. Auch der Bart, ehemals das Männlichkeitssymbol schlechthin, scheint zurzeit nur deshalb in Mode zu sein, um weitere Styling- und Pflegeprodukte anwenden zu können. Auch im Habitus nähert sich der metrosexuelle Mann eher an Frauen und den homosexuell orientierten Männern an.

Aber kein Trend ohne Extreme, die im Allgemeinen als Paradiesvögel bezeichnet werden. Für diese Personengruppe gilt vor allem: auffallen um jeden Preis. Das bezieht sich sowohl auf Kleidung und Make-up als auch auf einen stark überzeichneten Habitus weiblichen Verhaltens.

Bei so viel Weiblichkeit unter der Männlichkeit muss man sich mittlerweile die Frage stellen, ob die Einteilung nach starkem und schwachem Geschlecht immer noch Gültigkeit besitzt. Oder ist es mittlerweile so, dass die Frauen die Rolle des starken Geschlechts übernommen haben? Wenn man sich vor Augen führt, dass die Frauen sowohl Karriere machen und dabei noch für den Nachwuchs sorgen, dann scheint diese Annahme durchaus berechtigt zu sein, selbst wenn diese in der Haute Cuisine unterrepräsentiert sind. Fest steht auf alle Fälle, dass das männlich Rollenbild in der Gesellschaft diffuser geworden ist als jemals zuvor, seit die Frauen begonnen haben ihre Männer zu Sitzpinklern erziehen. Der Eindruck wird weiterhin verschärft durch die Tatsache, dass ein Gesetz vom Dezember 2018 die rechtliche Anerkennung eines dritten, intersexuellen Geschlechts es

Frauen, vor allem aber auch Männern ermöglicht, sich eine Geschlechtsidentität zu geben, die sich nicht an der klassischen, heteronormativen Geschlechtsanschauung von Mann und Frau orientiert. Das dritte Geschlecht, dass als intersexuell oder divers bezeichnet wird, umfasst all jene Männer und Frauen, die sich aus unterschiedlichen Gründen (Transsexuelle, Künstler ...) nicht einer dieser beiden Geschlechter zugehörig fühlen.

Um es auf einen Nenner zu bringen: die Frauen emanzipieren sich, die Männer verweichlichen und die Unentschlossenen ist im Aufwind. Jetzt fehlt nur noch, dass die Frauen für sich beanspruchen, zu Stehpissern zu werden, natürlich ohne vorher die Klobrille hochgeklappt zu haben.

# Star Trek Voyager – oder: eine Frau als Captain

*Ich gehe nicht davon aus, dass alle von Ihnen Trekkies (Fans der Serie Star Trek) sind. Erlauben Sie mir deshalb, dass ich zum besseren Verständnis etwas weiter aushole. Das tue ich vor allem für Sie, liebe Leserinnen, die sich erfahrungsgemäß eher weniger dafür interessieren, was im Rest des Universums vor sich geht. Zur Belohnung gehe ich auf die jeweiligen Frisurentrends ein. Also, dranbleiben und lesen!*

Das Ganze fing 1966 (Deutsche Erstausstrahlung 1972) mit William Shatner an, der als liebenswert machohafter Captain Kirk das Raumschiff Enterprise befehligte. Davon haben Sie sicher schon gehört. Die unvergessenen Helden dieser Serie waren Spock, Scotty, Schiffsarzt Pille (Dr. McCoy), Chekov, Sulu und Uhura. Und natürlich die NCC-1701 Enterprise – ohne verdammtes A, B, C oder D, wie es Scotty in einer späteren Staffel von Star Trek einmal formulieren wird. Ich kann mich noch erinnern, wie ich mich als Kind auf die Serie gefreut habe, die immer Sonntagabend um 18:00 Uhr über den Bildschirm geflimmert kam. Allerdings hielt die Freude nur so lange an bis feststand, dass es mal wieder um eine von jenen Episoden handelte, in denen bildhübsche, in bunten Tüll gehüllte Frauen mit aufwändigen Hochsteckfrisuren eine matriarchalisch geführte Gesellschaft dominieren und unsere Raumfahrer-Helden mit einem hypnotischen Liebeszauber in willenlose Sklaven transformierten. Da saß ich als Kind vor dem Fernseher und habe seit einer Woche mehr oder weniger geduldig auf die nächste Folge gewartet und dann das: kein romulanischer Warbird, kein klingonischer Bird of Prey, der sich auf einmal an Achtern enttarnte, kein Feuergefecht, kein Ionensturm oder wenigstens eine handfeste Kneipenschlägerei mit ein paar Klingonen, die damals noch die Größe und das Aussehen von mexikanischen Bandidos des 19. Jahrhunderts hatten. Das ist doch nicht zu viel verlangt, oder?

Im Jahre 1969 endete die Serie Raumschiff Enterprise nach 79 Episoden in drei Staffeln in den USA. Erst nach einer längeren Pause entschieden sich die Macher zu einer Fortsetzung der Star Trek-Reihe, die in den USA ab 1987 über die Fernsehgeräte ausgestrahlt wurde und in Deutschland ab 1990 zu sehen war. Die neue Serie wurde Star Trek - The Next Generation genannt und lief sieben Jahre lang (178 Episoden in sieben Staffeln), mit Patrick Steward als Captain Jean-Luc Picard, Jonathan Frakes als Commander William T. Riker und Brent Spiner als Lieutenant Commander Data. Führungsoffiziere, wie sie sein sollten. Mehr Aliens, mehr Action, mehr Hightech, weniger Hochsteckfrisuren und weniger G'schmusi, sieht man einmal von Deanna Troi und ihrer liebestollen Mutter Lwaxana Troi ab. So liebt es der Star Trek-Fan.

Durch den unerwartet großen Erfolg von *The Next Generation* ermutigt gab es bereits 1993 in den USA eine weitere Serie (176 Episoden in sieben Staffeln) aus der Star Trek-Reihe zu sehen, nämlich *Star Trek - Deep Space Nine*, die ab 1994 auch in Deutschland zu sehen war. Zeitlich bewegt sich die Story von *Deep Space Nine* im gleichen Zeitrahmen wie *The Next Generation*, teilweise sogar mit Gastrollen durch dieselben Schauspieler. Das neue Konzept: Deep Space Nine war kein Raumschiff, sondern eine cardassianische Raumstation, die nach der Befreiung des Planeten Bajor von der cardassianischen Besetzung und dem Beitritt Bajors in die Föderation der vereinten Planeten gemeinsam von Bajoranern und der Sternenflotte übernommen wurde. Kommandant der Station und gleichzeitig Abgesandter der

Propheten (Propheten: transdimensionale Wesen, die im Wurmloch zwischen dem Alpha-Quadranten und dem Gamma-Quadranten leben und die Grundlage der bajoranischen Religion bilden) wurde Commander Benjamin Sisko, gespielt von Avery Brooks. Sisko, quasi der Barack Obama unter den Star Trek Captains, erwies sich ebenfalls als fähiger Commander, sowohl auf der Raumstation als auch auf der USS Defiant, aber auch als spiritueller Führer in seiner Rolle als Abgesandter der Propheten machte er sich ganz gut.

Auf Deep Space Nine waren Hochsteckfrisuren eher die Ausnahme und vielleicht noch bei den Dabo-Mädchen zu finden. Jadzia Dax trug außer ihrer aparten Trill-Tätowierung von den Schläfen bis zum Wadenbeinknöcheln meist einen Pferdeschwanz, Kira Naris und Esri Dax hatte jeweils eine adrette Kurzhaarfrisur. Quark, Nog, Rom, Morn, Odo und im späteren Verlauf der Serie auch Sisko hatten überhaupt kein Haupthaar und als Cardassianer sorgt jede Menge Haargel für glattes, anliegendes Haar. Dass sich die Klingonen nicht um Haarpflege kümmern, muss ich wohl nicht extra erwähnen – mit Ausnahme von Mr. Worf natürlich. Sternenflottenvorschrift, wie ich vermute.

Und dann kam sie: die USS Voyager. Intrepid-Klasse. Registrierung NCC 74656. Warp 9.90. Eines der neuesten Raumschiffe in der Sternenflotte. Hochgerüstet und wissenschaftlich hervorragend ausgestattet, inklusive einiger sehr liebenswerter Gimmicks, wie den roten und grünen Positionsleuchten, die den heutigen internationalen Standards für Flugsicherheit entsprechen oder den beiden Terrassenlichtern für die obere Schiffshülle, die eine direkt vor den Fenstern der Brücke und die andere auf die Registernummer ausgerichtet, vergleichbar mit der Kennzeichenleuchte Ihres privaten Kraftfahrzeugs. Falls Tom Paris also wieder einmal fliegt, wie ein interstellarer Verkehrs-Rowdy, kann man die Registernummer bequem ablesen und zur Anzeige bringen, um so Lt. Paris zu ein paar Nachhilfestunden in Sachen Sicheres Fliegen zu verhelfen. Das Beste aber sind die beweglichen Warp-Gondeln, die vor dem Warp-Sprung in einem bestimmten Winkel angestellt werden. Wozu? Ich habe keine Ahnung, aber ich vermute, dass es nichts mit der Aerodynamik zu tun hat, ansonsten hätten die Borg nämlich ein massives Problem mit ihrem Raumschiff-Design. Das Anstellen der Gondeln hat vermutlich den Zweck, dass auch der letzte Tropfen Warp-Plasma genau dahinfließt, wo es hingehört. Ach, ich weiß es einfach nicht. Ist mir eben nur so aufgefallen.

Es ist 1995 als die Trekkies zwei bittere Pillen schlucken müssen. Zunächst müssen die Fans der Serie akzeptieren, dass die USS Voyager, dieses bildhübsche und technologische Schmuckstück der Sternenflotte, an einen weiblichen Captain übergeben wird, nämlich an Captain Kathryn Janeway. Und mit ihr kam die Renaissance der Hochsteckfrisuren oder wie man in der Alltagssprache oft sagt, der Betonfrisuren. Im Falle der Kazon – einer Rasse aus dem Delta-Quadranten - ist die letztere Bezeichnung durchaus zutreffend, sehen deren Frisuren doch aus wie eine Mischung aus Termitenbau und amorphen Kristallwachstum, insbesondere bei den Kazon Nistrim. Fast immer perfekt sitzt dagegen die Hochsteckfrisur bei der ehemaligen Borg-Drohne mit der Bezeichnung Seven of Nine, tertiäres Unterelement von Unimatrix Null-Eins. Nachdem die Drohne aus dem Kollektiv befreit wurde und das Medizinisch Holographische Notfallprogramm (MHN), auch genannt Der Doktor, die meisten Borg-Implantate entfernt hatte, stimulierte er erfolgreich das Wachstum der Haarfollikel, so dass die ehemalige Drohne zukünftig immer mit einem perfekten French Twist unterwegs war. Und da Drohnen nicht in einem Bettschlafen, sondern sich in einem Alkoven im Stehen regenerieren, ohne jeden Kontakt mit einem Kissen oder etwas

Ähnlichen, bestand auch nie Gefahr, die kunstvolle Frisur zu zerstören, was sich als sehr effizient erweist.

Es stellte sich heraus, dass die Trekkies viel besser mit der Tatsache zurechtkamen, dass eine Frau das Kommando über die USS Voyager hatte, als mit ihrer Frisur. Warum auch nicht, schließlich sind seit Macho Captain Kirk zahlreiche Jahre ins Land gegangenen und die Story selbst spielt im 24. Jahrhundert, da sollte man meinen, dass die Gleichberechtigung der Frauen schon so weit gediehen sein sollte, dass diese auch Kommandos auf Sternenflotten-Raumschiffen bekommen, ohne dass das noch großes Aufsehen erregt. Aber was haben die Leute immer für ein Problem mit der Frisur. Ähnlich erging es Frau Dr. Angela Merkel, die von der Öffentlichkeit oft mehr wegen ihres burschikosen Haarschnitts und ihrer unmodischen Garderobe kritisiert wurde als wegen ihrer politischen Arbeit. Sind wir Menschen so oberflächlich? Die simple Antwort auf diese Frage lautet: ja, sind wir! Und zur Rechtfertigung unserer Oberflächlichkeit benutzen wir dann so geschmeidige Redewendungen wie *Es gibt keine zweite Chance für einen ersten Eindruck*, was Zahlen-technisch gesehen natürlich vollkommen richtig ist. Wir halten uns alle für Experten darin, unserem Gegenüber sofort und vollkommen vollständig einschätzen zu können. Dabei bestehen diese Fakten zu einem Großteil nur aus den optischen Eindrücken, vermischt mit unseren persönlichen Erfahrungen, Vorlieben und Vorurteilen. Es sollte aber jedem von uns klar sein, dass nichts so einfach korrigiert werden kann, wie der optische Eindruck. Lassen Sie mich dazu ein kleines Gedankenexperiment anstellen: angenommen es wäre möglich, von einer Testperson zweimal einen ersten Eindruck zu bekommen, und zwar einmal vor und einmal nach einem optischen Make-over. Ich bin mir sicher, dass die meisten Menschen zwei völlig unterschiedliche, eventuell sogar konträre Eindrücke gewinnen würden, obwohl es sich immer noch um dieselbe Testperson handelt. Wenn aber die Eindrücke unterschiedlich ausfallen, dann bedeutet das doch, dass wir entweder bei der ersten oder bei der zweiten Bewertung der Testperson falsch lagen, was nicht notwendigerweise ausschließt, dass sogar beide Einschätzungen falsch sein können. So viel zu unseren gelobten Fähigkeiten aus dem ersten Eindruck auch die richtigen Einschätzungen zu treffen. Das bleibt nur jenen Menschen vorbehalten, die möglichst vorurteilsfrei und jenseits des Offensichtlichen blicken können, um zu einer Bewertung zu kommen. Diese Fähigkeit bezeichnen wir als Menschenkenntnis. Als Frau Dr. Merkel schließlich Kanzlerin wurde, hatte sie es wohl satt, ständig wegen ihres Erscheinungsbildes bewertet zu werden: es gab eine neue Frisur, eine neue Garderobe, nebst den entsprechenden Accessoires und dazu das passende Make-up. Das hat zwar viele der oberflächlich orientierten Kritiker verstummen lassen, aber bei weitem nicht alle. Die neuen Kritikpunkte waren die immer gleichen Hosenanzüge, die Merkel-Raute (Handhaltung von Frau Dr. Merkel, wenn sie freistehend spricht und die sogenannte Deutschlandkette, eine Halskette aus jeweils einfarbig bunten Kugelelementen, die zur Mitte hin immer größer werden deren größte Elemente in unseren Nationalfarben eingefärbt sind, jedoch in der Reihenfolge der belgischen Nationalflagge. Offensichtlich können wir nicht anders, als uns mit solchen Nebensächlichkeiten aufzuhalten. Ja, ja, Frauen in Führungspositionen haben es eben nicht leicht weder im fiktiven 24. Jahrhundert noch in der realen Gegenwart.

Apropos Frauen in Führungspositionen, im 06. März 2015 wurde ein neues Gesetz verabschiedet, nach dem die börsennotierten deutschen Unternehmen dazu verpflichtet wurden, den Frauenanteil in den Aufsichtsräten und den Unternehmensvorständen aufzustocken. Das *Gesetz für die gleichberechtigte Teilhabe von Frauen und Männern an*

*Führungspositionen in der Privatwirtschaft und im öffentlichen Dienst (FüPoG)* sieht vor, dass innerhalb eines bestimmten Zeitrahmens, der zunächst bis 2022 festgesetzt wurde, mindestens 30 Prozent der Vorstandsposten und Aufsichtsratsmandate mit Frauen zu besetzen seien, ansonsten sollten diese Mandate unbesetzt bleiben. In den jeweiligen Rechenschaftsberichten müssen die Unternehmen eine Zielvereinbarung abgeben, wie sich der Frauenanteil in den Vorständen entwickeln soll. Da das Gesetz keine Sanktionen bei Nicht-Erfüllung der Frauenquote vorsieht, ist somit auch eine Frauenquote von null Prozent eine zulässige Zielvereinbarung.

Natürlich ging den damaligen Oppositionsparteien der Gesetzesentwurf nicht weit genug, die eine Frauenquote von 40 Prozent forderten, die Linken sogar von 50 Prozent. Typisch Politiker, mit dem Kopf immer schon bei der nächsten Wahl und mit dem Finger am Puls der Wählerschaft, und davon ist die Hälfte eben weiblich. Und wann hat man schon einmal die Gelegenheit mit einem Thema eine so große Zielgruppe direkt anzusprechen. Aber das ist der Alltag in der Opposition, man muss widersprechen, auch wenn 30 Prozent ein guter Kompromiss ist, mit dem die Politik, wie auch die betroffenen Unternehmen gut leben können, denn die Unternehmen sehen in Gesetzen wie diesem nicht mehr als einen weiteren Einschnitt in die personalpolitische Handlungsfreiheit. Außerdem darf man nicht übersehen, dass 30 Prozent bereits einen beachtlichen Fortschritt darstellen gegenüber den damals bestehenden Zahlen von 18 Prozent Frauenquote in den Aufsichtsräten und den nur fünf Prozent bei den Vorständen. Jeder, der sich schon einmal mit Change-Management befasst hat weiß, dass es ein wohltemperiertes Maß an Druck und Geduld braucht, um tiefgreifende Veränderungen zu erreichen. Sind die Räder dann erst einmal ins Rollen geraten, dann kann man auch höhere Frauenquoten anstreben. Da, wie bereits erwähnt, das Gesetz selbst mit keinerlei Sanktionen bei Nichterfüllung der Frauenquoten ausgestattet ist, muss der sanfte Druck über die Öffentlichkeit kommen, etwa durch die Medien oder durch unabhängige Organisationen, die den Fortschritt des Veränderungsprozesses in den Unternehmen überwachen und darüber berichten. Die Arbeit solcher Organisationen ist wichtig damit sich der Fokus der Öffentlichkeit und der Medien in regelmäßigen Abständen auch auf solche Themen richtet, die langwierigen Entwicklungen unterworfen sind und somit dafür sorgen, dass diese nicht in der schnelllebigen Nachrichtenwelt verdrängt werden.

Eine solche Organisation ist die schwedisch-deutsche AllBright-Stiftung mit Sitz in Stockholm und Berlin des schwedischen Unternehmers Sven Hagströmer. Die Stiftung selbst bezeichnet sich als gemeinnützig und politisch unabhängig und wurde mit dem Ziel gegründet, gleiche Karrierechancen für Männer und Frauen zu schaffen, um mehr Frauen in den Führungspositionen der Unternehmen zu etablieren. Hier in Deutschland beobachtet die Stiftung die Umsetzung und Entwicklung des FüPoG in den Unternehmen und verfasst dazu regelmäßig Berichte, die in Wirtschaft und Politik gleichermaßen hohen Anklang finden.

Der Bericht vom 18. Mai 2018 ist folgendermaßen betitelt: *Schlusslicht Deutschland – Konzerne weltweit holen mehr Frauen ins Top-Management.* Bei solchen Überschriften fährt es den PISA-gepeinigten Deutschen doch sofort eiskalt den Rücken hinunter, suggeriert der Titel doch, dass Deutschland einmal mehr der Entwicklung anderer Nationen hinterherhinkt. Der Inhalt des Berichts ist ein Sechs-Länder-Vergleich zwischen den USA, Großbritannien, Schweden, Frankreich, Polen und Deutschland in der die Frauenquoten in den Vorständen in den jeweils 30 größten börsennotierten Unternehmen eines Landes verglichen wurden. Für Deutschland wären das also alle 30 DAX-Unternehmen. Nach Berechnungen der AllBright-Stiftung ergibt sich das folgende Ranking: Platz 1 USA (24,8%), Platz 2 Schweden (24,1%), Platz 3 Großbritannien (20,1%), Platz 4 Polen (15,5%), Platz 5 Frankreich (14,5%) und tatsächlich reiht sich Deutschland mit nur 12,1 Prozent am Ende dieses Rankings ein. Und als wenn der letzte Platz nicht schon schlimm genug wäre, findet sich im Begleittext noch der Hinweis, dass sich Deutschland mit diesem Wert auf der gleichen Stufe bewegt, wie die Schwellenländer Türkei und Indien (beide rund 10 Prozent, keine näheren Angaben vorhanden). Das schmerzt!

Dass die USA und Schweden in diesem Ranking ganz weit vorne stehen ist nicht weiter verwunderlich, denn in den USA werden schon die Kinder dazu erzogen, sich ständig in einer Challenge oder einer Competition miteinander zu messen. So werden Jungen und Mädchen gleichermaßen auf den Wettbewerb im Berufsleben vorbereitet. Auch als Quereinsteiger und als Macher hat man es in den USA viel einfacher als in anderen Ländern, auch wenn das fachspezifische Wissen zunächst fehlen mag. Bei Schweden und Großbritannien gibt es ebenfalls gute Gründe, warum es in diesen Ländern hohe Frauenquoten in den Unternehmensvorständen gibt. Doch trotz des Leitsatzes *Traue keiner Statistik, die du nicht selbst gefälscht hast*, den ich mir zu eigen gemacht habe, sah ich bis zu diesem Zeitpunkt noch keine Veranlassung, am veröffentlichten Zahlenmaterial zu zweifeln, obwohl ich es schon befremdlich fand, dass Polen sich noch vor Frankreich und Deutschland eingereiht hat. Also weiter im Text und irgendwo findet sich die Auswertung, dass es in den jeweiligen Ländern immer noch Unternehmen gibt, die mit reinen Männervorständen operieren. So gibt es in den USA und in Schweden nur jeweils ein Unternehmen, welches ohne ein weibliches Mitglied im Vorstand arbeitet, in Frankreich und Großbritannien sind es jeweils sieben Unternehmen, in Deutschland sind es elf und das Schlusslicht bildet Polen mit 13 Unternehmen. Mit anderen Worten: fast die Hälfte der betrachteten Unternehmen in Polen sind reine Männersache und trotzdem liegt Polen im Ländervergleich noch vor Frankreich und Deutschland. Beim Lesen der AllBright-Berichte war dies die Stelle, bei der sich die Kondition Roter Alarm aktivierte und sich der Graf Zahl in mir rührte. Um so viele Unternehmen ohne weibliche Vorstände zu kompensieren, bedarf es am anderen Ende des Spektrums einige Unternehmen, bei denen die Frauenquote überproportional hoch ist. Und tatsächlich verfügt Polen über einige Schwergewichte bezüglich der weiblichen Besetzung in den Vorständen, wie zum Beispiel Kruk (60,0%), Alior Bank (50,0%), ING Bank Slaski (43,0%), OrangePL und Energa (jeweils 33,0%). Diese fünf Unternehmen haben bei einer so geringen Grundmenge von 30 Unternehmen einen großen Einfluss auf das Gesamtergebnis. Ein Zahlenbeispiel anhand der Firma Kruk, die mit satten 60,0% Prozent Frauenquote zu einem der Vorzeige-Unternehmen in den AllBright-Berichten avancieren. Die 30 Top-Unternehmen in Polen bringen es in Summa auf 15,5 Prozent Frauenquote. Um besser Rechnen zu können, ignorieren wir mal die 0,5 Prozent und sagen, dass Polen bei 15,0 Prozent liegt. Vergleicht man die 60,0 Prozent von Kruk mit den 15,0 Prozent für Polen, so stellt man fest, dass hier genau der Faktor vier vorliegt. Das bedeutet, dass Kruk drei Unternehmen mit einem Frauenanteil von null Prozent auf das Gesamtniveau von 15,0 Prozent für Polen hieven kann. Die übrigen 15,0 Prozent behält Kruk natürlich für sich und liegt damit ebenfalls genau auf dem Polen-Durchschnitt. Dieselbe Überlegung auf die Alior Bank (50,0%) und auf die ING Bank Slaski (43,0%) angewendet zeigt, dass diese beiden Unternehmen jeweils zwei weitere Null-Prozent-Unternehmen kompensieren können. Und selbst OrangePL und Energa können jeweils ein weiteres Unternehmen ohne weibliche

Vorstände kompensieren. Für diese fünf Unternehmen ergibt sich also eine Gesamtkompensation von Kruk (drei Unternehmen), Alior Bank (2), ING Bank Slaski (2), OrangePL (1) und Energa (1), was in der Summe neun Durchschnittsunternehmen entspricht. Von den zunächst 13 Null-Prozent-Unternehmen nur noch vier übrig, die von den restlichen zwölf Unternehmen mit Frauen im Vorstand auf den Landesdurchschnitt für Polen angehoben werden müssen. Das sollte doch bei einem Unternehmens-Verhältnis von 3-zu-1 machbar sein. Das erklärt so einiges in Bezug auf das Ranking zwischen den fünf besagten Ländern.

In vielen Sportarten, in denen eine Juri Noten oder Bewertungen vergibt, kennt man dieses Problem, bei dem eine zu hohe oder zu niedrige Bewertung gegenüber dem Bewertungsdurchschnitt einen Wettkampfteilnehmer bevorzugen oder benachteiligen kann. Beispiele sind die Haltungsnoten beim Skispringen oder die Notenvergabe im Eiskunstlaufen. Im Skispringen werden die Haltungsnoten von fünf Wertungsrichtern bestimmt. Die höchste und die niedrigste Wertung werden gestrichen und aus den drei verbliebenen Wertungen wird der Durchschnitt gebildet. Im Eiskunstlaufen beziehungsweise im Eistanzen geht man sogar noch einen Schritt weiter, um die Bewertungen zu objektivieren. Von den insgesamt zwölf Bewertungsrichtern werden neun davon per Computer zufällig ausgewählt. Zudem werden - wie beim Skispringen auch – die höchste und die niedrigste Bewertung gestrichen, so dass letztendlich die verbleibenden sieben Bewertungen das Endergebnis bilden. Im Sinne einer sportlich fairen Vergleichsbewertung ist ein solches Vorgehen nur zu begrüßen, da es in der Vergangenheit häufig zu fragwürdigen Ergebnissen gekommen ist.

Das Streichen der besten und der schlechtesten Bewertungen vor der eigentlichen Mittelwertbildung wird salopp als gestutztes Mittel bezeichnet. Durch das Stutzen soll erreicht werden, dass statistische Ausreißer sich nicht zu stark auf das Endergebnis auswirken können. Vielleicht wäre die Anwendung des gestutzten Mittels auch bei dem Ländervergleich der AllBright Stiftung eine probate Maßnahme gewesen, um den Vergleich zu objektivieren. Aber da in Schweden weder Skispringen noch Eiskunstlaufen besonders populäre Sportarten sind – und dass obwohl der Schwede Ulrich Salchow einen noch heute gültigen Wettkampfsprung erfunden hat – hat beim Erstellen des Berichtes wohl niemand daran gedacht.

Bei den bisherigen Ausführungen bin ich davon ausgegangen, dass die ermittelten Prozentwerte richtig berechnet wurden. Allerdings kam schon beim Betrachten der 60,0 Prozent Frauenquote von Kruk ein gewisser Verdacht in mir hoch. Die 60,0 Prozent entsprechen dem Bruch von drei Fünfteln oder einem positiven, ganzzahligen Vielfachen davon, also sechs Zehntel oder zwölf Zwanzigstel und so weiter. Der Zähler dieser Brüche entspricht dabei der Anzahl der Frauen und der Nenner der Anzahl der Vorstände. Im Fall von Kruk hielt ich es für ausgeschlossen, dass sechs oder mehr Frauen im Vorstand vertreten sind und somit blieb als logisches Ergebnis, dass es drei Frauen sein müssen, verteilt auf fünf Vorstandsposten. Eine kurze Google-Recherche bestätigte die Vermutung. Die Deutsche Telekom mit zwei Frauen im Vorstand kommt dagegen nur auf eine Quote von zwei Neuntel oder 22,2 Prozent. Vergleicht man nun die 60,0 Prozent von Kruk mit den 22,2 Prozent der Deutschen Telekom so scheint es, als würde die Deutsche Telekom sehr viel schlechter abschneiden, obwohl Kruk lediglich eine Frau mehr im Vorstand sitzen hat. Noch deutlicher wird es, wenn wir eine der Frauen im Kruk-Vorstand durch einen Mann ersetzen. Jetzt haben beide Unternehmen jeweils zwei Frauen im

Vorstand und trotzdem liegt der Frauenanteil bei Kruk mit 40 Prozent noch immer fast doppelt so hoch, wie der der Deutschen Telekom. Offensichtlich ist eine Frau bei Kruk fast doppelt so viel Wert, nämlich 20 Prozent als eine Frau bei der Deutschen Telekom (11,1%). Das ist kein fairer Vergleich. Generell ist der Vergleich von Prozentwerten nur dann vernünftig und zulässig, wenn die Grundmenge dieselbe ist. Leider findet sich zu diesem AllBright-Bericht weder das verwendete Zahlenmaterial noch die konkrete Vorgehensweise zur Berechnung vorgestellten Werte und so kann ich nur vermuten, dass dieser Ländervergleich möglicherweise ein etwas verschobenes Gesamtbild darstellt. Es kann nämlich sein, dass hier das berühmte Simpson-Paradoxon zuschlägt, benannt nach Edward Hugh Simpson, der das Phänomen bereits 1951 beschrieben hat. Um sich gegen dieses Paradoxon abzusichern, sollte ein Chi-Quadrat-Test auf das verwendete Zahlenmaterial angewendet werden, um festzustellen, ob eine stochastische Unabhängigkeit vorliegt oder nicht, selbst auf die Gefahr hin, dass Deutschland nicht so schlecht abschneidet, wie man das gerne gezeigt hätte.

Wie bereits erwähnt ist ein Anteil von null Prozent eine gültige Zielvereinbarung gemäß *FüPoG*. Aber neben den internen Widerständen der deutschen Unternehmen gegen mehr Frauen in den Vorstandsetagen, möchte ich auch bestreiten, dass eine Quote von 30 Prozent von heute auf morgen machbar wäre, selbst wenn alle Beteiligten sofort und kompromisslos dazu bereit wären. Lassen Sie uns die Frage stellen, ob das Reservoire an qualifizierten deutschen Frauen tatsächlich ausreichen würde, um die Posten vollständig zu besetzen. Nehmen wir deshalb für einen kurzen Augenblick einmal an, es gäbe eine ausreichende Anzahl topqualifizierter Frauen in Deutschland, dann möchte ich blasphemisch fragen, wo diese zu finden sind. Offensichtlich nicht in den Top-Positionen der deutschen

Unternehmen, denn selbst die wenigen Frauen, die es bisher in die Vorstandsetagen der DAX-30-Unternehmen geschafft haben, sind die deutschen Frauen gegenüber den ausländischen in der Minderheit. Mit anderen Worten, die Konzerne suchen bei der Besetzung von Vorstandposten eher nach internationalen Führungskräften als nach vergleichbar qualifizieren Frauen aus Deutschland. Nach den aktuellen Zahlen von Januar 2020 gibt es 28 weiblichen Vorstände in den DAX-Unternehmen, zwölf davon Deutsche, alle anderen sind internationaler Herkunft. Es ist wohl kaum anzunehmen, dass weibliche deutsche Führungskräfte international stärker vertreten sind als auf dem heimischen Arbeitsmarkt. Die Vergabe von Vorstandsposten an weibliche Führungskräfte aus dem Ausland bedeutet vermutlich, dass die Unternehmen eher an Frauen mit internationaler Erfahrung interessiert sind.

Gemäß dem AllBright-Bericht vom 28. September 2016 zufolge werden rund werden rund 22,0 Prozent der Vorstandposten mit Ingenieuren besetzt, aber selbst die Macher der Studie müssen zugeben, dass es in Deutschland kaum Frauen mit einer Ingenieurskarriere zu finden sind. Im Umkehrschluss heißt das, dass fast ein Viertel der Vorstandsposten nur schwer mit deutschen Frauen zu besetzen sind. Aus meiner eigenen Erfahrung kann ich berichten, dass in meinem Ingenieursstudiengang von 320 Studenten nur davon vier Frauen waren. Das ist ein weiterer Hemmschuh für die Besetzung von Vorständen mit deutschen Frauen.

Interessant an diesem Bericht ist, dass entgegen der landläufigen Meinung eine Frau nicht höher qualifiziert sein muss als ein Mann. Ein Indikator dafür mag sein, dass nur 18 Prozent der Frauen einen Doktortitel haben, während es bei den Männer 29 Prozent sind. Auch Kinder scheinen keinen Karriereknick bei den Frauen zu bewirken, denn fast die Hälfte der Frauen haben ein oder mehrere Kinder. Zudem sind die Rahmenbedingungen für berufstätige Mütter in Deutschland deutlich besser als in den Vergleichsländern, und trotzdem gelingt es den anderen Nationen besser, Frauen in die Führungsetagen zu holen. Im Bericht vom 08. April 2019 werden sogar Headhunter für die Misere bei der Rekrutierung von weiblichen Führungskräften verantwortlich gemacht. Headhunter sollen laut der Darstellung nur nach Personen suchen, die dem allgemeinen Profil der bereits vorhandenen Führungskräfte im Unternehmen entsprechen. Aber ich denke, dass die Arbeit eines Headhunters in diesem Fall falsch dargestellt wird. Sofern die Vertreter dieser Berufsgruppe nicht mit einer konkreten Kandidatenliste losgeschickt werden, so sollte es doch im Interesse aller Beteiligten liegen, die bestmöglichen Kandidaten für den vakanten Posten zu finden, selbst wenn es sich dabei um eine Frau handeln sollte. Eine Benachteiligung lediglich aufgrund des Geschlechts wäre nicht im Sinne der Auftraggeber. Ansonsten möchte ich den Berichten voll und ganz zustimmen, dass der Wille von Aufsichtsräten und Vorständen zur Benennung neuer Vorstandsmitglieder der entscheidende Faktor ist. Die Impulse müssen aus dem Inneren der Unternehmen kommen, eine weitere Einschränkung der Personalautonomie ist dabei nicht unbedingt sinnvoll.

Apropos sinnvoll, weniger sinnvoll sind die Zahlenspiele, die unter dem Namen Thomas-Kreislauf angestellt werden. Während der Ländervergleich nur aufgrund eines mathematischen Paradoxons möglicherweise Fehlinterpretationen Vorschub leistet, so ist der sogenannte Thomas-Kreislauf zur Gänze ein Muster ohne Wert. Die Verknüpfung von Vornamen der männlichen Vorstände mit der Anzahl der Frauen in den Vorständen der deutschen börsennotierten Unternehmen, haben keinerlei Bezug zueinander. Hierbei handelt es sich eher um eine Zahlenspielerei, die Aussagen untermauern soll, die nicht mit den Fakten in Relation stehen. Bevor ich auf die fehlende Signifikanz des Thomas-Kreislauf eingehe, möchte ich zunächst einmal genau erklären, was die Autoren der AllBright-Berichte darunter verstehen und welche möglichen Intensionen sich dahinter verbergen.

Bei dem Thomas-Kreislauf handelt es sich nicht um einen Terminus technicus, der irgendeiner wirtschaftswissenschaftlichen Studie entsprungen ist, sondern lediglich um ein exklusives Eigengewächs der AllBright-Autoren. Dabei wird aus der Gruppe der männlichen Vorstände die Vornamen, die am häufigsten Vorkommen extrahiert und anschließend addiert. In diesem Fall sind es Thomas und Michael, wovon sich auch der Begriff Thomas-Kreislauf ableitet. Die Anzahl des Auftretens der beiden Vornamen wird mit der Gesamtanzahl der Frauen unter den deutschen Vorständen verglichen. Die Kernaussage: es gibt mehr Männer mit den genannten Vornamen als es Frauen gibt. Es gibt aber auch Vergleiche, bei denen die Anzahl mit drei oder vier männlichen Vornamen durchgeführt werden, je nach Bedarf. Möglicherweise ist die Intension dahinter auf bildhafte Art und Weise zu zeigen, wie gering der Frauenanteil tatsächlich ist. Doch diese einfache Aussage könnte man ebenso mit einem prozentualen Vergleich bewerkstelligen. Die bildhafte Darstellung verschleiert diesen Aspekt enorm. Man bekommt das Gefühl, als bräuchte man Füllmaterial für die Berichte.

Doch warum sind die bildhaften Vergleiche nicht signifikant? Um es noch einmal klipp und klar zu sagen, es gibt keinen direkten Bezug zwischen den Vornamen und der Anzahl der Frauen. Auch die unterschiedlichen Grundmengen, nämlich die Anzahl der männlichen Vorstände und die der weiblichen Vorstände lassen keinen fairen Vergleich zu. Wir reden hier über ein Missverhältnis von 10:1. Da ist es ein leichtes eine Teilmenge zu entnehmen, die größer ist als die Gesamtmenge an Frauen.

Der Thomas-Kreislauf wurde gleich im ersten AllBright-Bericht ins Leben gerufen und wurde in den Folgeberichten wiederverwendet, teilweise in unterschiedlichem Kontext. Ebenfalls in diesem Bericht wurden die Merkmale für den Prototypen eines typischen Vorstandsmitglieds vorgestellt. Nach diesen Kriterien ist ein Vorstand männlich (93,5%), deutsch (75%), heißt entweder Thomas oder Michael, war zum Zeitpunkt der Veröffentlichung des Berichtes im Jahre 2016 im Jahre 1963 geboren und genoss entweder eine Ausbildung als Wirtschaftswissenschaftler (40%) oder als Ingenieur (22%). Wenn Sie ein Mitarbeiter in einem börsennotierten Unternehmen sind und alle diese Kriterien erfüllen und sich Hoffnungen auf eine Karriere bis ins Topmanagement machen, aber nicht Thomas oder Michael heißen, dann gebe ich Ihnen den Rat die Flinte nicht gleich ins Korn zu werfen. Den von den 631 männlichen Vorständen heißen nur 49 Thomas oder Michael. Da haben Sie auch als Sebastian oder Wolfgang noch gute Chancen auf einen Vorstandsposten. Nichtsdestotrotz reicht die akkumulierte Anzahl der Thomas und Michaels aus, um die Gesamtzahl der Frauen (44) in deutschen Vorständen aufzuwiegen. Als Profil einer typischen Frau im Vorstand wird in jenem Bericht angegeben, dass sie jüngeren Alters ist (Jahrgang 1965) und der Anteil an internationalen Spitzenkräften liegt bei den Frauen 33 Prozent höher als bei den Herren mit 25 Prozent. Vom Ausbildungsstand sind die wenigsten der Frauen Ingenieurinnen, sondern haben in derselben Größenordnung Jura (25%) studiert. Der prozentuale Anteil an Wirtschaftswissenschaftlerinnen (45%) liegt genauso hoch, wie bei den Männern. Die wenigen Frauen in den deutschen Vorstandsetagen betreuen entweder eigene

Geschäftsbereiche oder sind für die Personalpolitik des Unternehmens verantwortlich.

Nach diesem kleinen Exkurs geht es nun wieder zurück zum Thomas-Kreislauf und seinen Varianten. Im AllBright-Bericht von 14. Mai 2018 führt das Herrendoppel Thomas und Michael immer noch mit 56:52 vor der geballten Frauenpower in deutschen Vorständen. Den Verfassern des Berichtes schien es wichtig zu sein zu erwähnen, dass die Anzahl derer, die auf den Namen Thomas getauften wurden, gegenüber dem Vorjahr leicht gestiegen ist. Das ist nur eine zufällige Varianz, hervorgerufen durch die natürliche Fluktuationsrate in der Personalbesetzung. Aber was für den einen nur ein unbedeutender, der weiteren Erwähnung nicht würdiger Fakt ist, scheint für den anderen ein weiterer Tropfen auf das sich drehende Mühlrad zu sein. Das Prinzip des Thomas-Kreislaufs wird in diesem Bericht auf den internationalen Ländervergleich ausgedehnt, was ebenso wenig Sinn macht, wie auf Deutschland allein. Die Betrachtungen werden auf die üblichen Länder, wie USA, Schweden, Großbritannien, Frankreich und Polen ausgeweitet. Ebenfalls wird das Namensspektrum auf vier männliche Vornamen ausgedehnt. Für Deutschland treten neben den altbekannten Thomas und Michaels noch die Markus und Stefans an. Die Teams der anderen Länder lauten: USA (John, Michael, Mark, Robert), Schweden (Jan, Mikael, Lars, Peter), Großbritannien (John, Chris, Mark, David), Frankreich (Frédéric, Olivier, Philippe, Thierry) und Polen (Piotr, Michal, Marek, Tomasz). Nun müssen sogar schon vier Vornamen herhalten, um zu zeigen, dass der prozentuale Anteil der männlichen Vornamen (13,4%) nur in Deutschland größer ist als die Frauenquote (12,1%). In Polen (15,5%) sind die beiden Prozentangaben gleich hoch, während in allen anderen Vergleichsländer die Frauenquote höher liegt. Im Einzelnen sind das für die USA (Männernamen 12% zu Frauenquote 24,8%), für Schweden

(11%/24,1%), für Großbritannien (12,4%/20,1%) und für Frankreich (10,2%/14,5%). Hier zeigt sich die fehlende Korrelation in der Tatsache, dass die Quote der Männernamen annähernd konstant ist, so dass man die einfache Behauptung aufstellen kann, dass ab einer Frauenquote von größer 13 Prozent die Aussage immer Gültigkeit besitzt. Das bezieht sich nur auf den Durchschnittwert, statistische Ausreißer, wie im Falle Polens können immer wieder vorkommen, was ausschließlich von der jeweiligen Namensauswahl und der natürlichen Personalfluktuation abhängig ist. Dieses Ergebnis war zu erwarten, denn wenn man davon ausgeht, dass die Menge an männlichen Vornamen in den jeweiligen Ländern repräsentativ zu den beliebtesten männlichen Vornamen eines Landes ist, musste einen entsprechenden Schwellwert geben. Dieser Schwellwert liegt bei vier Vornamen offensichtlich bei etwa zwölf Prozent, was mich zu der Aussage veranlasst, die nominelle Frauenquote auf 13 Prozent zu setzen. Damit erklärt sich auch, warum vier Vornamen ausgewählt werden mussten, denn sonst hätte man den prozentualen Anteil nicht über die Frauenquote gebracht.

Im Bericht vom 01. Oktober 2018 liegt die Gesamtzahl von Thomas und Michaels immer noch mit 60:56 vorne und die Welt des Thomas-Kreislaufs ist noch völlig intakt.

Eine weitere Anwendung des Thomas-Kreislaufs wird im AllBright-Bericht vom 19. April 2019 zelebriert. Hier wird das bewährte Schema auf die Aufsichtsräte angewendet. Die männlichen Protagonisten treten diesmal als Trio an und heißen Thomas (36), Michael (53) und Stefan (34) und wir die erhalten die Information, dass der häufigste Name bei den Aufsichtsratsvorsitzenden Michael ist. Davon gibt es zehn an der Zahl. Da Michael unter den Aufsichtsratsmitgliedern der weitaus häufigste Name zu sein scheint, ist es nicht weiter verwunderlich, dass dies auch auf die Aufsichtsratsvorsitzenden zutrifft, da diese Personengruppe lediglich eine Teilmenge aller männlichen Aufsichtsratsmitglieder darstellt.

Laut AllBright-Bericht vom 23. September 2019 ist die Anzahl der Vorstandsmitglieder mittlerweile auf 707 angestiegen und nach wie vor dominieren die Männer in diesen Gremien. In Zahlen ausgedrückt sind es 641 Männer gegenüber 66 Frauen, was immer noch einem Verhältnis von annähernd 90:10 entspricht. Neu dagegen ist die Tatsache, dass die Phalanx aus Thomas und Michaels zum ersten Mal nicht mehr ausreicht, um über die Gesamtzahl der Frauenvorstände zu gelangen (58 zu 66). Die bewährte Lösung an dieser Stelle: es wird ein weiterer Vorname ins Spiel gebracht, nämlich in Form eines guten Bekannten namens Stefan. Die Troika aus Thomas, Michael und Stefan (83) sorgt gemeinsam dafür, dass wieder ein wenig Luft nach oben vorhanden ist, für den Fall, dass weitere Frauen in die Vorstände der börsennotierten deutschen Unternehmen aufsteigen. Wirklich positiv zu vermelden ist dagegen die Tatsache, dass Deutschland (14,7% Frauenquote) den Ländervergleich gegenüber den polnischen Unternehmen (13%) den Rang abgelaufen hat. Aber mein persönliches Highlight ist die Tatsache, dass die Frauen endlich auch einen Vornamen erhalten haben, es sind Drillinge und alle heißen Susanne.

Das Thema Gleichberechtigung der Frauen im Berufsleben ist und bleibt ein vieldiskutiertes Thema und die Lobbyarbeit dafür ist im vollen Gang, leider bisher ohne den gewünschten Erfolg. Vielleicht ist es aber nur eine Frage der Zeit, wann ein Umdenken stattfinden wird. Ich persönlich bin bereits gespannt, ob und wann ein entsprechendes Gesetz wie *FüPoG* auch für das dritte Geschlecht auf den Weg gebracht wird. Ein wenig Farbe könnte in manchen Unternehmensvorständen ganz guttun, alles im Sinne der Gleichberechtigung.

# Katniss Everdeen vs. Greta Thunberg

*In dem Film Superman Returns von 2006 hat Lois Lane das Verschwinden Supermans in einer Kolumne mit dem Titel Warum die Welt Superman nicht braucht kommentiert und dafür den begehrten Pulitzer-Preis erhalten. Ich könnte jederzeit eine Kolumne mit dem Titel Warum die Welt Greta Thunberg nicht braucht schreiben und bin absolute bereit, meinen eigenen Pulitzer-Preis dafür entgegen zu nehmen.*

Als ich vor einiger Zeit die Arbeiten zum Manuskript an diesem Buch aufnahm, hatte ich nicht die blasseste Ahnung, dass ausgerecht die Schweden einen gehörigen Anteil am Inhalt einnehmen würden. Ich mag das Land und seine freundlichen, weltoffenen Bewohner und ich denke, dass viele Mitmenschen meiner Generation ein ähnlich positives Bild haben. Mit Schweden assoziieren wir endlose Wälder, unzählige Seen und Gewässer und die vermutlich größte Moskito-Zucht der Welt. Die Schweden gaben uns Billy und Köttbullar, Knut und Midsommar, jede Menge Strom, Busse, LKWs und andere fahrende Brotbehälter, die lange Zeit als die sichersten Autos der Welt galten. Das positive Bild der Schweden wurde in meiner Generation ebenso von den liebenswerten literarischen Ikonen des zivilen Ungehorsams geprägt, wie Michel aus Lönneberga, Karlsson vom Dach und natürlich Pippi Langstrumpf, die Königin unter den kindlichen Rebellen und Public Enemy No.1 der International Fashion Police. Doch gerade in diesen unseren Tagen ist Pippilotta Viktualia Rollgardina Pfefferminz Efraimstochter Langstrumpf, wie sie mit vollständigem bürgerlichem Namen heißt im Begriff, Rang und Vorherrschaft zu verlieren. Der neue Schrecken der realen Fräuleins Prysselius und ihrer Lehrer-Kollegen ist ein kleines, eher unscheinbares Mädchen von sechszehn Jahren, mit ordentlich geflochtenen Zöpfen und dezenter Kleidung. Ihr Hobby ist der Klimaschutz, ihre Ernährung ist vegan und bei ihr wurde das Asperger-Syndrom diagnostiziert. Der Name des Mädchens ist kaum weniger imposant als der Pippilottas und lautet Greta Tintin Eleonora Ernman Thunberg. Tintin? Ernsthaft? So wie der kleine Hund in den Comics von Tim und Struppi im französischen Original. Warum nicht gleich Rin Tin Tin oder Dumbo oder Rantanplan? So ein Fauxpas passiert natürlich immer, wenn zwei Voraussetzungen erfüllt sind, nämlich erstens, die Eltern sind Künstler ganz gleich welches Genre und der Standesbeamte, der die Namenseintragung vorgenommen hat, hatte nicht genug Rückgrat, um die Interessen des Kindes zu wahren und den Eintrag zu verweigern oder zumindest den Eltern gehörig ins Gewissen zu reden. Ich kann nur hoffen, dass Tintin in Schweden noch eine andere Bedeutung hat. Es ist seltsam, auf einmal erscheint Pfefferminz in Pippilottas Namen gar nicht mehr so ungewöhnlich.

Der steile Aufstieg der Greta Thunberg begann am 20. August 2018 oder das Datum aus Schülersicht gesehen am ersten Schultag nach den Sommerferien in Schweden. An diesem Tag setzte sie sich mit einem Pappschild bewaffnet auf dem zu lesen war *Schulstreik für das Klima* vor dem schwedischen Reichstag nieder und so tat sie es fortan jeden Tag bis zum 09. September 2018, an dem der neue Reichstag gewählt wurde. Von da an wurde nur noch am Freitag gestreikt, immerhin ein Tag früher ins Wochenende, das ist nicht nur für Schüler eine verlockende Aussicht. Natürlich hätte Tintin ihren Streik auch in den Ferien durchführen können, aber offensichtlich ist die Liebe zum Klima nicht so groß, dass man deswegen gleich die Ferien opfern muss. Das kann natürlich auch andere Gründe gehabt haben, wie zum Beispiel, dass sie in den Ferien erst Kalligrafie-Kurse besuchen musste, um damit das besagte Pappschild zu beschriften. Aber sei es, wie es sei, so langsam wurde die Aktion in Schweden bei den Schülern zum Kultstatus erhoben und zeitweise wurden in rund 100 schwedischen Kommunen ebenfalls Schülerstreiks durchgeführt. Die Aktionen griffen aber auch auf das Ausland über, so auch auf die Nachbarländer Finnland und Dänemark, aber auch in Belgien, Frankreich und sogar Australien fanden sich Nachahmer. Daraus entstand die Bewegung Fridays-For-Future und das Time Magazine nahm Tintin in die Liste der 25 einflussreichsten Teenager der Welt 2018 auf. Doch damit nicht genug, wurde sie sogar in die Liste der 100 einflussreichsten Persönlichkeiten 2019 aufgenommen. Dabei hatte sie doch bisher nichts weiter getan, als andere Schüler ebenfalls zum Schulschwänzen zu inspirieren. Und das ist nun wahrlich keine große Kunst, denn selbst in meinen Schülertagen an meiner eher unpolitischen Schule fand ein damaliger Aufruf zum Sitzstreik gegen die Castor-Transporte einen regen Zulauf. Blockiert wurden jedoch nicht die Gleise, auf den ein Castor-Transport rollen sollte, sondern lediglich ein Durchgang in meiner Schule von einem Gebäudeteil zu einen anderen im Erdgeschoss, so dass man den Umweg über das erste Stockwerk nehmen musste. Müßig zu sagen, dass die Wirkung dieses Sitzstreiks nach außen gegen Null ging und nichts mit den Fernsehbildern in den Nachrichten zu tun hatte, in denen echte Demonstranten mit echten Ketten sich an die echten Gleise der realen Castor-Transporte gekettet haben. Die Wahrscheinlichkeit, dass jemals ein realer Castor-Transport diesen Durchgang benutzen würde, näherte sich beliebig nahe der Null an. Die Streik-Force wurde mit zahlreichen hämischen Kommentaren von Lehrern und nicht-teilnehmenden Schüler eingedeckt, die wiederum mit Begriffen, wie Streikbrecher oder Streikverweigerer konterten. Ich selbst habe ebenfalls mein Scherflein zu beigetragen, in dem ich den Teilnehmern des Streiks durch das Sitzen auf den kalten

Fliesen Hämorrhoiden prognostizierte. Die Auswertung dieser Prognose steht noch aus. Die Klientel, aus denen sich die Gruppe der Streikenden zusammensetzte überraschte nicht wirklich, waren es doch zumeist Schüler, die auch ohne expliziten Anlass während der Unterrichtszeiten nicht an jenen Koordinaten zu finden waren, wo man sie eigentlich erwartet hätte. Oder mit den unnachahmlichen Worten einer meiner Deutschlehrer ausgedrückt: „Martha Müll und Trude Trümmer glänzen mal wieder durch Absentismus!". Anmerkung des Autors: die realen Namen wurden bereits durch den Lehrer ersetzt. Wie gesagt, es gehört nicht viel Einfluss dazu, Schüler zu etwas zu motivieren, dass während der Unterrichtszeit stattfindet.

Doch zurück zu unserer Hauptdarstellerin. In der Liste der 25 einflussreichsten Teenager finden sich auch Melati und Isabel Wijsen. Wie, sie haben noch nie von den beiden gehört? Das ist schade, denn die beiden bewegen wirklich etwas mit ihrem Einfluss. Es war 2013, als die beiden zehn- und zwölf-jährigen Mädchen beim Schwimmen in den Gewässern von Bali die Verschmutzung durch Plastiktüten bemerkten. Sie motivierten daraufhin Freunde und Verwandte zu einer gemeinsamen Putzaktion. Heute, nur sechs Jahre später beteiligten sich 20.000 Menschen an der letzten Putzaktion, die zusammen die beachtliche Menge von 65 Tonnen Müll einsammelten. So gefällt mir das. Hier werden Ergebnisse erzielt, hier wird das Problem aktiv angepackt, ein positiver Beitrag in Eigeninitiative. Danke Melati und Isabel!

Mal sehen, was Tintin in den nächsten sechs Jahren an konkreten Ergebnissen vorzuweisen hat. Während ich diese Zeilen schreibe ist sie gerade auf dem Weg zum UN-Klimagipfel in New York. Da unsere kleine Heldin aber aus Klimaschutzgründen auf das Fliegen verzichtet und die Jesus-Latschen gerade anderweitig in Benutzung sind und sich auch nur das Rote Meer teilen lässt und nicht der Atlantik, stand man zunächst vor einem kleinen Transportproblem. Die Lösung manifestierte sich in einem Boot. Einem Segelboot natürlich, emissionsfrei. Einer Segeljacht, um genau zu sein. Natürlich nicht irgendeine Segeljacht, sondern eine Rennsegeljacht. Eine hochseetaugliche Rennsegeljacht. Eine ultramoderne hochseetaugliche Rennsegeljacht. Eine ultramoderne hochseetaugliche Hightech-Rennsegeljacht. Eine ultramoderne hochseetaugliche Hightech-Rennsegeljacht mit schwarzen Segeln dessen Crew aus Verdammten besteht und einem Captain so grausam, dass selbst die Hölle ihn wieder ausgespuckt hat. Man sagt, die Jacht solle sehr schnell sein, nahezu unschlagbar: die Black Pearl…. Ohje, da habe ich mich natürlich mal wieder hinreißen lassen, der Name der Jacht ist Malizia II, vormals Gitana 16 und segelt unter deutscher Flagge mit Skipper Boris Herrmann und Pierre Casiraghi. Eigner der Rennjacht ist der Stuttgarter Immobilienunternehmer Gerhard Senft. Neben den beiden genannten Crew-Mitgliedern und natürlich Tintin selbst, sind außerdem ihr Vater Svante und der Filmemacher Nathan Grassmann an Bord der Malizia II. Nun, wie es aussieht ist mit diesem Kleinod moderner Bootsbautechnik die emissionsfreie Überfahrt von Plymouth nach New York gesichert. Dass die Malizia II auch einen Dieselmotor an Bord hat, lass ich mal nonchalant unter den Tisch fallen, ebenso wie lästige Fragen darüber, wie emissionsfrei die Anreise unserer fünf Seehelden nach Plymouth war. Was ich nicht ignorieren möchte ist die Tatsache, dass solche Ressourcen meist nur dann zur Verfügung gestellt werden, wenn Dritte Personen sich von der entsprechenden Aktion einen eigenen Return on Invest in irgendeiner Form versprechen. In diesem Fall sieht es so aus, als würde zumindest Tintins gegenwärtige Popularität mit dem dazugehörigen Medieninteresse in Europa ausgenutzt werden. Und durch die

Annahme solcher Offerten, wie der Überfahrt in einer Rennsegeljacht, gibt sie einen Teil ihrer Unabhängigkeit auf und lässt sich bewusst oder unbewusst für die Interessen oder Ziele Anderer einspannen.

Mittlerweile ist Tintin und der Rest unserer Seehelden wohlbehalten in New York eingetroffen. Und wenn man den Journalisten vor Ort glauben darf, so wissen Vater und Tochter Thunberg weder wo sie die nächste Zeit unterkommen werden noch an welchen Veranstaltungen am Klimagipfel man teilnehmen wird. Man wolle sich alle Optionen offenhalten, um maximal flexibel reagieren zu können. Also, zu meiner Zeit, als man die Dinge noch beim Namen nannte, hieß maximal flexibel noch maximal planlos. Wenn ich nach einer anstrengenden 14-tägigen Anreise über den Atlantik ohne jeden Komfort am Ziel ankomme, dann will ich zumindest den Ort kennen, an dem ich folgende drei Dinge vorfinde: Dusche, Restaurant, Bett. Und zwar in genau der Reihenfolge. Außerdem hätte ich bestimmt eine Rahmenagenda mit Veranstaltungen, die ich während meines Aufenthalts in New York unbedingt besuchen möchte. Schließlich soll sich die strapaziöse Anreise auch gelohnt haben. Sollte sich je eine bessere Gelegenheit ergeben, kann man die Agenda immer noch ändern. Aber, wenn man aus einer Künstlerfamilie kommt, dann laufen die Sanduhren vermutlich anders. Auch die Rückreise ist noch ungewiss, denn laut Informationen der taz wird die Malizia II von fünf Seglern, die aus Europa eingeflogen werden, übernommen und nach Europa zurückgeführt und Skipper Boris Herrmann wird ebenfalls per Flugzeug die Reise zurück nach Europa antreten. Wie emissionsfrei die ganze Aktion insgesamt war, überlasse ich Ihrer Beurteilung. Fest steht jedoch, dass sich auf Uber keine entsprechende Mitfahrgelegenheit finden wird. Aber vielleicht kann man Richard Branson dazu motivieren, einen seiner Halo-Ballons zur Verfügung zu stellen.

In vielen Aspekten entspricht unsere kleine Tintin der Roman- und Filmfigur der Katniss Everdeen aus der Trilogie Die Tribute von Panem. Wenn Sie jetzt sagen, großartig, dann ist Tintin ja nicht nur ein Vorbild, sondern sogar eine kleine Heldin, dann muss ich Sie leider korrigieren. Katniss Everdeen ist keine Heldin, auch wenn die literarische Erzählperspektive in der Ich-Form diesen Eindruck zu verstärken scheint, sondern nur die Protagonistin in ihrer Geschichte. Sie bestimmt nicht die Geschehnisse um sie herum, sondern ist lediglich ein Werkzeug, ein Instrument in den Händen der wirklich Mächtigen und deren Erfüllungsgehilfen. Die Mächtigen sind zunächst Panems Präsident Coriolanus Snow und im späteren Verlauf Alma Coin, Präsidentin von Distrikt 13 und Anführerin der Revolution. Beide nutzen die Popularität von Katniss jeweils für die eigene mediale Propaganda. Die Erfüllungsgehilfen, die treffenderweise als Spielmacher bezeichnet werden, geben jeweils die strategische Richtung vor und ziehen im Hintergrund die Fäden. Nur selten gelingt es Katniss sich aus dem engen Medienkorsetts zu befreien, in dass sie von beiden Seiten gezwängt wurde, etwa als sie den Spielmacher durch Selbstmordandrohung zwingt, sie und Peeta beide als Sieger anzuerkennen oder als sie die Jubiläumsspiele sabotiert oder als sie nach dem Sieg über das Capitol Präsidentin Alma Coin mit einem Pfeil erschießt. Und selbst zu diesem letzten Akt wurde sie von Präsident Snow und anderen manipuliert. Am Ende der Trilogie sitzt Katniss Everdeen wieder in Distrikt 12, weit entfernt von der Öffentlichkeit und der politischen Macht des Capitols und pflanzt ihre Primeln an, während sie langsam aus dem Bewusstsein der Bevölkerung von Panem entschwindet. Der Spotttölpel hat seine Schuldigkeit getan, der Spotttölpel kann gehen!

Wie Sie sehen, Katniss Everdeen ist alles andere als eine Heldin, und ebenso verhält es sich bei Tintin. Wenn Sie das bedauern und sagen, dass der Klimaschutz dringend ein paar Helden braucht, so möchte ich mit Bertolt Brecht antworten, genauer gesagt mit einem Zitat aus *Leben des Galilei*. Auf den Vorwurf: *Unglücklich das Land, das keine Helden hat*, lässt Brecht den Galilei antworten: *Unglücklich das Land, das Helden nötig hat.* Es bleibt abzuwarten, wie lange sich das kleine schwedische Mädchen in den Listen der einflussreichsten Menschen dieser Welt noch halten kann, oder ob sie genauso schnell wieder aus der öffentlichen Wahrnehmung verschwindet, wie sie aufgetaucht ist. Vielleicht sind solche medial gehypten Gallionsfiguren sogar schädlich für die eigentliche Sache, ziehen diese doch das mediale Interesse an, wie ein Schwarzes Loch Materie anzieht und verhindern so, dass Experten und Organisationen, die sich seit Jahren und Jahrzehnten ernsthaft und auf allen Ebenen mit dem Klimawandel und dem Klimaschutz auseinandersetzen in der breiten Öffentlichkeit Gehör finden.

Der Klimaschutz ist ein globales Problem, dass entsprechend auch nur von der Gemeinschaft aller Staaten gelöst werden. Doch solange nationale Interessen Vorrang vor globalen Interessen haben, wird es immer Staaten geben, die sich nicht an globale Abkommen halten werden, und damit wiederum anderen Nationen einen Vorwand geben, ebenfalls darauf zu verzichten. Ein globales Problem erfordert nun einmal das Wohlwollen aller Präsidenten und Spielmacher in dieser Welt und zu denen gehört Tintin nun einmal nicht, was letztendlich auch der Grund dafür ist, warum die Welt Greta Thunberg nicht braucht.

# Lena ML vs. Lena G

*Wie viele Klischees gibt es über Frauen? Einen Mann gefragt, würde die Antwort vermutlich lauten: keine, denn alle sind wahr. Und eine Frau würde darauf erwidern, dass Männer an jeglicher Objektivität mangeln lassen, ungeachtet des Wahrheitsgehaltes des jeweiligen Klischees. Betrachten wir deshalb zusammen eine TV-Dokumentation über zwei erfolgreiche Frauen der aktuellen Generation, die sich nicht explizit mit der oben gestellten Frage beschäftigt haben, sondern eher beiläufig das eine oder andere Klischee verifizierten.*

Es muss nicht immer die ganz große Sportbühne der seriösen Sportarten sein, manchmal sind es auch die kleinen, einfachen Sportspiele, die eine Menge Spaß bereiten und sofort Lust darauf machen, es auch mal zu versuchen. Das ist auch der Grund, warum ich ganz gerne mal die TV-Sendung *Schlag den Raab* anschaue, die nach dem weitgehenden Rückzug von Stefan Raab aus dem aktiven Fernsehgeschäft zunächst als Schlag den Henssler und anschließend als Schlag den Star weitergeführt wurde. Die Sendung ist ein buntes Sammelsurium aus illustren Sport-, Quiz- und Geschicklichkeitsspielen, bei der zwei Prominente in bis zu fünfzehn Spielen um eine Siegprämie wetteifern.

Meisten treten in dieser Sendung zwei Testosteron-Monster gegeneinander an, die in den Wettkämpfen einen unverkennbaren Ehrgeiz an den Tag legen. Aber eines schönen Tages ist wohl ein Mitarbeiter der Produktionsfirma dieser TV-Sendung aufgewacht und hat sich gesagt, dass die Show mehr Östrogen vertragen könnte und schlug im Redaktionsmeeting seine Charme-Offensive vor. Und so kam es, dass in einer jüngeren Ausgabe dieser Sendung die beiden erfolgreichsten jungen Damen mit Vornamen Lena gegeneinander antraten, die in Deutschland zu finden waren. Da hätten wir zum einen Lena Johanna Gercke, Jahrgang 1988, Größe 179 cm und Gewinnerin der ersten Staffel von *Germany's Next Topmodel by Heidi Klum* im Jahre 2006 und zum anderen Lena Johanna Therese Meyer-Landruth, Jahrgang 1991, Größe 168 cm und Gewinnerin des Eurovision Song Contests 2010. Dass die beiden Damen auch noch den zweiten Vornamen gemeinsam haben, ist nicht etwa ein versteckter Gag von mir, sondern wurde viel früher auf einer höheren Instanz entschieden. Und so kam der Tag, an dem sich die Wege der beiden Lena Johannas kreuzten, um in Spielen der heiteren Art symbolisch die Schwerter zu kreuzen. Auf die Siegerin wartete ein Alu-Plexiglas-Koffer gefüllt mit einer ansehnlichen Menge an Motivation in Form von 100.000 Euro. So lasst die Spiele beginnen!

Spiel 1: Liane. Die Aufbauten werden hineingefahren, jeweils zwei Schaukelgestelle mit Seilen an deren Ende eine Art Steigbügel befestigt ist und man kann leicht erahnen, wie das Spiel funktioniert. Elton, der Showmaster, hat kaum den Spielnamen verkündet, da wird auch schon von der Frau gemault, deren vollständiger Name genau so lang ist, wie der langjährige Name des Liederwettbewerbs, den sie gewonnen hat. *Ihr seid voll behindert …* entfuhr es ihren Lippen gefolgt von der Vermutung, dass es nur darum gehe, dass die Damen gleich am Anfang ihre Kräfte vergeuden und dann später nicht mehr zu gebrauchen seien. Elton bestätigte das, mit einer ordentlichen Prise Sarkasmus. Wir merken uns, *Klischee Nr.1 Meckern, wo es nichts zu meckern gibt*. Denn das solche Spiele kommen würde sollte gerade dem ehemaligen Protegé von Stefan Raab bekannt sein. Die einfachen Regeln dieses simplen Spiels waren einfach simple und doch ordinär: hangele dich von Seil zu Seil, lass kein Seil aus, tritt nicht auf den Boden, benutze die Steigbügel und läute als erster die Glocke in der Mitte. Nichtsdestotrotz mussten die Regeln dreimal erklärt werden und Elton ahnte wohl schon, was da den Rest des Abends auf ihn zukommen würde und war schon vor dem ersten Spiel bedient. Wir halten fest: *Klischee Nr.2 Frauen sind keine guten Zuhörer*, warum auch, es ist ja auch nur ein Mann, der redet und *Klischee Nr.3 Frauen tun sich schwer, selbst elementar einfach Anweisungen auszuführen*. Ich weiß, ich bin auch nur ein Mann, aber meine Jahrzehnte langen Erfahrungen im Training mit Mädchen und Frauen veranlassen mich, hinter den ersten drei Klischees schon mal einen Haken zu setzen.

Spiel 2: Serien. Aus bekannten TV-Serien wurden die Rollennamen aufgelistet, jeweils sechs an der Zahl und der Serienname war zu erraten. Nun, wenn man nicht jede Serie kennt, dann kann man niemanden einen Vorwurf daraus machen, schon gar nicht, wenn die Serie aus den Achtzigern stammte. Aber das Kultserien, wie *Alf* oder *24 Hours* nicht erkannt wurden, verwundert dann doch ein wenig, zumal diese Serien ziemlich oft wiederholt wurden. Da keine neuen Klischees bedient wurden, geht es gleich weiter zu Spiel 3.

Spiel 3: Shuffleboard. Ein Spiel, das man kennen könnte, zumindest vom Hörensagen, es sei denn man gehört zur Generation Googlen-statt-Wissen. *Alexa, gehören unsere Kandidatinnen der Generation Googlen-statt-Wissen an?* Man weiß es einfach nicht, aber die Wahrscheinlichkeit ist hoch. Nun, Shuffleboard gibt es in allen Größen und Variation, als Gartenspiel auf dem heimischen Rasen, als Tischspiel, als Miniatur auf Reisen oder auf den Schreibtischen der erfolgreichen Manager und natürlich auf den Shuffleboard-Decks der konservativen Kreuzfahrtschiffe dieser Welt.

Spiel 4: Trinken. Allein der Spielname schien die Fantasie der Kontrahentinnen zu beflügeln. Wie anders sollte man sonst die spontane Reaktion von Lena ML deuten, die sofort nach Verkünden des Spielnamens ausrief: *Ich möchte das nicht ...*, ohne überhaupt zu wissen, was da auf sie zukommt. Mit ein wenig gesundem Menschenverstand hätte sie sich sagen können, dass es mit Sicherheit nicht um die Massenverkostung von Alkoholika geht, denn die TV-Sendung *Schlag den Star* ist schließlich als Familienunterhaltung ausgelegt und da verbieten sich das Leeren von Bierkrügen oder Sangria-Eimern quasi von selbst. Auch das Trinken von bizarren Cocktails, wie es in den Dschungelprüfungen der Fall ist nicht zu erwarten, allein schon aus Rücksicht auf die empfindlichen Mägen des Studiopublikums. Klischee Nr.1 eben. Der Gedanke schießt in das Gehirn ein und wird direkt über das Rückenmark auf die Zunge abgeleitet. Von da an breitet sich der Gedanke nur noch mit Schallgeschwindigkeit aus. Tatsächlich geht es in dem Spiel darum, zehn Getränke mit verbundenen Augen am Geschmack zu erkennen. Lena G fängt an und deklariert den Traubensaft kurzerhand um und macht Apfelsaft daraus, was durchaus mal passieren kann. Aus dem Tonic Water wird Bitter Lemon, was ebenfalls verzeihlich ist, sofern der Gaumen nicht sensible genug ist, die fehlenden Aromen der Zitronen oder Limetten herauszuschmecken. Anders sieht es beim Fencheltee aus. Fenchel hat so einen unverkennbaren Eigengeschmack, der einen geradezu anspringt und von vielen Menschen eigentlich nicht gemocht wird. Doch Lena G verzieht keine Miene und wählt als Antwort einfach Kamillentee. Als nächstes Getränk wurde ihr Kokosmilch gereicht welches sie als Kokoswasser erkannte. Als Schiedsrichter hätte ich das gelten lassen, aber es scheint tatsächlich einen Unterschied zwischen den beiden Getränken zu geben. Die Flüssigkeit, die sich in der Kokosnuss befindet, wird als

Kokoswasser bezeichnet, während Kokosmilch einem Herstellungsprozess unterworfen ist, bei dem das Fruchtfleisch fein geraspelt und anschließend mit Wasser versetzt wird. Der Fettgehalt liegt damit bei Kokosmilch viel höher als bei Kokoswasser. Ein Unterschied, den man je nach Fettgehalt nicht unbedingt schmecken muss, aber wie gesagt, ich hätte beides gelten lassen. Was war das damals für uns Kinder immer eine Gaudi, wenn der Supermarkt mal wieder Kokosnüsse im Sortiment hatte, was nicht besonders oft vorkam. Wenn dann auch noch tatsächliche eine oder zwei Kokosnüsse gekauft wurden, dann war das fast wie Weihnachten. Zunächst mal wurden die größten Kokosnüsse gesichtet und anschließend wurde durch Schütteln und durch Taxieren des Gewichtes die Kokosnuss mit dem meisten Inhalt (Kokoswasser und Fruchtfleisch) ermittelt. Zuhause angekommen galt es dann, den geschmackvollen Inhalt von Mutter Natur widerborstiger Verpackung zu befreien, die so gar nichts gemeinsam hat mit modernen Non-Frust-Verpackungen nach Industrie-Standards. Am sinnvollsten ist es, zunächst einmal das Kokoswasser aus dem Inneren der Kokosnuss abzulassen. Das Endokarp, so nennt man die holzige Schale rund um das Fruchtfleisch, weist an einer der Schmalseiten drei runde Vertiefungen auf, in diese gilt es Löcher zu bohren. Und mit Löchern meine ich mindestens zwei, dann nur eines wird den Job nicht erfüllen. Noch neu im Umgang mit einer Kokosnuss wurde diese dann auf ein Glas gestellt und wir Kinder haben dabei zugesehen, wie Tropfen für Tropfen des Kokoswassers sich in das Glas quälten. Gelegentlich mussten die Löcher auch noch mal nachgebohrt werden, da diese von den Kokosraspeln, die beim Bohren entstanden sind, verstopft wurden. Wenn nach Stunden endlich die ganze Flüssigkeit ausgetreten war, wurde sorgsam darauf geachtet, dass das kostbare Gut gleichmäßig verteilt wurde. Kostbar deshalb, weil es Kokoswasser zu jener Zeit nicht im Tetra Pak zu kaufen gab, jedenfalls nicht da, wo wir normalerweise einkauften. Ich weiß noch, wie enttäuscht wir Kinder waren, wie wenig nach dem Aufteilen übrigblieb. Offensichtlich ist die Kokosnuss von außen größer als von innen! Und dass nach all den Stunden der Warterei. Aber dem konnte ich jedoch bei einer der nächsten Kokosnüsse Abhilfe schaffen, indem ich als achtjähriger Bub die Erwachsenen damit überraschte, einen Strohhalm in eine der Öffnungen zu schieben und dann hineinzublasen. Anstatt in Tropfen trat das Kokoswasser nun in einem satten Strahl aus der Kokosnuss, die damit in Sekunden entleert werden konnte. Ich höre heute noch wie damals meinen Großvater ausrufen: *Boah eyyy, Alter, und das alles ohne Googlen im Internet und ohne Lifehacks von YouTube*. Naja, so etwas oder so etwas Ähnliches mag er wohl gesagt haben, aber ich weiß noch genau, dass der Satz mit dem Wort *Donnerwetter* begann. Immer wenn er überrascht war, begann der Satz mit Donnerwetter. Stufe Eins wäre damit abgeschlossen, nun galt es das Endokarp zu knacken, um an das Fruchtfleisch zu gelangen, denn: *God made the coconut, but he forgot the zipper*. Ich erspare mir die Aufzählung smarter und weniger smarter Methoden, um eine Kokosnuss zu knacken, die mehr oder weniger schmerzvoll enden können. Nur als kleiner Tipp: das Endokarp setzt sich aus drei Teilen zusammen und die Nähte, an denen die einzelnen Teile zusammengewachsen sind, bieten sich als Sollbruchstellen an.

Doch nun zurück zu unserer Lena G, die ganz ohne jede Anstrengung einen vollen Becher mit Kokosmilch gereicht bekam. Als nächstes Getränk bekam sie Waldmeister gereicht, und schon wieder fühle ich mich in meine Kinderzeit zurückkatapultiert. Ganz gleich, ob als Hustenbonbon, Fruchteis, Götterspeise oder Fruchtsirup, Waldmeister war immer eine meiner Lieblingsgeschmacksrichtungen, nicht nur wegen der Süße und der intensiv grünen Farbe, sondern auch weil der

Geschmack mit nichts anderem vergleichbar war. Aber Lena G hatte offensichtlich nicht dieselben geschmacklichen Kindheitserlebnisse gehabt, wie ich und so wird schnell aus Waldmeister Mandelmilch. Kurze Zwischenfrage: gibt es heute nicht mehr die Berliner Weiße mit Schuss, grün?

Als nächstes an der Reihe: Malzbier. Noch ein Bingo bei den Geschmacksprägenden Getränken meiner Kindheit. Moment, Kind und Bier? Trotz der Bezeichnung Bier enthält Malzbier weniger als 0,5 Volumenprozent Alkohol und gilt somit als alkoholfreies Getränk. Lena G probiert und wird sofort von Ekel geschüttelt unterstrichen durch die Worte: ... *das ist ja widerlich* .... Aber immerhin erkennt sie das Getränk, nachdem sie zunächst behauptet hatte, es noch nie zuvor getrunken zu haben. Ich muss zugeben, Malzbier ist nicht jedermanns Sache, aber die Reaktion darauf ist nichts gegen die Reaktion auf das Getränk, dass ihr im Anschluss gereicht wurde. Die Ekelreaktion war um einiges heftiger als beim Malzbier, und sie musste es unter dem Tisch wieder ausspucken, geradewegs über Eltons Schuhe. Und welches exotische Getränk könnte wohl eine so heftige Antireaktion ausgelöst haben? Der gute, alte – nein, nicht Lebertran – sondern der Tomatensaft. Tomatensaft! Vermutlich liegt hier eine traumatische Erfahrung zugrunde, aber zum Ausgleich war die Identifikation richtig. Zur Versöhnung gab es nun ein Getränk, dass über alle Grenzen hinweg zu den beliebtesten Erfrischungsgetränken zählt, nämlich Cola. Lena G wagte sogar noch den verwegenen Versuch sich zu profilieren, indem sie herausschmecken wollte, ob es sich um Cola Classic oder um Cola Light handelt. Das hätte jedoch nur funktioniert, wenn das Verkostungsgetränk auch von dem entsprechenden Hersteller gewesen wäre oder wenn Lena G ein ausgewiesener Cola-Sommelier wäre. Aber wer Fenchel mit Kamille und Waldmeister mit Mandeln verwechselt wird wohl bestenfalls die richtige Cola-Variante erraten können. Bleiben noch zwei Getränke für Lena G offen, nämlich Kaffee, der wieder mit Ekel erkannt wurde und Bitter Lemon, welches ebenfalls richtig erkannt wurde.

Nun war Lena ML an der Reihe und ich werde mich kürzer fassen als bei Lena G, da nun die Getränke und die Reihenfolge bereits bekannt sind. Auch bei Lena ML wurde der rote Traubensaft aus Äpfeln gepresst und das Tonic Water endete als Ginger Beer. Auch hier fiel der fehlende Geschmack nach Ingwer oder zumindest das Fehlen der leichten Schärfe im Abgang bei der Bewertung nicht negativ ins Gewicht. Nun war der Fencheltee an der Reihe und Lena ML grübelte laut, ob es denn Kamille oder Fenchel sei. Für den arglosen Zuschauer war klar, dies wird eine 50:50 Entscheidung. Sie entschied sich aber spontan für Pfefferminztee. Pfefferminztee? Wieso in aller Welt auf einmal Pfefferminztee? Der stand doch gar nicht zur Debatte. Liebe Leser, ich präsentiere Ihnen *Klischee Nr. 4 Weibliche Intuition*, oder wie ich es zu nennen pflege, eine geschlechtsspezifische Methode, die garantiert schlechteste Entscheidung zu treffen. In diesem Fall wurde durch das Einbringen einer dritten Möglichkeit die Gewinnwahrscheinlichkeit von 50 Prozent auf rund 33 Prozent verringert.

Der Waldmeister scheint bei Lena ML ebenfalls keinen Eigengeschmack zu besitzen und wird als einfach nur süß beschrieben, ergo handelt es sich um Zuckerwasser. Lena G hätte sich an der Stelle wahrscheinlich noch die Mühe gemacht herauszufinden, ob es sich um Zucker aus Rüben oder um Rohrzucker handelt. Aber nicht so Lena ML, die nun ebenfalls bei den Ekel-Getränken angekommen war. Und auch sie enttäuschte nicht und zeigte auf Malzbier die gleiche Reaktion, wie zuvor ihre Kontrahentin und auch sie erriet Malzbier richtig. Nun der Tomatensaft. Ein Schluck, ein sofortiger Würgereiz gefolgt von dem unaufhaltsamen Drang, das Getränk wieder auszuspucken, bei dem der Kollateralschaden an den Schuhen des Showmasters diesmal ausbliebt. Nachdem auch Lena ML die Verkostungsklimax hinter sich hatte folgte nun die dramaturgische Entspannungsphase mit Cola und Kaffee, die ebenfalls richtig erkannt wurden, sowie Bitter Lemon, dass wiederum als Tonic Water endete.

Ist Ihnen bei diesem Spiel zwischen den beiden Kontrahentinnen irgendetwas Bemerkenswertes aufgefallen? Nein? Also mir schon, und dass bereits während der Sendung. Ich will gar nicht darauf hinaus, dass die Geschmackszentren der beiden Damen offensichtlich nur unzureichend entwickelt zu sein scheinen, sondern dass eine hochprozentige Übereinstimmung beim Erkennen der Getränke und bei den ausgelösten Reaktionen während der Verkostung besteht. Ich will nicht behaupten, dass die Gruppe der Probanden in irgendeiner Weise repräsentative wäre, im Gegenteil, eine Vergleichsgruppe, die aus zwei Personen besteht, die derselben Altersgruppe, demselben Geschlecht, demselben Kulturkreis und vermutlich einem ähnlichen sozialen Umfeld angehören und dazu auch noch beide Lena Johanna heißen sind wohl eher die Anti-Definition von repräsentativ. Aber vielleicht sind die beiden Damen immer noch repräsentativ genug für figurbewusste Frauen zwischen 25 Jahren und 35 Jahren, um zu zeigen, welche Getränke heute angesagt sind und welche nicht. Allerdings frage ich mich: was ist falsch an Tomatensaft?

Spiel 6: Moderner Zweikampf. Spiel 5 habe ich nicht vergessen, sondern einfach nur ausgelassen. Also gehe ich gleich zu Spiel 6 über, allerdings nicht ohne vorher abzuwarten, bevor die beiden Damen ihre biologische Pause eingelegt haben, sicher eine Konsequenz aus Spiel 4 und dem Wasser, dass sie während und nach den Sportspielen konsumiert haben. *Klischee Nr. 5 Immer zu zweit sie gehen.* Aber selbst Meister Yoda kann nicht erklären, warum das so ist.

Spiel 7: Käse-Kästchen. Ist wiederum ein einfaches Spiel, bei dem es darum geht auf einem karierten Spielfeld die einzelnen Karos in der eigenen Farbe zu markieren und möglichst mit einem Strich ein oder mehrere Karos zu vervollständigen. Gelingt eine derartige Markierung werden die so gewonnenen Karos mit einem Kreuz in der eigenen Farbe markiert. Keine Raketenwissenschaft und man sollte annehmen, dass es möglich sein sollte in endlicher Zeit eine Kantenmarkierung zu setzen. *Klischee Nr. 6 Frauen sind entscheidungsfreudig.* Naja, der eine oder andere Mann kennt das Verhalten bei der Menüwahl aus der Speisekarte oder bei der Auswahl der geeigneten Garderobe für den Restaurantbesuch. Aber einen Spielzug zu verschenken, nur weil man sich nicht entscheiden kann, welchen Strich man markieren soll und dass trotz wiederholter Aufforderung durch den Spielleiter, verschafft der Gegnerin einen erheblichen Vorteil, weil diese zwei Striche hintereinander setzen konnte. Die Bemerkung des Kommentators: Frauen quatschen mehr über den Spielverlauf als Männer. Vielleicht wäre etwas Konzentration auf das Spiel mehr angebracht gewesen.

Spiel 8: Lochbrett. Zugegeben, das Spiel Lochbrett ist ein Geschicklichkeitsspiel der schwierigen Art. In einer schräg angestellten Holzplatte sind kreisrunde Löcher in verschiedenen Größen gebohrt. In einer Seilschlaufe sollte eine Stahlkugel durch das Lochlabyrinth geführt und im Zielbereich abgelegt werden. Das Geschicklichkeitsspiel führte bei den beiden Kontrahentinnen schnell zu Frusterlebnissen, die mit entsprechenden Kommentaren laut kundgetan wurden, etwa in der Art, dass das Spiel keinen Spaß mache. Nach zahlreichen vergeblichen Anläufen die Kugeln nach oben zu bugsieren, hatte Elton - auch im Sinne der Sendezeit - ein Einsehen mit den beiden Spielerinnen und entschied die Anzahl der Durchgänge von drei auf einen zu verkürzen. Das gab den beiden Lenas einen gewaltigen Motivationsschub und auf einmal erzielten die beiden viel bessere Ergebnisse als zuvor und schließlich wurde sogar das Spielziel von einer der Damen erreicht. Da fragt man sich, warum nicht gleich so.

Spiel 9: Schätzsägen. Mittlerweile ist es 00.15 Uhr und was als Familienunterhaltung begann war inzwischen zu einem Late-Night-Event mutiert. Vier Stunden erfordern von den Zuschauern eine Menge Sitzfleisch und nur wer durch die Wagner-Festspiele in Bayreuth entsprechende Erfahrungen gesammelt hat, war jetzt noch mit derselben Aufmerksamkeit dabei, wie zu Anfang der Sendung. Außerdem waren noch längst nicht alle Spiele gespielt. Beim Schätzsägen geht es darum, von einem Baumstamm mit geringem Durchmesser ein Stück anzusägen, dessen Gewicht einem vorgegebenen Gewicht möglichst nahekommen sollte. Zu diesem Spiel meinten die Spielerinnen unisono, dass es nur deshalb ausgewählt wurde, um die Klischees zu bedienen, dass Frauen weder Sägen noch Schätzen könnten. Elton gab sich alle Mühe die Damen dazu zu bringen, sich doch bitte auf das Spiel zu konzentrieren, woraufhin er selbst zur Zielscheibe wurde, weil ihm dabei ein gewisser Befehlston unterstellt wurde. Der arme Elton, durch das Mikrofon im Ohr wurde er bestimmt die ganze Zeit aufgefordert, die Sendung noch in einem vertretbaren zeitlichen Rahmen enden zu lassen, was den Damen aber nicht so sehr am Herzen lag. Stattdessen wurde an dem Sitz der Sicherheitsbrillen genörgelt. Gekrönt wurden die Kommentare zu dem Spiel mit der Aussage: *gut, dass wir nicht selber sägen müssen*, was den guten Elton an den Rand der Verzweiflung brachte und daraufhin noch einmal erklärte: *… aber ihr sägt doch selbst …*. Irgendwann wurde dann doch munter drauflos gesägt und man musste sich nur noch zwischen einem der abgesägten Holzscheiben entscheiden, welche abgegeben werden sollte. Vor allem Lena G erfüllte einmal mehr Klischee Nr. 6, so dass sich der Moderator veranlasst sah, für beide Damen die Bedenkzeit auf eine Minute zu beschränken.

Spiel 10: Blamieren oder Kassieren. Ein Klassiker in den Sendungen der von Stefan Raab produzierten Shows. Im Grunde nur ein einfaches Frage-Antwort-Quiz, dass jedoch von einer der Teilnehmerinnen als eine Horror-Schulsituation empfunden wurde. Dabei geht es doch nur darum, in einer Unterhaltungssendung möglichst schnell einen Buzzer zu drücken und eine Antwort zu geben. Mögliche negative Konsequenzen auf das reale Leben der beiden Kontrahentinnen ausgeschlossen. Das einzig bemerkenswerte an diesem Spiel war die Tatsache, dass die beiden Damen, die ja selbst im internationalen Showbusiness unterwegs sind, Vin Diesel nicht kennen.

Spiel 11: Karussell-Ball. Auch ein Spiel, welches im Rahmen dieser Sendung des Öfteren schon gespielt wurde und von den Zuschauern immer wieder gerne gesehen wird. Auf einer drehenden Kreisscheibe werden die Spielerinnen abwechselnd in die Nähe von Basketballkörben gebracht, unter denen Plexiglasröhren stehen, die mit fünf Bällen zu füllen sind. Wer es schafft, den fünften Ball in der Röhre zu platzieren, der gewinnt verbucht einen Gewinnpunkt für sich. Bei einer bestimmten Anzahl von Gewinnpunkten gilt der Durchgang als gewonnen. Im Grunde ist das Spiel eine spektakuläre Form von Vier gewinnt. Das Erfreuliche bei dem Spiel: keine weiteren Vorkommnisse.

Spiel 12: Umdrehen. Auf einem langen Tisch oder Theke werden eine größere Anzahl gleicher Gegenstände in jeweils zwei Reihen abgelegt, zum Beispiel CDs oder Gläser, die in möglichst kurzer Zeit umzudrehen sind. Wer als erste alle Gegenstände der beiden Reihen umgedreht hat gewinnt den Durchgang. Intellektuell keine große Herausforderung aber bei zunehmender Müdigkeit der beiden Herausforderinnen stellt Lena G wirklich die Frage: *wir sollen die CDs umdrehen, oder was?* Betrachten wir es mal als rhetorische Frage. Wie jeder weiß, sind die flachen Silberscheiben auf ebenen Untergrund manchmal schwierig aufzunehmen und so kam was kommen musste und es gab Kollateralschäden an den Fingernägeln der beiden Spielerinnen was sowohl von Elton als auch durch das Publikum mit einer Runde Mitleid quittiert wurde.

Spiel 13: Golf-Darts. Ebenfalls ein intuitives Spiel. Ein Tennisball mit Klettoberfläche soll per Golfschläger auf eine überdimensionierte Dartscheibe geschlagen werden. Das getroffene Feld ergibt die Punktzahl. Wie beim Dart werden pro Durchgang drei Bälle auf Scheibe geschlagen, dabei hat jeder Spieler zwei Durchgänge zu je drei Bällen zu absolvieren. Die Gesamtpunktzahl entscheidet über den Gewinn des Spiels. Um weiter Zeit zu sparen, sollte auf einen Testschlag verzichtet werden, allerdings dürfte sich die Zeitersparnis in Grenzen gehalten haben, da von beiden Spielerinnen über zwanzig Mal nachgefragt wurde, ob man einen Testschlag bekommt. Wie eine deutsche Redensart so sagt, nach müde kommt doof, so wurden die Aktionen der Hauptakteurinnen immer diffuser, die Konzentrationsfähig ließ langsam, aber stetig nach und so wurde die Zählweise in diesem Spiel zu einem echten mathematischen Problem. Aber um über die Regeln zu diskutieren war immer noch genug an Energiereserven vorhanden. Und so zog sich auch dieses Spiel wieder unnötig in die Länge.

Spiel 14: Wer ist das. Dieses Spiel war ein sogenanntes Matchballspiel für Lena ML, d.h. mit dem Gewinn dieses Spiels hätte sie die Show beenden können. Doch als hätte sich die Sendung nicht schon lange genug hingezogen, meldete sich Lena ML dass sie auf die Toilette müsse, unmittelbar nachdem Elton den Namen des Spiels verkündetet hatte. Und wieder wurde Klischee Nr. 5 bedient, indem Lena G sich ihr sofort anschließen wollte. Gesagt, getan. Und der arme Elton mit der Regie auf dem Ohr wurde einfach stehen gelassen. Mittlerweile war es bereits viertel vor zwei Uhr morgens.

Spiel 15: Der Holzturm. Natürlich konnte Lena ML ihren Matchball nicht verwandeln und so ging der Spiele-Marathon über die volle Distanz. Das fünfzehnte und letzte Spiel musste die endgültige Entscheidung bringen. Das Spiel Holzturm ist ein bekanntes Gesellschaftsspiel, bei dem es darum geht, die quaderförmigen Holzbausteine mit quadratischem Grundriss so aus dem Turm zu entfernen, dass dieser nicht umkippt. Aber trotz sehr gewagter Züge der beiden Spielerinnen wollte und wollte der Turm einfach nicht fallen und somit zog sich auch dieses Spiel in die Länge. Schließlich viel der Turm bei Lena G endlich sich zusammen und Lena ML gewann das Preisgeld von 100.000 Euro. Damit endete für die verbliebenen Zuschauer das Drama um kurz nach zwei Uhr.

Meine lieben Leserinnen und Leser, sicherlich fragen Sie sich, warum ich Ihnen den Verlauf dieser Sendung in allen Details nahegebracht habe. Dies geschah nicht etwa aus der Motivation heraus, daraus fundamentale Erkenntnisse über Frauen und deren einschlägige Klischees abzuleiten. Vor allem hatte ich im Sinn, Sie zumindest ein kleines Bisschen an dem Gefühl teilhaben zu lassen, wie es ist, sechs Stunden Lebenszeit verschwendet zu haben, in denen man sich eigentlich nichts weiter gewünscht hatte, als einen vergnüglichen Fernsehabend mit einer Unterhaltungssendung zu verbringen. Meine Anerkennung gilt all jeden Augenzeugen, die wie ich bis zum Ende durchgehalten haben.

# Man in the Mirror

*I'm starting with the man in the mirror*
*I'm asking him to change his ways*
*And no message could have been any clearer*
*If you want to make the world a better place*
*Take a look at yourself, and then make a change*

Refrain aus Man in the Mirror, Interpret Michael Jackson, 1988


Es ist 05:45 Uhr. Bei einer fiktiven Durchschnittsperson, die Douglas Adams (1952 – 2001) zu Ehren nach einer seiner Romanfiguren Arthur Dent (*Per Anhalter durch die Galaxis*) genannt wird, rasselt wie an jedem anderen durchschnittlichen Werktag der Wecker. Halt nein, das ist nicht mehr zeitgemäß und das rein mechanische Gerät mit dem Nachtschlaf stehlende Ticktack-Geräusch und dem Weckruf eines Feueralarms muss man sich schon lange nicht mehr antun. Also wird der mechanische Wecker durch einen Radiowecker ersetzt, der sich soeben einschaltet. Je nachdem, welcher Song gerade auf dem eingestellten UKW-Sender gespielt wird, kann man einen guten, einen nicht so guten oder einen schlechten Start in den Tag haben. Und je nachdem welche Weckzeit man programmiert hat, kann es auch vorkommen, dass man mit der Werbung, den aktuellen Nachrichten, dem Verkehrsfunk oder im schlimmsten Fall mit dem Wetterbericht oder dem Börsenschluss in Tokio konfrontiert wird. Das war wohl auch der Grund, warum die Ära der Radiowecker eher von kurzer Dauer war und sehr schnell durch die modernste Art von Technik ersetzt wurde, die der menschliche Geist bis dato entwickelt und einer breiten Masse zugänglich gemacht hat, nämlich dem PDA, dem Mobiltelefon oder dem Smartphone. Dank hochentwickelter Elektronik und weitgehend fehlender Mechanik kommen diese Geräte ohne nervtötende Geräusche während der Nacht aus. Die Weckgeräusche können aber aufgrund fehlender menschlicher Vorstellungskraft oder wegen des fehlenden individuellen Geschmacks immer noch so verstörend sein, wie bei einem mechanischen Wecker oder einem Radiowecker sein. Alternative Weckmethoden, wie Kleinkinder oder Haustiere konnten sich noch nicht in jedem Haushalt als zuverlässige Weckhilfen etablieren. Am Ende zählt ja auch nur der Erfolg, nämlich das Unterbrechen des Schlafzyklus zu nachtschlafender Zeit. Liebe Leserinnen und Leser, überlassen wir nun Arthur Dent das Wort und folgen ihm als stiller Beobachter und betrachten einen Tag lang das Leben aus seiner Perspektive.

Es ist 06:00 Uhr. Das - auf welche Art auch immer - erzeugte Weckgeräusch wird abgestellt oder ignoriert, kurz noch einmal umgedreht und noch zehn Minuten geschlummert, bevor sich Arthur Dent auf den Weg ins Badezimmer begibt. An dieser Stelle müsste man sich eigentlich entscheiden, ob Arthur eine Lerche oder eine Eule ist. Als Lerchen werden Menschen bezeichnet, denen es leichtfällt, morgens aufzustehen und als Tagmenschen gelten. Entsprechend handelt es sich bei Eulen um Nachtmenschen, die eher gegen Abend oder des Nachts erst so richtig in Fahrt kommen. Um sich nicht so genau festzulegen, werden einfach beide Szenarien durchgespielt.

Die Eule: mit schlitzförmig verengten Augenlidern und noch hängenden Gesichtszügen steht Arthur vor dem großzügig bemessenen Badezimmerspiegel. Er hat noch Mühe sein eigenes Spiegelbild zu erkennen und die Gedanken fließen auch noch etwas zäh. Das überschüssige Schlafhormon Melatonin blockiert noch weitgehend einen erweiterten Wachzustand und schränkt damit die normale Funktionsweise des Gehirns ein. Arthur denkt sich bei dem

Anblick im Spiegel: ich kenne dich zwar nicht, aber ich rasiere dich trotzdem. Um große Pläne für den Tag zu schmieden oder sich Gedanken über die Bewältigung der im tagesverlauf anstehenden Aufgabe zu machen, dazu ist er noch nicht fähig. Sein einziger Plan ist es, möglichst bald den ersten Becher Kaffee einzuwerfen. Bis zu diesem Zeitpunkt laufen alle Handlungen mehr oder weniger routiniert-automatisch ab.

Eine ganz andere Person wäre Arthur als Lerche. Serotonin im Überfluss würde dafür sorgen, dass er mit Zuversicht in den kommenden Tag startet und sich bereits mit der Bewältigung der anstehenden Tagesaufgaben beschäftigt. Vielleicht würde er ein kleines Fitness-Training vor der Morgentoilette abhalten oder ein Mantra-ähnliches Ritual der Autosuggestion vor dem Spiegel aufsagen, in dem er sich selbst einredet, was für ein toller Kerl er ist, um das eigene Selbstbewusstsein zu stärken. Ein Bespiel: *ich habe Charme, ich habe Stil, ich gebe Rätsel auf* … oder auch *ich ziehe die Liebe an, wie ein Magnet, ich ziehe das Geld an, wie ein Magnet, ich ziehe die Frauen an, wie ein Schaufensterdekorateur eine Schaufensterpuppe aus Polypropylen anzieht.* Nach dem Badbesuch wird kurz das Wetter abgecheckt und das passende Outfit herausgesucht. Nach einem kurzen Frühstück zuhause oder unterwegs landet Arthur wohlgelaunt bei der Arbeit.

Es ist 07:00 Uhr. Arthur wird in der Firma mit einem großen Hallo seiner Kollegen in der Firma empfangen, denen sofort auffällt, dass Arthur heute besonders chic und gut gestylt zur Arbeit kommt. Das hat natürlich seinen Grund, doch davon später mehr. Nur so viel sei schon jetzt erwähnt, dass Arthur sich auf einen kurzen Arbeitstag freuen kann, da er sich die Hälfte des Tages frei nehmen wird. Bis dahin steht jedoch noch ein aufregender Vormittag an, denn einer der

Geschäftsführer und Topmanager des weltumspannenden Unternehmens hatte sein Kommen angekündigt und Arthur war dazu auserkoren worden, als Teil der Empfangsentourage bei der Besichtigung des weitläufigen Firmengeländes mitzuwirken.

Es ist 09:30 Uhr. Pünktlich findet sich die Empfangsentourage am Heliport der Firma ein und nur kurze Zeit später kommt auch schon der firmeneigene Helikopter angeflogen und setzt zu einer Bilderbuchlandung an. Erst jetzt bemerkt Arthur wie die Nervosität in ihm aufsteigt, denn als normaler Angestellter der Firma ist er es nicht gewohnt mit so hochgestellten Führungspersönlichkeiten umzugehen. Um sich selbst Mut zuzusprechen, erinnerte er sich an die Rede von John F. Kennedy von 1961 als er nach der erfolgreichen Freedom-7-Mission mit Alan Shepard als Astronauten den Erfolg des gesamten Teams würdigte, die zum Gelingen beigetragen hatte, einschließlich der Männer, die den Weg der Rakete vom Hangar zur Startrampe gekehrt hatten. Das half Arthur sich nicht ganz so nutzlos zu fühlen, sondern sich als kleines, aber wichtiges Zahnrad im großen Getriebe zu sehen. Auf diese Weise gestählt konnte nach der offiziellen Begrüßungsrunde die Firmeninspektion in Angriff genommen werden.

Es ist 11:00 Uhr. Nach der Besichtigung verschiedener Werkstätten kam man an den firmeneigenen Gleisanlagen vorbei, die in den Asphalt eingelassen sind. Die Gleisanlagen bedürfen einer regelmäßigen Reinigung der Gleisvertiefung, um die Sicherheit des Schienenverkehrs zu gewährleisten. Ganz zufällig begab es sich an jenem Tag, dass die Gleisanlagen gerade jetzt von einem urschwäbischen Mitarbeiter gereinigt wurden. Der Topmanager sah sich das Ganze kurz an und überlegte sich, wie er dem Mitarbeiter mit der eher niederen Tätigkeit etwas Motivierendes sagen könnte. Schließlich sprach er den Mann an und sagte: *auch eine wichtige*

*Aufgabe.* Ohne den Topmanager und sein Gefolge groß zu beachten antwortete der Mann: *Schwätz nix, dann kommsch in nix nei.* Daraufhin setzte der Mann seine Tätigkeit unbeirrt fort, während der Topmanager etwas irritiert über die Aussage nachdachte. Spontan fühlte sich Arthur wieder an seine Motivationsstütze durch J.F.K. erinnert und ob sich die Männer, die damals den Weg zur Startrampe gekehrt hatten in ähnlicher Weise gegenüber Kennedys Aussage geäußert haben mögen, auch wenn der es niemals mitbekommen hatte.

Es ist 12:00 Uhr. Die Tour war zu Ende und es stand ein gemeinsames Mittagessen in der Firmenkantine an. Und wie bei solchen Anlässen üblich zog sich das Ganze in die Länge und Arthur fragte sich, wie und ob er sich wohl rechtzeitig von seinen Pflichten zurückziehen könne, um seinen privaten Termin am Nachmittag noch pünktlich wahrnehmen zu können.

Es ist 13:00 Uhr. Endlich! Das Mittagessen ist beendet und die Stippvisite des Topmanagers neigt sich mit der üblichen Händeschüttelorgie dem Ende zu. Es folgt der Weg nach draußen zum Heliport, wo abermals Hände geschüttelt werden. Schließlich hebt der Hubschrauber ab und Arthur beeilt sich zu seinem eigentlichen Arbeitsplatz zurückzukehren. Dort angekommen kontrolliert er noch schnell seinen elektronischen Posteingang auf wichtige Korrespondenzen und arbeitet diese routiniert ab. PC runterfahren und eine eilige Verabschiedung bei seinen Kollegen sind quasi eine Aktion und die Kollegen rufen ihm noch Glückwünsche und viel Erfolg für das anstehende Ereignis hinterher.

Es ist 14:00 Uhr. Puh, das war knapp, denn gerade noch rechtzeitig erreicht Arthur seine S-Bahn. Nach einer kurzen Verschnaufpause sieht er sich nach den anderen Fahrgästen in seiner Umgebung um.

Um die Mittagszeit herum bedarf es nicht viel, um die Aufmerksamkeit auf sich zu lenken und so fiel Arthurs Blick auf zwei Jungen in der benachbarten Sitzgruppe. Die beiden Jungs im Alter von etwa zwölf bis 14 Jahren hingen über der Lektüre ihres Hochglanz-Katalogs für Skater-Moden und unterhielten sich nicht gerade in gedämpfter Lautstärke über deren abgebildete Idole. Dabei wurde der Coolness-Faktor Rollbrett-Profis über das jeweilige Outfit bestimmt. Gefiel das Outfit, so war der Profi-Skater ein Hero für die Jungs, unabhängig von den aktuellen oder bereits erzielten sportlichen Leistungen. Die Oberflächlichkeit dieser Diskussion war für Arthur verstörend und kumulierte in der Aussage von einem der beiden Jungs in der Bewertung eines besonders erfolgreichen Skaters nach der Farbe seiner Schnürsenkel. Irgendjemand sollte die beiden Jungs mal darüber aufklären, dass das Outfit der abgebildeten Skater in diesem Katalog von dem jeweiligen Ausrüster oder dem Mode-Label ausgesucht worden ist. Die Sportler selbst nimmt in diesem Parcours lediglich die Rolle eines prominenten Models aus der Skater-Szene ein. Vermutlich gut sehr gut bezahlte Models. Neben der Kategorisierung der Sportler über das jeweilige Outfit spielte ein weiterer Faktor eine gewichtige Rolle bei den Jungs: das Alter. Ein Skater, der das tolerierte Alter von Mitte zwanzig bereits überschritten hatte, war automatisch uncool. Wobei uncool meistens durch eine weit dreistere Ausdrucksweise zu ersetzen ist. Arthur dachte sich nur, was für eine verwöhnte Rasselbande und schüttelte leicht den Kopf.

Skateboard fahren! Das war schon in Arthurs Jugend ein ganz großes Ding und offenbar immer noch en vogue. Er erinnerte sich, wie damals neue Tricks erfunden wurden und man in der Szene sich gegenseitig austauschte. Erlernte oder erfand man einen neuen Trick, so wurde so lange daran gearbeitet, bis dieser Trick in Perfektion abgerufen werden konnte. Dies geschah meist in Abwesenheit jedweden

Publikums, so dass man sich sicher sein konnte, bei einer öffentlichen Vorführung sich nicht zu blamieren. Und wie sieht es heute aus? Auch dazu hatte Arthur ein vollständiges Bild vor Augen. Auf einem öffentlichen Platz in seiner Stadt wurde er einmal Zeuge, die ein jugendlicher Skateboard-Fahrer einen gewöhnlichen Flip versuchte und jeder Versuch von einem Freund gefilmt wurde. Es war offensichtlich, dass der Skater den Trick nicht beherrschte, denn von den rund 30 Versuchen gelang nicht einer und lediglich zwei davon waren wenigstens im Ansatz gelungen. Nichtsdestotrotz gab der Skater nicht auf, denn man wollte das Video noch am selben Tag auf einem bekannten Video-Portal hochladen. Sollte also der Trick irgendwann im Laufe des Tages einmal funktioniert haben, dann würde man in dem Video dastehen, wie ein Held. Nun ja, so läuft das eben heute, mehr Schein als Sein.

Arthur überließ den Jungs ihrer selbstgefälligen Kritik über die wirklichen Könner und dachte über die aktuellen Vorbilder der heutigen Jugend nach. Zu allen Zeiten waren Musikstars die Vorbilder der jungen Generation und aktuell ist bei den Jugendlichen Rap und Hip-Hop angesagt. Aber die meisten Rapper sind eher negative Idole, insbesondere die, die sich zu den Gangster-Rapper zählen. Gegen Rap-Musik ist grundsätzlich nichts einzuwenden, siehe die Fantastischen Vier. Aber, wenn es in den Texten nur darum geht, andere zu dissen, also despektierlich zu behandeln, dann ist das ein nicht tolerierbarer Trend. Auch die gehäufte Verwendung von Schimpfworten und anderen Verunglimpfungen hat mit einem positiven Vorbild nichts gemein. Und Gangster-Rapper überschreiten jede Grenze des guten Geschmacks und scheuen auch nicht vor Gewaltverherrlichung und Morddrohungen zurück. Nicht gerade der Einfluss, den eine sich entwickelnde Persönlichkeitsstruktur braucht.

In den Bahnhöfen unserer Städte und in den S-Bahnen braucht man nicht nur Persönlichkeit, sondern nicht selten auch Zivilcourage. Allerdings sollte man es auch nicht übertreiben mit der Zivilcourage und es gilt vor allem den Eigenschutz zu beachten und sich nicht zu überschätzen. So konnte sich Arthur an eine Heimfahrt in der S-Bahn erinnern, die von Berufspendlern voll besetzt war. An einer der Haltestellen stieg eine Gruppe junger Erwachsener ein, die durch ihre weißen Anzüge im Stil von Sonny Crockett aus Miami Vice gekleidet waren. Diese Gruppe war auf Randale aus, das sah man sofort. Sie setzten sich vor den Eingang des Schaffnerabteils und klopften so lange an deren Tür, bis der Schaffner aufmachte und die jungen Herren zurechtwies. Das hätten auch anders ausgehen können, wie sich im weiteren Verlauf der Bahnfahrt noch zeigen sollte, denn fast alle von der Jugendbande hatte eine Schusswaffe bei sich. Im Wagon herrschten beklommenes Schweigen und eine seltsame Starre bei den anwesenden Fahrgästen. Selbst wenn es sich dabei nur um Gaspistolen gehandelt haben mochte, so verfehlten diese nicht ihre abschreckende Wirkung. An jenem Tag war Arthur froh, die S-Bahn unbeschadet verlassen zu haben.

Es ist 15:00 Uhr. Zielstation für Arthur und es wurde Zeit, die negativen Gedanken abzuschütteln und sich positiv auf das Hauptereignis des heutigen Tages einzustimmen. Nach langem Überlegen hatte er sich entschlossen an einem offenen Gesangs-Casting teilzunehmen. Vor Ort warteten bereits sein Freund Ford und seine Lebensgefährtin Trillian auf ihn, die ihn beide ermutigt hatten, doch einmal an diesem Wettbewerb teilzunehmen. Die beiden hatten auch schon die Registrierung für ihn übernommen und hefteten ihm nun die Nummer auf den feinen Zwirn. Kaum war dies geschehen wurde seine Nummerngruppe aufgerufen, um in den Vorraum zu kommen, welcher nur für die Kandidaten bestimmt war. Ford und Trillian dagegen konnten das Geschehen an einem der Monitore im Family-and-Friends-Bereich verfolgen. Lampenfieber befiehl Arthur und er dachte an all die Kandidaten, die vor ihm schon ihr Glück versucht hatten. Nach seiner Meinung ließen sich die Teilnehmer in fünf Gruppen einteilen. Da waren als erstes all jene zu nennen, die zurecht sich als Gesangstalente bezeichnen durften und für die das Weiterkommen in die nächste Runde kein Problem darstellte. Überraschenderweise, so befand Arthur, dass gerade in dieser Gruppe, der Zweifel an sich selbst und an das eigene Talent am größten sind, doch das meistens zu Unrecht. Entsprechend zurückhaltend und höflich ist deren Auftritt vor der prominent besetzten Fach-Juri. In der nächsten Gruppe sind diejenigen Teilnehmer versammelt, die ein gewisses Gesangs- und Showtalent haben und mehr durch ihre Persönlichkeit und ihr Aussehen das Wohlwollen der Juri gewinnen. Die nächste Gruppe, die Arthur als die Normalos bezeichnet finden sich all jene Mitbewerber, die einfach mal bei so einem Casting mitmachen wollen, so wie er selbst. Da geht es mehr um die persönliche Erfahrung, um die eigenen Grenzen auszutesten und um vielleicht einmal in ihrem Leben vor der Kamera oder auf einer Bühne zu stehen.

In der vierten Gruppe wird es dann schon etwas diffizil für die Juri, noch etwas Positives aus der vorgestellten Darbietung herauszufiltern. Hier sammeln sich all jene Personen, die weder Rhythmus noch Musikalität im Blut haben, dafür aber ein umso größeres Ego und Selbstbewusstsein, dass auch noch durch das persönliche Umfeld gestützt wird. Meist sind es die Freunde, manchmal aber auch die Familie, die in dem eigenen Spross mehr Talent sehen, als tatsächlich vorhanden ist und somit eine realitätsfremde Einschätzung bei dem eigenen Sohn oder der Tochter erzeugen. Für Arthur ergibt sich daraus der Schluss, dass sowohl die Familie als auch die Freunde des

Kandidaten in gleichem Maße untalentiert sind, wie der Kandidat selbst. In diesem Moment hoffte Arthur inständig, dass seine Freunde ihm aufrichtig gesagt hätten, wenn er ebenso untalentiert wäre, wie die Teilnehmer aus der vierten Gruppe. Ein weiteres Merkmal für Mitglieder dieser Gruppe ist, dass diese zu schier endlosen Diskussionen mit der Juri neigen und durch weitere gesangliche Vorträge versuchen, sich doch noch das Ticket in die nächste Runde - im Fachjargon auch als Recall bezeichnet - zu sichern. Sich mit der Realität und der Expertise der erfolgreichen und fachlich kompetenten Juri abzufinden fällt ihnen schwer. Die Kandidaten aus dieser Gruppe sind meisten schon bei der Vorstellungsrunde leicht zu identifizieren. Meist haben diese Möchtegerntalente einen enormen Drang zur Selbstdarstellung. Viele von diesen Kandidaten sind nach deren eigenen Aussagen wahre Multitalente und Entertainer par excellence. Wenn die Juri nach dem Beruf fragt, dann kommen so Antworten wie ich bin Sängerin, Schauspielerin und Model. Und wenn der Bewerber oder die Bewerberin von sich behauptet, ein guter Tänzer zu sein und von der Juri aufgefordert wird, etwas vorzutanzen, dann sieht es meisten so aus, als sei der Tanz für eine Tabledance-Bar einstudiert worden, in der die Pole-Stangen bereits abmontiert worden sind. Erotisches Rumgezappel ersetzt koordinierte und choreografierte Tanzbewegungen, jedenfalls empfindet es Arthur so. Bei dem eigentlichen Gesangsvortrag geht diesen Kandidaten sprichwörtlich und tatsächlich die Luft aus. Da hilft dann auch betteln und flehen mehr, der Kandidat muss die Segel streichen, was aber am Glauben an das eigene Talent, dem eigenen Ego und Selbstwertgefühl absolut keine Spuren hinterlässt, völlig gleichgültig, wie harsch die Kritik der Juri auch gewesen sein mochte. In der fünften und letzten Gruppe nach der Dent'schen Einteilung finden sich die Lebenskünstler und andere realitätsfremde Chaoten wieder. Bei diesen Kandidaten kann es schon mal vorkommen, dass sich die Person zunächst als größter Fan des einen oder anderen Juri-Mitglieds oder der Sendung selbst bezeichnet. Nach der Kritik durch das entsprechende Juri-Mitglied schlägt das Pendel jedoch stark in die andere Richtung aus. Das angebliche Idol wir nun auf die übelste Art und Weise angepöbelt. Dabei wird ein unheimlich großes Aggressionspotential entwickelt, dass auf eine niedrige Frustrationsschwelle des Kandidaten schließen lässt. Manchmal ist sogar zu befürchten, dass es zu Handgreiflichkeiten kommen könnte, was durchaus auch schon vorgekommen ist, so dass die Security einschreiten musste.

Unweigerlich fragte sich Arthur, wie er denn auf die vielleicht vernichtende Kritik der Juri reagieren würde. Aber er war sich sicher, weder der vierten noch der fünften Gruppe anzugehören, was ihn deutlich beruhigte. Schließlich war es dann soweit und sein Name wurde im Callroom aufgerufen. Seine gesangliche Darbietung war ausreichend, um sich für den Recall zu qualifizieren. Wieder bei Ford und Trillian angekommen, gratulierten sie Arthur herzlich zum Erreichen der nächsten Runde, auch wenn das vermutlich die Endstation sein würde. Arthur war jedoch froh, dass seine Freunde ihn und sein gesangliches Talent offenbar richtig eingeschätzt haben. Viel Zeit zum Feiern blieb jedoch nicht, denn nun hieß es sich von der Showbühne zu verabschieden und wieder den alltäglichen Pflichten nachzukommen. Nächste Station: die heimische Sporthalle, in der Arthur ehrenamtlich als Trainer tätig war. Dank der Mitfahrgelegenheit mit Trillian und Ford war er nicht auf die S-Bahn angewiesen und erreichte sein Ziel pünktlich.

Es ist 16:00 Uhr. Das Basketball-Jugendtraining begann wie immer mit einem Aufwärmprogramm und wie immer startete das Ritual mit einem 15-minütigem Lauf in der Halle. Da Arthur schon länger als

Jugend-Trainer tätig war, kannte er die Tricks und Schliche seiner jungen Pappenheimer, um sich vor diesem Pflichtelement zu drücken. Das einfachste war, einfach 15 Minuten zu spät zum Training zu erscheinen und sich mit einer lahmen Ausrede zu entschuldigen, aber da haben die Spieler die Rechnung ohne den Wirt gemacht. Wer zu spät kommt macht pro Minute, die seit dem Trainingsbeginn verstrichen ist, zehn Liegestütze und muss dann die 15 Minuten laufen. Aber der Kreativität der Spieler sind ja keine Grenzen gesetzt, um sich vor dem Lauf zu drücken. So kann man sich während des Laufes dreimal die Schuhe zubinden, sich auf die Toilette abseilen, sich aus dem Lauf heraus in die Umkleidekabine absetzen, wahlweise auch in das abgetrennte, benachbarte Hallendrittel oder ganz originell sich im Abtrennvorhang selbst verstecken, was natürlich ein gewisses Verletzungsrisiko in sich birgt. Wenn Arthur über dieses Verhalten nachdachte, dann fragte er sich, was die Jugendlichen dazu antreiben mochte, sich so zu verhalten. War es der innere Schweinehund, wie es im Fachjargon heißt, wenn man den Körper dazu bringen muss, die eigene Komfortzone zu verlassen und sich anzustrengen. Oder ist es der noch vorhandene kindliche Spieltrieb, um sich vor einer lästigen Pflicht zu drücken? Was es auch immer sein mochte, der Verstand sollte doch sagen, dass Sport ohne eine gewisse konditionelle Grundlage nicht möglich ist. Nicht umsonst sagt man, dass man so spielt, wie man trainiert. Ist der innere Schweinehund erst einmal überwunden, dann ist die Körper leistungsbereit für das restliche Trainingsprogramm. Im weiteren Verlauf des Trainings musste Arthur feststellen, dass in den vergangenen Sommerferien keiner seiner Spieler die individuellen Trainingspläne konsequent befolgt hatte, um an den eigenen Schwächen zu arbeiten. Warum auch sollte man ein wenig Freizeit in den Ferien in das Sport-Hobby investieren, wenn man nach den Sommerferien und kurz vor Saisonbeginn spielerisch, taktisch und konditionell wieder bei null anfangen kann. Bei dem einen oder anderen Spieler fragte sich Arthur ohnehin, warum diese noch ins Training kamen, so unmotiviert waren sie. Wenn man die Eltern auf diese Motivationsprobleme anspricht, dann haben die ihre ganz eigene Meinung und Sichtweise. Eine populär verbreitete Sichtweise ist, dass der Trainer die Übungsstunden abwechslungsreicher und amüsanter gestalten muss, damit sich die Motivation bei den Spielern einstellt. Abwechslungsreich sollte das Training in der Tat sein, allerdings sollte man auch nicht vergessen, dass das Erlernen einer Sportart durchaus mit Arbeit verbunden ist. Und Arbeit ist nicht immer amüsant. Die Motivation am Training teilzunehmen sollte also von den Spielern eingebracht werden, ohne dass der Trainer auch noch einem Club-Med-Animateur zum Besten geben muss. Aber nicht nur von einem Trainer wird heutzutage erwartet, sich in dieser fachfremden Berufssparte zu profilieren, ähnliches wird auch von den Schullehrern verlangt. Pauken ist definitiv out, kreativer Unterricht ist angesagt. Aber wie kann man das Lernen von Vokabel, das Auswendiglernen von Gedichten oder das Zeichnen der Umrisskarte der Republik Guinea-Bissau noch kreativer gestalten als es ohnehin schon ist. Der in Arthurs Augen bizarrste Vorschlag seitens der Eltern, war das Verteilen von Süßigkeiten, insbesondere des Produkts eines bekannten Herstellers von Fruchtgummis, um die Begeisterung für das Training zu erhöhen. Man stelle sich das einmal bildlich vor, wie sich die Jugendlichen ein Fruchtgummi für jede gelungene Aktion abholen und dass auch noch in einem Sport-Training, wo man eigentlich über Fitness und gesunde Ernährung nachdenken sollte. Und auf die Frage, wer denn diese Extravaganz bezahlen sollte, war die Antwort, dass selbstverständlich der Trainer dafür aufkommen soll. Arthur konnte über den Vorschlag herzlich lachen, bevor er diesen mental der Ablage im Papierkorb hinzufügte.

Ein wichtiger Baustein, um die Motivation auch bei einförmigen Übungen aufrecht zu erhalten, ist das Loben der Spieler während der Ausführung. Je nach Ausbildungsstand des jeweiligen Spielers kann es natürlich vorkommen, dass einige Spieler mehr Lob erhalten als andere. So werden schwächere Spieler auch für einfache Dinge gelobt, die man den besseren Spielern als selbstverständlich voraussetzen kann. Hier gilt es allen Spielern klar zu machen, dass es sich dabei nicht um die Bevorzugung bestimmter Spieler handelt, sondern dass dieses Verhalten des Trainers lediglich dem Erwartungsprofil an die Fähigkeiten des jeweiligen Spielers angepasst ist. Ein solches Verständnis ist wichtig, um keinen Neid unter den Spielern aufkommen zu lassen. Dieses Prinzip muss aber auch den Eltern klar gemacht werden, die natürlich in ihrem Sprössling vielleicht mehr sehen als tatsächlich an Können oder Talent vorhanden ist. Aufgrund der jahrelangen Erfahrungen, die Arthur im Laufe seines Trainerlebens sammeln konnte, erinnerte er sich sofort an ein extremes Beispiel eines Vaters, der für seinen Sohn bereits eine Karriere in einer europäischen Top-Liga und sogar in der Nationalmannschaft sah. Sobald sein Sohn auf der Ersatzbank saß, verließ er sofort seinen Platz auf der Zuschauertribüne und befand sich nur einen Augenblick später an Arthurs Seite. Hier versuchte er ständig Einfluss darauf zu nehmen, dass sein Sohn baldmöglichst wieder auf das Spielfeld zurückgeschickt werden würde. Über den Jungen konnte man nichts Schlechtes sagen, Talent und Ballgefühl waren zweifellos vorhanden und ansonsten hatte er einen guten Charakter und ließ sich gut führen. Das Problem: sein großer Charakter war von einem ebenso großen Übergewicht begleitet, so dass eine Karriere als Leistungssportler leider nicht möglich war. Seine Wurfsicherheit, auch auf größere Distanzen, machten ihn beliebt bei seinen Mitspielern. Hierbei sorgte das Übergewicht für ein Plus an Kraft und Standfestigkeit, um einen guten

Distanzwurf zu haben. Das erklärt bis zu einem gewissen Maße die überzogenen Erwartungen des Vaters an seinen Sohn.

Bei der Bewertung eines Menschen geben wir uns allzu oft gewissen Stereotypen hin, hervorgerufen durch ein klischeehaftes Erscheinungsbild oder ein verallgemeinerndes Vorurteil, wie zum Beispiel, dass jeder Deutsche automatisch ein guter Fußballspieler ist, oder zumindest Ahnung von der Sportart hat. Erst recht geht man davon aus, dass ein hagerer afroamerikanischen Junge, der von Kopf bis Fuß in die authentische Merchandising-Collection der Los Angelos Lakers gekleidet ist (inklusive eines Basketballs, der die Farben und Vereinsinsignien desselben NBA-Clubs trägt) ein guter Basketballer ist. Ein paar Spieler aus meiner Mannschaft hatten diesen Jungen gerade erst auf dem Freiplatz kennengelernt und der wohl einen besonders guten Tag erwischt, was die Drei-Punkte-Würfe anging. Jedenfalls konnte sich Arthur noch genau daran erinnern, als seine jugendlichen Spieler, die in demselben Alter waren, wie der afroamerikanische Junge in die Trainingshalle gestürmt kamen, direkt auf ihn zu, was schon ungewöhnlich genug war und alle zusammen von einem Basketball spielenden Wunderknaben berichteten, der unbedingt zu uns in die Mannschaft kommen sollte. Arthur hörte sich die aufgeregten und enthusiastischen Erzählungen in aller Ruhe an und sagte dann seinen Jungs, dass sie ihn doch bitte zu einem Probetraining in die Halle bitten sollten. In der Tat traf der Junge die Distanzwürfe mit einer ganz guten Trefferquote, die Technik war jedoch ziemlich instabil und anfällig gegen eine gute Verteidigung. Unter anderem war die Wurfkurve so hoch, dass Arthur teilweise Bedenken hatte, ob die Deckenhöhe der Sporthalle ausreichend sei. Und da es sich um eine Multifunktionshalle handelte, sollte es sich im Laufe der Zeit herausstellen, dass tatsächlich der eine oder andere Drei-Punkte-Wurf an der Hallendecke oder den daran montierten

Sportgeräten hängen geblieben ist. Unnötig zu sagen, dass nur an einem sehr guten Tag sein Wurf wirklich funktionierte, trotz der guten Ansätze, die in seiner Technik lagen. Aber Arthur konnte natürlich verstehen, warum seine Spieler den Jungen für einen Überflieger gehalten haben. Unvermittelt fühlte sich Arthur an diesem Punkt an zwei Filme erinnert, die bei Basketballspieler sehr populär sind und die genau auf derart klischeehaftes Denken aufgebaut sind. Da wäre zum einen der Film *Soulman* (1986, US-amerikanische Filmkomödie) zu nennen, in der ein weißer junger Mann versucht, ein Stipendium für die Harvard University zu bekommen. Bedauerlicherweise ist das einzige noch verfügbare Stipendium eines, dass nur an afroamerikanische Bewerber vergeben wird. Also wird aus dem weißen jungen Mann mit Hilfe von einer Perücke und sehr viel Theaterschminke ein afroamerikanischer junger Mann. In dieser Rolle lernt er die Klischees und Vorurteile gegenüber der afroamerikanischen Bevölkerung am eigenen Leib kennen. Unter anderem auch, als es im Sport zu einem Basketballspiel kommt und sich die beiden Teams, die nur aus Weißen bestehen, um den einzigen afroamerikanischen Spieler streiten, zumindest so lange, bis er seinen ersten Ballkontakt hat und allen sofort klar wird, dass er überhaupt kein Talent für Basketball verfügt. Der andere Film ist *Weiße Jungs bringen's nicht* oder wie der Originaltitel lautet *White Men Can't Jump* (1992, US-amerikanische Filmkomödie). Hier sind die Vorzeichen genau umkehrt, denn ein ehemaliger weißer Basketballprofi gibt vor nicht Basketball spielen zu können, um seine Gegner zu einem Spiel zu bewegen, auf das Geld gewettet wird. Unnötig zu erwähnen, wer der Gewinner ist.

So viel zu den Klischees im Basketball. Zurück von diesem Gedankenflug bemerkte Arthur, dass es an der Zeit war, das Training zu beenden und entließ seine Spieler in die Umkleidekabinen.

Es ist 18:00 Uhr. Die Pflichten des Tages sind erfüllt und der Feierabend ruft Arthur nach Hause zu Trillian auf das heimische Fernsehsofa. So früh am Abend ist das Fernsehprogramm geprägt von allen möglichen Infotainment-Angeboten aber zu Arthurs Leidwesen hatte Trillian ein Faible für Daily Soaps. Das tägliche Drama begann 1985 mit der deutschen Mutter aller Seifenopern mit dem harmlos klingenden Titel *Lindenstraße*, die an jedem verdammten Sonntag ausgestrahlt wurde. Nach Folge Nr. 1758, die am 29. März 2020 um 18:50 Uhr ausgestrahlt wurde, fand das Drama dieser schier endlosen Endlosserie dann doch ein Ende. Vermutlich, weil die Straßen- und Wohnungskulissen unter Denkmalschutz gestellt werden mussten. Das Kennzeichen einer jeden Seifenoper sind die verschiedenen Handlungsstränge, die nicht nur die üblichen Themen rund um Liebe, Lust und Leidenschaft aufgreifen, sondern das wirklich wahre Leben wiedergeben wollen. Das Bizarre an den Handlungssträngen in der *Lindenstraße* war, dass sich absolute jede vorstellbare und manchmal auch jede noch so unvorstellbare Lebenssituation in dieser einen Straße - eben der Lindenstraße - zu manifestieren schien. Dabei hatte man als objektiver Zuschauer zuweilen den Eindruck, dass die aktuellen Nachrichten der Tagesschau als Plot für die einzelnen Episoden Pate gestanden haben. Die nachfolgende Generation der Seifenopern, allen voran *Gute Zeiten, schlechte Zeiten*, *Marienhof* und *Verbotene Liebe* übernahmen dann die besten Sendeplätze in den Vorabendprogrammen der großen TV-Sender. Das Zielpublikum war jedoch um einiges jünger als bei der Lindenstraße und die Sendefrequenz wurden von einmal die Woche auf das übliche Niveau einer Daily Soap angehoben. Und ob man es glaubt oder nicht, aber das ging zu Lasten der – nun ja, nennen wir es mal – schauspielerischen Leistung. Zum Textlernen blieb nicht viel Zeit und so mussten viele Dialoge mehr oder weniger improvisiert werden. Aus Kostengründen konnte auch nicht gerade die erste Garde der deutschen oder deutschsprachigen Schauspieler-Elite gecastet werden. Das Ergebnis: viele Szenen wirkten unrealistisch, weil die Emotionen überzogen dargestellt wurden und Gesten selbst für eine Fernsehproduktion viel zu groß und übertrieben oft eingesetzt wurden. Jedes noch so kleine Problem, dass man eigentlich mit einem kurzen Gespräch hätte lösen können wurde zum unüberwindlichen Hindernis hochstilisiert. Das Schlimme aber daran war, dass vor allem die jugendlichen Fans dieser Daily Soaps das gezeigte Verhalten mühelos adaptierten und in ihr eigenes Leben integrierten. Aber, wenn es der eigenen Lebenspartnerin gefiel sich diese Sendungen anzusehen, dann musste Mann das eben in Kauf nehmen und die Zeit bis zu den Abendnachrichten absitzen.

Es ist 20:00 Uhr. Sofern man nichts Besseres zu tun hat ist dies der Zeitpunkt, zu dem sich Fernseh-Deutschland zur Tagesschau, der Heute-Sendung oder einer anderen persönlich bevorzugten Nachrichtensendung versammelt. Das war nicht immer so. Arthur konnte sich noch gut an damals erinnern, als die Fernsehlandschaft nur aus ARD, ZDF und den Dritten Programmen bestand, was letztendlich die auch die Auswahl der verfügbaren Nachrichtensendungen auf ganz natürliche Weise eingeschränkt hatte. Mittlerweile hat sich das Bild total verändert, denn es gibt alleine im Free-TV zahlreiche Fernseh- und Sparten-Kanäle, dazu kommen noch die Sender des Pay-TV und als jüngste Produktgruppe die Streaming-Dienste. Hat das nun die Unterhaltungsvielfalt bereichert oder einfach nur die Wiederholrate von Filmen und Dokumentation erhöht, weil jeder Sender über die entsprechende Senderechte verfügt? Die Frage mag jeder für sich beantworten. Neben den klassischen Inhalten, wie Krimis, Serien, Quiz- und andere Rate-Shows gewann ein neues Format in den letzten Jahren immer mehr an Bedeutung, nämlich die sogenannten Reality-Shows. Unter einer Reality-Shows versteht man jene TV-Inhalte, bei denen ein Kamera-Team eine bestimmte Gruppe von Leuten quasi mehr oder weniger Tag und Nacht verfolgt und beobachtet. Um das Verfolgen für das Aufnahme-Team leichter zu gestalten, wird die jeweilige Gruppe von Leuten auch mal auf ein bestimmtes Biotop beschränkt oder regelrecht eingepfercht. Das hat den Vorteil, dass man mit stationär angebrachten Kameras arbeiten kann und somit den Personalaufwand erheblich reduziert. Auch kann man der jeweiligen Kandidatengruppe so das Gefühl vermitteln, vollkommen unter sich zu sein. Für die Kandidatengruppe ist die Reality-Show dann so real, dass die Realität von der Wirklichkeit kaum noch zu unterscheiden ist. Die Zusammensetzung der Kandidatengruppe kann dabei sehr unterschiedlich sein. Die Spanne reicht von Normalos über C-Promis bis zu wirklich prominenten Kandidaten, von der Unterschicht zur Oberschicht, von den Splitterfasernackten zu den topmodisch gekleideten und gestylten, von den schwer erziehbaren Einzelkindern bis zu der matriarchalisch gegeißelten Großfamilie und nicht zu vergessen all jenen, die aus mehr oder weniger bizarren Motiven sich mehr oder weniger vorbereitet auf das Abenteuer einlassen, ihr persönliches Lebensglück in der Ferne zu suchen. So ist für jeden Geschmack etwas dabei. Trillian – vermutlichen ihren Mutterinstinkten folgend – mochte vor allem die Reality-Shows über Kindeserziehung, insbesondere jene Shows, bei denen schwer erziehbare Kinder in die entlegensten Winkel der Erde verschifft werden, um dort die Werte vermittelt zu bekommen, die eigentlich bei der Kindeserziehung auch hierzulande selbstverständlich sein sollten. Das Format setzt dabei vor allem auf den Effekt des Kulturschocks, wenn sich die Delinquenten urplötzlich an Orten wiederfinden, die sich den Charme und das Entwicklungsstadium der Steinzeit bis heute bewahrt haben. Ob Rundhütte in der afrikanischen Steppe oder Nomadenzelt im Mittleren Osten, kein Szenario scheint zu ausgefallen zu sein. Ganz und gar gewöhnlich fallen dagegen die angewendeten Erziehungsmethoden aus: negatives Verhalten wird nicht geduldet und sofort mit Strafe geahndet und positives Verhalten wird mit Lob belohnt. Das ist nun wirklich nicht revolutionär neu. Aber leider denken heute viele Eltern, dass sie als Rabeneltern gelten würden, wenn sie ihre Sprösslinge auch mal zur Rechenschaft ziehen würden. Kein Wunder also, wenn die Kinder und Jugendlichen diese Freiheiten bis ins Letzte ausnutzen. Und hat sich negatives Verhalten erst einmal eingeschlichen, dann ist es schwer gegenzusteuern. Oft wird negatives Verhalten bei jüngeren Kindern noch als harmlos und zum Teil auch als amüsant empfunden, aber mit zunehmendem Alter und der fortschreitenden Persönlichkeitsentwicklung wird dasselbe Verhalten dann sehr schnell zur Charakterfrage. Da scheint dann nur noch die Radikalkur zu helfen, indem man die Kinder in eine ungewohnte Umgebung versetzt, wo sie befreit sind noch den Vorzügen der modernen Spaßgesellschaft und den eventuell vorhandenen negativen Einflüssen durch Freunde und Bekannte. Und manchmal hilft selbst das nicht mehr oder der Effekt hält nach der Heimkehr nicht sehr lange an.

Arthur dagegen mag mehr die Reality-Shows, bei denen die Kandidatengruppe auf einen bestimmten abgeschirmten Raum beschränkt ist und sich mehr oder minder selbst überlassen bleibt, so wie es beispielsweise bei *Big Brother* (RTL II) und bei *Ich bin ein Star - holt mich hier raus* (RTL) der Fall ist. Der Grund dafür ist, dass unter den eingeschränkten und ungewohnten Bedingungen sehr schnell der wahre Charakter eines Menschen zutage gefördert wird. Und je länger diese Bedingungen aufrechterhalten oder sogar noch verschärft werden, umso schneller fallen die gesellschaftlichen Masken und die etablierten Umgangsformen bleiben des Öfteren auf der Strecke. Unter den schmachvollen Bedingungen, wie dem Verzicht auf Lipgloss und anderen Schminkartikeln, dem mitgebrachten Teddybären oder dem Lieblingskissen, dem Entzug von Tabakwaren und dem üblichen Quantum an Prosecco und der Reduktion des Nahrungsangebotes auf Reis und Bohnen, dann wird selbst der mystische Herr über die Raben und anderer Naturgewalten auf die Größe eines jämmerlichen Jammerlappens zurückgestutzt. Und was ist eigentlich so falsch an Reis und Bohnen, wenn das doch die tägliche Nahrungsgrundlage von Abermillionen von Menschen ist. Die können sich ja nicht alle irren, nicht wahr?

Es ist 22:00 Uhr. Unabhängig von der jeweils favorisierten Sendung, auf deren Konsum man sich gemeinsam verständigen konnte, bietet so ein Fernsehabend zu zweit eine gute Gelegenheit sich über die Ereignisse und Erlebnisse des jeweils anderen Partners auszutauschen. Nicht selten endete das Ganze in kleineren oder auch mal größeren Lästereien und Sticheleien gegen Bekannte, Kollegen oder die Nachbarn. Gelästert wurde schon zu allen Zeiten und Arthur fragte sich, ob das Ausmaß der Lästereien in den letzten Jahren zugenommen hat oder ob es sich immer noch auf demselben Niveau bewegte. Nach seiner Einschätzung hatte es eher zugenommen, aber das ist ja nur ein subjektiver Eindruck. Fest steht jedoch, dass er es nicht mochte, wenn die Leute vordergründig scheinbar nett sind, aber hinter vorgehaltener Hand Geschichten verbreiteten, deren Wahrheitsgehalt manchmal sehr fragwürdig ist. Oft basieren diese Aussagen lediglich auf Hörensagen aus zweiter Hand und auf mangelhaftes liberales Denken, bedingt durch die Erziehung und die Vorurteile, die aus den eigenen negativen Erfahrungen abgeleitet wurden. Interessanterweise haben Wissenschaftler von der University of Oklahoma herausgefunden, dass das Teilen negativer Ansichten mehr verbindet als das Teilen von positiven Ansichten. Diese Tatsache scheint einigermaßen logisch zu sein, denn das verbale Einprügeln auf eine gemeinsam bekannte

Einzelperson lenkt davon ab, sich selbst einer eventuell negativen Kritik stellen zu müssen. An diesem Umstand wird sich auch in Zukunft nichts ändern und muss als Tatsache akzeptiert werden aus die man sich entsprechend einstellen muss. Allerdings kann jeder Einzelne für sich entscheiden, ob und in welchem Ausmaß man an so einer Meinungsmache beteiligt sein möchte.

Es ist 23:00 Uhr. Die Lerche schickt Arthur ins Schlafzimmer, wo der Pyjama übergestreift wird und anschließend ins Bad für die Abendtoilette. Der letzte Gedanke ist, noch den Wecker zu stellen – welcher Bauart dieser auch entsprechen möge - um am nächsten Tag etwas zeitiger in der Firma zu erscheinen.

Die Eule dagegen hat zum Abschluss des Tages noch einmal einen großen Auftritt. Zunächst einmal werden die Kleidungsstücke für den nächsten Arbeitstag parat gelegt, der Wecker wird gestellt, dann der Pyjama übergestreift und wie schon am heutigen Morgen findet sich Arthur vor dem überdimensionierten Spiegel im Badezimmer wieder. Und während er sich selbst im Spiegel betrachtet und in er dabei in einen fast selbsthypnotischen Zustand verfällt, beginnt er über sich selbst und die Ereignisse des Tages zu reflektieren.

Ist er nun der Kerl, der sowohl Charm, Stil, Liebe und Geld in ausreichendem Maße besitzt? Oder könnte er noch mehr Ehrgeiz zeigen, sowohl im Job als auch in der Partnerschaft? Wie würde sich das wohl auf das Verhältnis zu den Kollegen auswirken oder auf Trillian? Es ist schließlich möglich, dass ein Ungleichgewicht sich auf eine der beiden Lebensaspekte negativ auswirken würde. Es gilt also, das richtige Maß zu finden und dabei immer die richtigen Entscheidungen zu treffen, um einen guten Kompromiss zu finden. Verteilt man seine Interessen gleichmäßig auf Privat- und Berufsleben, dann kann es schon mal vorkommen, dass man keine

Führungsposition bekommt, aber kann der Arbeiter, der nur ein kleines Zahnrädchen im Getriebe der Firma ist mit seinen Gleisreinigungsarbeiten nicht genau so glückliche werden, wie ein gut bezahlter Manager? Es ist doch die Teamfähigkeit und nicht unbedingt der Ehrgeiz, der einen guten Mitarbeiter und Kollegen auszeichnet.

Arthur dachte auch nach über die beiden Jungs, die er in der S-Bahn beobachtet hatte und über deren zum Teil vernichtenden Urteile über die Menschen, die für viele andere Jugendliche einmal positive Vorbilder waren oder es immer noch sind. Dabei versuchte Arthur sich zu erinnern, welchen Idolen er nachgeeifert hatte, als er in dem Alter der beiden Jungs gewesen ist und ob er selbst als gutes Vorbild herhalten könne. Einer Tatsache wurde sich Arthur auf jeden Fall bewusst, nämlich dass die Betrachtung der Welt oberflächlicher geworden ist. Der Schein gilt heute mehr als das Sein, denn jeder möchte in einer höheren Liga spielen als in derjenigen für die er oder sie sich tatsächlich qualifiziert hat. Der vorherrschende Egoismus ist wichtiger als sich mit der persönlichen Umgebung intensiver zu beschäftigen und den Dingen auf den Grund zu gehen und sich so eine eigene Meinung zu bilden. Vielleicht ist es auch einfach nur zu mühsam geworden und der Blick für das Wesentliche ist getrübt oder sogar versperrt.

Auch fragte sich Arthur, ob seine Basketballspieler ihn als Vorbild ansahen oder lediglich als Trainer. Als Trainer war es seine Aufgabe, seine Erfahrungen in der Sportart Basketball weiterzugeben und das Talent seiner Spielerinnen und Spieler zu erkennen und auch zu fördern und durch endsprechende Motivation das Beste aus jedem Spieler herauszuholen. Apropos Talent und Motivation. Arthur dachte darüber nach, wo eigentlich seine Talente lagen und woher er seine

Motivation beziehe. Die Teilnahme an einem Gesangswettbewerb sah er mehr als Experiment an und weniger als eine zweite Karriere.

Das Leben und die Möglichkeiten werden immer komplexer und um darin zu bestehen, gibt es zwei Arten damit umzugehen. Entweder, nimmt man die Herausforderungen an oder man macht es sich so einfach wie möglich. In den Daily Soaps, so war Arthur immer noch überzeugt, wurden selbst die einfachsten Probleme unnötig kompliziert gestaltet, was aber die Fans dieser Sendungen nicht davon abhält das Leben selbst als eine Daily Soap zu betrachten. Oder ist es eher so, dass sie ihr Leben selbst in eine Daily Soap verwandelten. Aber im Leben geht es nun einmal um mehr als um verbotene Liebe in guten, wie in schlechten Zeiten, völlig gleichgültig, ob man in der Lindenstraße oder auf dem Marienhof wohnt. Ab und zu zählen auch mal die kleinen Gesten und nicht immer sind die großen Emotionen gefragt. Die Vernunft sollte aber in jeder Lebenslage die Oberhand behalten.

Zum Schluss dachte Arthur noch über die Lästereien und kleinen Gehässigkeiten unter den Menschen nach. Ist es so schwer, einfach mal den Drang zu unterdrücken, dem eigenen negativen Denken seine Stimme zu leihen und stattdessen auch mal etwas Nettes über eine Person zu sagen. Getreu dem Motto, wenn man nichts Gutes über einen Menschen sagen kann, dann sollte man besser gar nichts über die Person sagen.

Arthur befand, dass er Tag mehr als erkenntnisreich für ihn war und er versuchte eine Bilanz zu ziehen, ob er nun nach der buddhistischen, der dschainistischen und der hinduistischen Lehre gutes oder schlechtes Karma erzeugt hatte. Jedenfalls war er fest entschlossen, die eine oder andere dieser neuen Erkenntnisse gleich morgen in sein Leben einfließen zu lassen und wendete sich ab von dem Menschen, den er gerade im Spiegel gesehen hatte, denn morgen würde genau an dieser Stelle ein anderer Mensch zu sehen sein.

# Teil 3: Weicher Keks

## Denken :: Wissen :: Intelligenz

So ein Staaten- und Völkerkonglomerat wie es unsere tapferen, antiken Römer erobert hatten, bringt viel mehr Vorteile als nur den puren Gewinn an Reichtum, Macht und Flächenausdehnung. Es ermöglicht den direkten Zugriff auf das spezifische Wissen, die Kultur und die Technologie und Produkte der eroberten Völker. Der Zuwachs an Kultur und Wissen stärkt die eigenen geistigen Eliten und bringt auf diese Weise neuen Schwung bei den eigenen Innovationen.

Heutzutage müssen wir nicht mehr andere Länder erobern, um zu neuem Denken und neuem Wissen zu gelangen. Zum Glück! Sofern es sich nicht um geheime zivile oder militärische Forschung handelt, steht potenziell jedem Individuum der Zugang zu dem aktuellen Wissensschatz der Menschheit zur Verfügung. Verbreitung und Zugriff auf diesen Wissensschatz erfolgt zumeist über das Internet, mit Hilfe von Computern, Notebooks, Tablet PCs oder Smartphones. Hieraus ergibt sich auch schon das erste Problem, denn nicht jeder Mensch auf diesem Planeten hat regelmäßigen Zugang zum Internet und die nötigen Geräte für den Zugriff sind sehr kostspielig. Darüber hinaus gibt es noch viele Länder, in denen selbst die elementare Schulbildung noch lange keine Selbstverständlichkeit ist.

Auf der anderen Seite stehen wir vor dem Phänomen, dass Allgemeinwissen und selbstständiges Denken gerade in den Ländern teilweise rapide abnehmen, in denen Schulbildung und Zugriff auf das Internet für jedermann erschwinglich und weit verbreitet ist. Doch, anstatt diese Privilegien zu nutzen, verlassen sich die Leute ausschließlich darauf, dass Google und Co immer die richtigen Antworten parat haben. Die steigende Anzahl von Fake-News und ähnlichem zeigt jedoch klar, die eigene Intelligenz und eigenes Wissen sind durch nichts zu ersetzen!

# Abwärtsgeneigte Lernkurven – IQ im Sinkflug

*Bitte kreuzen Sie Ihren persönlichen Favoriten an:*

> *[_] Lernen ist wie Rudern gegen den Strom. Sobald man aufhört, treibt man zurück. (Chinesisches Sprichwort)*

> *[_] Zwei Dinge sind unendlich, das Universum und die menschliche Dummheit, aber beim Universum bin ich mir noch nicht ganz sicher. (Albert Einstein)*

> *[_] Ich nehme beide Zitate, schließlich habe ich für das ganze Buch bezahlt. (Der Kunde, der immer König ist)*

Sie haben sich also für das Lernen und Wissen und die chinesische Weisheit entschieden! In der heutigen Zeit, in denen die Menschheit jeden Tag neues Wissen und neue Erkenntnisse erlangt, versuchen Wissenschaftler alle Lebensbereiche zu formalisieren und zu quantifizieren, so auch Bereiche, die für den durchschnittlichen Menschen nicht gleich offensichtlich sind, wie dem Lernen. Das Lernen wird definiert als das absichtliche oder beiläufige Aneignen von Wissen und Fertigkeiten zum selbstständigen Gebrauch. Wir erweitern unser Wissen durch Fakten und wissenschaftliche Erkenntnisse und unsere Fähigkeiten durch neue Methoden und Praktiken. Wichtig an dieser Stelle ist es zu erwähnen, dass das Lernen sich nicht nur auf den geistigen Zuwachs beschränkt, sondern ebenso auf den sozialen, charakterlichen und körperlichen Zuwachs.

Wie erfolgreich ein Mensch beim Erwerb von neuem Wissen und neuen Fertigkeiten ist, wird in sogenannten Lernkurven dargestellt. Definiert wird eine Lernkurve als Quotient aus der gelernten

Stoffmenge, auch als Lernertrag bezeichnet und der dafür benötigten Zeit. Eine Lernkurve ist somit eine Leistungskurve, denn je größer der erzielte Lernertrag und je kürzer die dafür benötigte Zeit ist, desto steiler verläuft die Lernkurve und desto größer ist die Lernleistung. Wenn wir jetzt noch definieren, dass zum Zeitpunkt Null auch der Lernertrag Null ist, erhalten wir eine Kurve, die in allen Punkten des ersten Quadranten eines kartesischen Koordinatensystems stetig ist, da sowohl der gelernte Stoff als auch die Zeit immer positiv sind. Mit zunehmendem Wissen wird die Steigung der Lernkurve immer flacher, d.h. der Lernertrag pro Zeiteinheit wird immer geringer. Man spricht in diesem Fall von der Ausbildung eines Lernplateaus. Schätzungsweise zwei Prozent meiner geneigten Leser, die sich geistig noch nicht aus diesem kleinen mathematischen Exkurs ausgeklinkt haben, werden nun vermuten oder gar wissen, worauf ich hinauswill. Im Extremfall ist die Lernkurve eine Parallele zur Zeitachse und dass ist genau dann der Fall, wenn die Steigung der Lernkurve in diesem Abschnitt Null ist, also wenn der Quotient aus Lernertrag und Zeit Null wird, mit anderen Worten der es entsteht kein Lernertrag mehr, was anhand des immer noch bestehenden zeitlichen Aufwandes bereits traurig genug ist. Prima, es wird nichts mehr dazu gelernt und was ist damit bewiesen? Ganz einfach: dass es abwärts geneigte Lernkurven per Definition nicht geben kann. Denn dafür bräuchte es einer negativen Steigung und dazu müsste unser Quotient aus Lernertrag pro Zeiteinheit negativ werden. Rein mathematisch gesehen ist es dabei egal, ob in einem Quotienten der Zähler oder der Nenner negativ wird, nur beides zusammen darf nicht eintreten. Da der Nenner jedoch eine physikalische Größe ist, nämlich die Zeit und eine Zeit mit negativen Vorzeichen bedeuten würde, dass wir uns in der Zeit rückwärts bewegen würden, müsste in diesem Fall der Zähler negativ werden. Denn wenn die Zeit rückwärtslaufen würde, dann würden Sie jetzt diese Zeilen nicht lesen, weil Sie niemals dieses Buch gekauft hätten, denn es wäre niemals gedruckt worden, weil ich es nie geschrieben hätte und wenn wir die Dinge so laufen ließen, würde die Lernkurve auch niemals nicht im ersten Quadraten eines kartesischen Koordinatensystems verlaufen, was aber weder Sie noch mich stören würde, weil wir nicht geboren wurden. Aber, alles gut, Sie halten nach wie vor dieses Buch in Händen, was beweist, dass die physikalischen Prozesse immer noch so ablaufen, wie es vorgesehen ist.

Also der Lernertrag muss negativ werden. Die Definition des Lernertrags schließt das jedoch aus. Vielleicht fragen Sie sich mittlerweile, wenn es keine Möglichkeit gibt, nach der die Steigung der Lernkurve negativ werden kann, warum dieses Kapitel *Abwärtsgeneigte Lernkurven* genannt wurde und, was noch verwunderlicher ist, warum ein uraltes chinesisches Sprichwort diese Behauptung auch noch zu unterstützen scheint. Mit der bloßen Mathematik kommen wir an der Stelle nicht weiter und ich muss gestehen, es ist auch mehr, wie der Unterschied zwischen gemessener Temperatur und gefühlter Temperatur, ein subjektiver Eindruck, wenn Sie so wollen. Allerdings werden Sie anhand der folgenden Beispiele vielleicht auch zu der Einsicht gelangen, wie real ein subjektiver Eindruck sein kann.

Der Korbleger ist ein Standardwurf im Basketball, der aus dem Lauf heraus in eine Sprungbewegung in der Nähe des Korbes mündet und der Ball mit dem gestreckten Wurfarm gegen das Brett gelegt wird, so dass dieser anschließend in den Korb fällt. Eine wesentliche Charakteristik dieses Wurfes ist also das Werfen gegen das Zielbrett. Deshalb werden Anfänger bei mir in zwei Gruppen so aufgestellt, dass jeweils eine Gruppe rechts und eine Gruppe links vom Korb in einem Abstand von ungefähr einem Meter vom Brett (senkrechte

Projektion!) entfernt stehen, mit dem einfachen Auftrag, den Ball gegen das Brett zu werfen, möglichst so, dass dieser danach in den Korb fällt, was aber bei dieser Übung zweitrangig ist. Hat ein Spieler geworfen, stellt er sich in der anderen Gruppe wieder an. Damit die Übung effizient abläuft werfen die Gruppen abwechselnd im Fließband-Modus. Jeder Spieler, der gerade dran ist, erhält von mir eine Fehlerkorrektur für ein oder zwei der gröbsten Fehler in diesem Durchgang, zum Beispiel *Arm strecken* oder *Brett benutzen.* Das sind klare Handlungsanweisungen und zusammen mit der globalen Aufgabenstellung sollte eigentlich jeder Spieler genau wissen, was zu tun ist. Natürlich erwarte ich im nächsten Durchgang keine perfekte Ausführung, sondern lediglich ein sichtbares Zeichen dafür, dass die Message im Informationsverarbeitenden Zentrum angekommen ist und wenigsten den erkennbaren Versuch, den Bewegungsablauf besser auszuführen. Die Lernerfolge sollten sich mit der Zeit einstellen. Allerdings werden die Lernerfolge vielfach auch gebremst, das fängt beim einfachen Nicht-Zuhören an, geht über mangelnde Konzentrationsfähigkeit weiter, bis hin zur Unfähigkeit, selbst einfachste Handlungsanweisungen auszuführen. Am schlimmsten ist jedoch die bewusste oder unbewusste Lernverweigerung. Deutlich ablesbar ist ein solches Verhalten in Aussagen, wie: *… aber so treffe ich besser in den Korb ….* Oder noch simpler: *… ich kann das aber nicht ….* Brillant analysiert, mein lieber guter Spieler, vermutlich ist das auch der Grund, warum wir das gerade üben. Für den Trainer bedeutete das einen adäquaten Umgang mit einer solchen Lernsituation zu finden. In erster Linie bedeutet das, sehr viel Geduld aufzuwenden, aber auch weiterhin auf die korrekte Ausführung zu beharren. Anderseits muss auch ein gut dosiertes Lob erfolgen, wenn der Spieler es einmal richtig gemacht hat, um ihn weiterhin zu motivieren, den Lernerfolg weiter auszubauen.

Sie glauben gar nicht, wieviel es an Geduld bedarf, bis man als Trainer mit dem Ergebnis insgesamt zufrieden sein kann und da sich Geduld nur sehr schwer quantifizieren lässt, möchte ich eine kleine Abschätzung versuchen, wie oft ich meinen Spielern die Fehlerkorrektur *Brett benutzen* vorgebetet habe. Bei der Abschätzung werde ich konservativ vorgehen, das soll heißen, dass die resultierende Anzahl eher das Minimum darstellt. Also. Angenommen, ich habe eine Gruppe von 12 Spielern. Zu jedem dieser Spieler geben ich pro Übungsform 20-mal die Fehlerkorrektur *Brett benutzen*. Weiter sei angenommen, dass vier Übungsformen durchgeführt werden und dass an so einem Trainingsabend zwei Gruppen von mir betreut werden. Als Zwischensumme ergibt sich bisher die Anzahl an besagter Fehlerkorrektur von 1920 pro Trainingsabend. Bei zwei Trainingsabenden in der Woche sind das bereits 3840 Fehlerkorrekturen. Des Weiteren soll angenommen werden, dass pro Jahr an 26 Wochen trainiert wird und bei 25 Jahren als Trainer ergibt sich eine Endsumme von 2.496.000 als konservative Abschätzung nur für diese eine Fehlerkorrektur. Die tatsächliche Anzahl dürfte um einiges höher liegen. Wenn man bedenkt, dass das nur das Ergebnis von einer wirklich elementaren Fehlerkorrektur ist und es noch zahlreiche weitere, ebenfalls elementare Fehlerkorrekturen gibt (mit rechts dribbeln, mit links dribbeln, Arm strecken, Handgelenk abknicken, mit links abspringen, mit rechts abspringen, nur zwei Kontakte ...) und dass auch noch bei Spielern, die seit Jahren dabei sind, dann kommt man einfach nicht umhin an abwärts geneigte Lernkurven zu glauben.

Zum Abschluss des Kapitels habe ich eine kleine Aufgabe für Sie: zeichnen Sie Ihre Lernkurve, wieviel Sie über Lernkurven in diesem Kapitel gelernt haben und schreiben Sie weitere Fakten über Lernkurven auf, die Sie noch wissen. Starten Sie jetzt mit der

Ausführung. Und nicht vergessen: Kopf benutzen, auch wenn ein Brett davor montiert ist!

Für all diejenigen, die Albert Einsteins Aussage als Favoriten angekreuzt haben sei gesagt, dass es Zweifel darangibt, dass er diesen Satz jemals gesagt hat, aber im Allgemeinen wird ihm dieses Zitat zugeschrieben. Es würde auch gut in sein Repertoire passen. Keinen Zweifel gibt es jedoch über die inhaltliche Korrektheit der Aussage und wenn Sie, genau wie ich, einer bestimmten Generation angehören, dann haben Sie vielleicht auch den subjektiven Eindruck, dass es schlimmer wird. Und damit liegen Sie und ich vollkommen richtig! Und dieser subjektive Eindruck lässt sich sogar objektiv belegen.

In den 1980er Jahren fand der neuseeländische Politologe James R. Flynn heraus, dass in der ersten Hälfte des 20. Jahrhunderts die Testergebnisse von IQ-Tests immer höhere Ergebnisse brachten, die Intelligenz also zunahm. Im Jahre 1984 führte Flynn seine Untersuchung erstmals für die USA durch, drei Jahre später für 14 westliche Industrienationen. Das Resultat zeigte eine Zunahme der IQ-Werte zwischen 5 und 25 Punkten pro Generation. Bezogen auf den Untersuchungszeitraum bedeutete das eine durchschnittliche Zunahme von zwei Punkten pro Jahr. In Deutschland nahmen die IQ-Werte im Zeitraum von 1954 bis 1981 um 17 Punkte zu. Die Zunahme der Intelligenz, die Flynn beschrieben hat wurde ab 1994 von dem Politologen Charles Murray und dem Psychologen Richard Hermstein als Flynn-Effekt bezeichnet. Die Erklärungsmodelle umfassten ziemlich viele Faktoren, angefangen von einer besseren Ernährung zu besseren Bildungsangeboten und der Verbreitung von Massenmedien bis hin zur Urbanisierung und der damit einhergehenden Durchmischung von Subpopulationen. Ja, selbst das Fernsehen, oft als Verdummungsmaschine verunglimpft trug zum Anstieg des IQs bei.

Das lag aber an der vollkommen anderen Programmgestaltung. Wenn ich mir überlege, was ich mir als Kind angeschaut habe, Sendungen wie *Telekolleg*, *Hobbythek*, *Die Sechs Siebeng'scheiten*, aber auch Quizsendungen bei denen Allgemeinwissen gefragt war und man vor dem Bildschirm eifrig mitraten konnte, wie *Der große Preis* oder *Die Pyramide*. Und was flimmerte den jüngeren Zuschauern der nachfolgenden Generationen vor den Augen: die *Teletubbies*, die *Power Ranger* und *ScoobyDoo*. Wer sich da noch über PISA wundert, lebt an der Realität vorbei.

Selbst im Sport kann es ab und zu hilfreich sein, den Kopf zu benutzen. Und obwohl viele Sportler studieren oder studiert haben, gibt auch jene, denen man gerne nachsagt, dass sie nicht besonders helle sind, wie zum Beispiel die Vertreter der Fußballergilde. Aber auch andere Sportler leisten sich dann und wann einen fatalen Lapsus, wenn es darum geht, ihren Job zu erledigen. Gehen wir in der Zeit in das Jahr 1988 zurück und erinnern uns an den deutschen Modellathleten unter den Zehnkämpfern, nämlich an Jürgen Hingsen. Die Duelle zwischen ihm und dem Britten Daley Thompson gehörten mit zu den spannendsten, die die Leichtathletikszene zu bieten hatte. Ein weiterer Höhepunkt in der sportlichen Rivalität zwischen den beide sollte bei den Olympischen Spielen in Seoul (Südkorea) stattfinden. Ich erinnere mich noch genau daran, als ich gespannt den Auftakt des olympischen Zehnkampfes vor dem Fernseher verfolgte, der traditionell mit dem 100-Meter-Lauf begann. In der ersten Startgruppe der Zehnkämpferriege startete Hingsen auf Bahn 1. Gleich beim ersten Startversuch provozierte er einen Fehlstart, was nicht so schlimm ist, denn die Zehnkämpfer haben gegenüber den Spezialisten den Vorteil, dass erst der dritte Fehlstart zur Disqualifikation führt. Bei den Sprintern sind es lediglich zwei Versuche. Es galt die Situation mental abhaken und sich wieder auf den nächsten Startversuch konzentrieren. Doch auch hier begeht Hingsen einen Fehlstart und hätte an dieser Stelle gewarnt sein müssen, ein weiterer Fehlstart zur Disqualifikation in dieser Disziplin führen würde. Die sinnvollste Entscheidung in dieser Situation wäre gewesen, einen Sicherheitsstart zu machen und lieber eine Zehntel-Sekunde zu verschenken, als aus dem kompletten Wettbewerb auszuscheiden. Das hätte vielleicht ein paar Punkte gegenüber seinem Dauerkonkurrenten aus Großbritannien gekostet, aber es wären ja noch neun Disziplinen übrig gewesen, um den Punkterückstand wieder wettzumachen. Und als dreifacher Weltrekordmann hätte Hingsen in jedem Fall die Fähigkeiten dazu besessen. Weiter in der Dramaturgie des damaligen Rennens und erneute Konzentration auf den dritten Startversuch. Doch dann geschah, was keiner der damaligen Zuschauer für möglich gehalten hätte: Jürgen Hingsen begann einen dritten Fehlstart und wurde den Regeln entsprechend disqualifiziert, da half auch nicht die anschließende Diskussion mit den Kampfrichtern und anderen Offiziellen. Eine bittere Stunde für den Hünen aus Duisburg und alle seine Fans, mich eingeschlossen.

Ein ähnliches Missgeschick passierte auch einem prominenten Spezialisten aus der Sprinterszene, nämlich Usain Bolt (Jamaika) im Finale der Leichtathletik-WM 2011 in Daegu (Südkorea), allerdings bei weitaus schärferen Regeln. Zu jener Zeit war den Spezialisten kein Fehlstartversuch erlaubt, dass es insbesondere bei den 100 Metern und 200-Meter-Rennen nach dem alten Regelwerk zu einer Häufung bei den Fehlstarts kam, um die Konkurrenz zu verunsichern. Mit anderen Worten: mache einen Fehlstart und du bist raus! Trotz der überlegenen Sprinterqualitäten von Usain Bolt, vor allem in der Endgeschwindigkeit im letzten Rennabschnitt, begann er einen vermeidbaren Fehlstart und brachte sich selbst um den sicher geglaubten Titel. Südkorea scheint irgendwie kein gutes Tartanpflaster für Sprinter zu sein.

Da wir gerade so nett über die Gedankenlosigkeit beim Startverhalten sprechen, im Schwimmen bewiesen die Sportler Karim Bare (Niger, Afrika) und Farkhod Oripov aus Tadschikistan (Zentralasien), dass die leichtathletischen Sprinter kein Monopol auf Fehlstarts besitzen. Denn von den drei Startern im ersten Vorlauf über die 100-Meter-Freistil des olympischen Rennens leisteten sich die beiden genannten Teilnehmer zu viele Fehlstarts, die zu deren Disqualifikation führten und ermöglichten so Eric Moussambani (besser bekannt als Eric the Eel) zu einem ungefährdeten Sieg in diesem Vorlauf, von dem man noch heute spricht.

Eingangs dieser Beispiele erwähnte ich schon die Fußballer, die uns nicht selten mit mehr oder weniger erhellenden Weisheiten beglücken und Jens Keller unterstützt die These mit seiner Aussage: *Da mach' ich mir vom Kopf her keine Gedanken*. Im Folgenden ein paar weitere Freud'schen Fehlleistungen aus der Reihe der Profikicker. So gab uns Andi Möller Nachhilfe in Geografie, indem er uns verriet: *Mailand oder Madrid – Hauptsache Italien*! Ebenso wissen wir von Andi Möller, dass er sehr selbstkritisch ist, vor allem sich selbst gegenüber. Eine Erkenntnis, die schwerlich von der Hand zu weisen ist. Aber nicht nur in Geografie können wir viel von den Fußballern lernen, sondern auch in der Mathematik. In der ersten Stunde gibt uns Hans Krankl einen Einblick in die Welt des Zählens: *Wir müssen gewinnen, alles andere ist primär*. Anschließend lehrt uns Fritz Langner die Grundzüge der Arithmetik mit folgender Textaufgabe: *Ihr fünf spielt jetzt vier gegen drei*. Darauf aufbauend erfahren wir von Fritz Walter jun.: *der Jürgen Klinsmann und ich waren ein gutes Trio. Ich meinte Quartett*. Und in der hohen Schule des Prozentrechnens erfahren wir von Roland

Wohlfarth: *Zwei Chancen, ein Tor – das nenne ich hundertprozentige Chancenverwertung*. Nach Mathematik folgt eine Lektion über Fremdwörter in der deutschen Sprache. So weiß Olaf Thon zu berichten: *Ich habe ihn nur ganz leicht retuschiert*. Und Lothar Matthäus sagt über seine Klasse: *Wir sind eine gut intrigierte Truppe*. Zur Auflockerung gibt es jetzt erst einmal eine Sporteinheit und Thomas Häßler weiß genau, worauf es dabei ankommt, wenn er sagt: *ich bin körperlich und physisch gut drauf*. Und Andi Möller brilliert auch in seinem Zweitfach Sport, wenn er uns auf seine Art wissen lässt, wie gut man sich nach ein wenig körperlicher Ertüchtigung fühlen kann: *Ich hatte vom Feeling her ein gutes Gefühl*. Im Sport kann es mit dem guten Gefühl aber auch ganz schnell zu Ende sein, nämlich dann, wenn man sich eine Verletzung zuzieht so wie es Fritz Walter jun. erging. Aber alles halb so schlimm, denn wie wir von ihm selbst erfahren haben: *Die Sanitäter haben mir sofort eine Invasion gelegt*. Auch Bruno Labbadia blieb vom Verletzungspech nicht verschont und berichtet über seine Wundbehandlung: *Das wird alles von den Medien hochsterilisiert*.

Doch zurück zum Unterrichtsfach Sport und dem Teilbereich Sportgeschichte, denn auch die Theorie darf nicht zu kurz kommen und Jörg Dahlmann sagt über den Abschied von Lothar Matthäus vom aktiven Sportlerleben: *Da geht er, ein großer Spieler. Ein Mann wie Steffi Graf*. Nach so viel sportlicher Bewegung ist es ganz wichtig den Kohlehydratspeicher wieder aufzufüllen und Spitzensportler wie Philip Lahm wissen ganz genau, worauf es dabei ankommt: *Man muss nicht immer das Salz in der Suppe suchen*. Ganz richtig. Es kommt auch auf die richtige Fleischeinlage an. Und hätte Ansgar Brinkmann, der weiße Brasilianer auf Exkursion im australischen Regenwald im Jahre 2018 nicht den Känguruschwanz mit dem Penis eines Kängurus verwechselt, hätte er damals ein würziges Abendmahl genießen können. Was hätte wohl sein Kumpel Rainer Calmund dazu gesagt. Wahrscheinlich gar nichts, sondern hätte ihn in ein Restaurant eingeladen, in dem man einen zünftigen Ochsenschwanz serviert bekommt. Na, dann Mahlzeit, Ansgar!

# DU bist Kondom

*Längst vergangen sind die Tage, in denen meine erste und einzige Assoziation mit Pisa (Italien) ein schief stehender Campanile war. Mittlerweile haben die PISA-Studien (Programme for International Student Assessment) der OECD (Organisation for Economic Co-operation and Development) diesen Rang abgelaufen. Leider!*

Grundsätzlich bin ich ein Fan des öffentlichen Personennahverkehrs und so ist es kein Wunder, dass ich als Pendler zu meinen jeweiligen Ausbildungs- und Berufsstätten sehr viel Zeit in Bussen und S-Bahnen verbracht habe. Und wie Matthias Claudius einst schrieb, wenn einer eine Reise tut, dann kann er was verzählen, auch wenn die Reise nur die alltägliche Pendler-Tour ist. Allein mit den Erlebnissen auf meinen Pendlerfahrten ließe sich ein ganzes Buch füllen. Deshalb verzichte ich auf die Darstellung meiner Erfahrungen und schildere Ihnen lieber – dem roten Faden dieses Buches folgend – meine Beobachtungen über die gesellschaftlichen und sozialen Veränderungen im Allgemeinen und im Besonderen die des Pendlerverhaltens.

Zu Beginn meiner Pendlerkarriere kam ich mir manchmal so vor, als sei ich auf dem guten alten Hamburger Fischmarkt, wenn ich früh morgens in ein Fahrzeug des Personennahverkehrs einstieg. Nicht etwa, weil in der Luft der betörende Geruch von Fisch lag, oder weil die anderen Fahrgäste lauthals eine Kakophonie anstimmten, ähnlich den Fischhändlern, die versuchen mit Stimmgewalt die Aufmerksamkeit der potentiellen Kunden auf sich zu richten, sondern weil viele der Pendler eine Zeitung hochhielten. Natürlich um diese zu lesen, nicht um darin Fische einzuwickeln. Dabei hielten sich regionale und überregionale Tageszeitungen und die Boulevard-Presse in etwa die Waage. Wer selbst keine Zeitung hatte, dafür aber gute Augen, konnte aus einem ausgewogenen Pressespiegel zumindest die Überschriften mitlesen und sich so einen Überblick über das aktuelle Tagesgeschehen verschaffen. Manchmal breiten sich die Zeitungsleser auch so stark aus, dass man die Zeitung so dicht vor der eigenen Nase hat, dass selbst ein kurzsichtiger Mensch keine Mühe hätte, neben der Überschrift auch noch den Rest des Artikels zu lesen. Doch, anstatt das Mitlesen zu tolerieren, quasi als Kompensation für die übermäßige Inanspruchnahme des vorhandenen Raumvolumens wurde man von manchen Zeitungslesern mit bösen Blicken und entsprechenden Kommentaren bedacht. Das Umblättern einer großformatigen Tageszeitung auf beengtem Raum ist eine Kunst für sich und das nervtötende Rascheln in der ansonsten eher schlaftrunkenen Atmosphäre trübte die kontemplative Stille nachhaltig. Und so ist es auch kein Wunder, dass der eine oder andere tollpatschige Versuch des Umblätterns in Kollateralschäden bei den umgebenden Mitreisenden endete. Ja, man kann fast sagen, dass Zeitungsleser die unbeliebteste Gruppe unter den Pendlern waren.

Mit der Zeit nahm das Rauschen im Blätterwald in den Fahrzeugen des Personennahverkehrs deutlich ab, zunächst bei den regionalen und überregionalen Tageszeitungen und schließlich auch bei den Boulevardzeitungen. Offensichtlich war Zeitunglesen nicht mehr en vogue. Und wann immer die dominante Spezies eines Habitats verschwindet, ergibt sich Raum für andere Spezies sich zu entfalten und den frei gewordenen Platz für sich zu vereinnahmen. So eroberten sich mit der Zeit iPods (oder andere MP3-Player) und Mobiltelefone den Platz an der Sonne. Dank modernster Mikroelektronik waren eine versperrte Sicht und ein verringertes Raumangebot nicht länger ein Problem, dafür ergab sich eine völlig neue Geräuschkulisse. Das blechern-kratzige Geräusch von Techno und Hardrock aus Earphones bei denen der Benutzer die Lautstärke maximal aufgedreht hat, die Klickgeräusche von Tastatureingaben und endlose, nervige Klingeltöne waren jetzt an der Tagesordnung und sicher wünschte sich manch Fahrgast wehmütig das Rauschen im Blätterwald zurück. Der diskrete Umgang mit dem neuen Kommunikationsmittel Mobiltelefon steckte noch in den Kinderschuhen und so kam es, dass nicht wenige Benutzer aus einer Profilneurose heraus es öfter klingeln ließen, als es notwendig gewesen wäre, nach dem Motto: *Seht her, ich bin voll hipp, denn ich habe jetzt auch ein Handy*. Die Genießer unter den Jüngern dieses Mottos verfuhren bei der Annahme eines Anrufes etwa wie folgt: zunächst wurde das Klingeln bis zum vierten oder fünften Mal ignoriert, dann wurde sorgsam die Rufnummer in der einzeiligen Flüssigkristallanzeige studiert bevor mit einer großen Geste die Taste für die Gesprächsannahme gedrückt wurde. Doch mit der Gesprächsannahme war das Vergnügen noch nicht vor, im Gegenteil, denn jetzt wurde der halbe Wagen, manchmal auch der ganze Wagen Zeuge von Welt bewegenden Ereignissen, wie diesem: *Ja, Schatz, ich denke daran heute Abend noch einen Liter Milch einzukaufen.* Eine SMS hätte es an der Stelle auch getan und diese kurz vor Feierabend platziert, damit der Milchmann es bis zum Abend nicht vergessen hat. Trotz der technischen Revolution war Lesen immer noch die Nummer Eins Beschäftigung unter den Pendlern, zwar keine Zeitungen mehr, wie bereits berichtet, aber aktuelle Belletristik, die Hausaufgaben, das Vorlesungsmanuskript, die Unterlagen für die gleich anstehende Klassenarbeit und Magazine jeglicher Art. Das erstaunliche an der neuen Generation von Lesern war jedoch, dass das Lesen meist in Konjunktion mit MP3-Playern stattfand. Abgesehen davon, dass ich es nicht verstehen kann, warum man sich beim Lesen zusätzlich noch mit Musik berieseln lassen muss, ist es beim Lernen allgemein und bei der

Vorbereitung auf die gleich anstehende Klassenarbeit oder den Test auch noch kontraproduktiv, sowohl für die Konzentration als auch für die Merkfähigkeit. Scheint sich aber noch nicht überall rumgesprochen zu haben.

Von hier an nahm die technische Revolution ihren Lauf – bei der elektronischen Ausstattung der Fahrgäste, nicht bei den Fahrzeugen der jeweiligen Verkehrsbetriebe. Erst wurden die Displays zwei- oder mehrzeilig, dann kamen die LCD-Matrix-Anzeigen, schließlich wurde das Ganze farbig. Und, während die Displays immer größer wurden, wurden die Mobiltelefone immer kleiner und leichter bis hin zum dem legendären Nokia 8210 / Nokia 8310, der *Zirpenden Grille* unter den Mobiltelefonen. Auf der Suche nach der perfekten Symbiose zwischen optimaler Handhabung und möglichst minimaler Baugröße ergaben sich eine Vielfalt von Bauformen, wie der traditionellen offenen Bauform, den ausziehbaren Geräten, den aufklappbaren Mobiltelefonen in allen möglichen und unmöglichen Designs und Farben und natürlich mit auswechselbarer Oberschale. Schließlich kam jemand auf die Idee einen Foto-Chip und eine kleine Optik in ein Mobiltelefon einzubauen und schuf damit eine völlig neue Kategorie von Geräten, das Foto-Handy. Fotos machen aber nur richtig Spaß, wenn man die gemachten Bilder auf dem Handy auch wieder betrachten kann und das bei einer kleinen Anzeige schwer machbar. Also verschwand der Trend zu immer kleiner werdenden Mobiltelefonen und kehrte sich sogar um. Die Anzeigen wurden immer größer, die Auflösung immer höher und folglich wurden auch die Geräte wieder größer. Gleichzeitig mit dieser Entwicklung wurden Mobiltelefone auch ins Internet eingebunden. Die Sache mündete schließlich – wie wir heute alle wissen – in die vorläufig letzte Entwicklungsstufe, dem Smartphone. Parallel zur Entwicklung des Smartphones kamen weitere elektronische Helferlein hinzu, wie

Laptops, Notebooks, E-Book-Reader und Tablets, die das Arsenal der Pendler komplettierten.

Irgendwann beim Übergang vom Mobiltelefon zum Smartphone kam noch ein weiterer Trend in Mode, der entweder zur Erheiterung oder zum Ärgernis wurde, je nachdem, ob man zu den Betroffenen gehörte oder nicht. Die Rede ist von Breakfast-To-Go. Frühstück zuhause ist definitiv out, zumindest an Werktagen. Als erfolgreicher Business-Mensch deckt man sich unterwegs bei einer Bäckerei oder einem Backshop ein und speist dann unterwegs. Der anfallenden Krümel entledigt man sich mit einem kräftigen Handstreich und verteilt diese so auf die umgebenden Mitfahrer und Sitze. Die Nostalgiker unter den Pendlern mögen sich über diesen neuen Trend gefreut haben, kehrte damit doch, zumindest ansatzweise, das Rauschen im Blätterwald zurück, diesmal in Form des unverwechselbaren Raschelns der Bäckereitüten. Ich habe mich oft gefragt, ob man Bäckereitüten mit Absicht dieses spezifische Geräusch verleiht, um bei den Mitmenschen einen Pawlowschen Reflex auszulösen, damit diese auch zum Kauf von Backwaren verleitet werden. Falls es keine Absicht ist, es funktioniert trotzdem. Frauen frühstücken weniger, denen reicht meist ein Coffee-To-Go, was aber zum logistischen Problem wurde. Denn als erfolgreiche Business-Frau von heute ist man bereits bepackt mit dem obligatorischen Handtäschchen, einer modischen Tasche nur für den Laptop oder das Notebook, einer Tasche für alle weiteren arbeitsspezifischen Unterlagen und einem Beutel mit den schicken oder den bequemen Schuhen, je nachdem, ob man die schicken Schuhe für die An- und Abreise trägt und für den Büroalltag auf die Komfort-Treter wechselt oder umgekehrt. Ein Coffee-To-Go-Becher, meist auch noch ohne Deckel, wird in diesem Szenario schnell zur tickenden Zeitbombe. Glauben Sie mir, als Augenzeuge und auch als Opfer weiß ich, wovon ich rede.

Wie in jeder Zweckgemeinschaft oder willkürlich zusammengestellten Gruppe von Menschen, so gibt es auch die bei den Nutzern des Personennahverkehrs ein paar wenige Spielverderber, die dem eben beschriebenen Treiben der anderen Fahrgäste einen Riegel vorschieben wollen und sich deshalb lautstark bei den Verkehrsbetrieben beschweren. Nach meinen Beobachtungen kommen diese Spielverderber weniger aus der Gruppe der Pendler selbst, als vielmehr aus der Gruppe der Gelegenheitsfahrer, also jenen, die den Personennahverkehr vielleicht zweimal im Jahr benutzen, z.B. wenn der Ü60-Kegelverein seinen jährlichen Wanderausflug unternimmt. Da wird dann über Alles und Jedes gebruddelt, was nicht der eigenen Norm entspricht, anstatt ein wenig Toleranz walten zu lassen, für die paar Minuten im Jahr, in der man sich in den Fahrzeugen und Wagen des Personennahverkehrs aufhält. Die Verkehrsbetriebe nehmen solche Kritik im Sinne aller Fahrgäste ernst und kontern mit dezenten Aufklebern mit international verständlichen Piktogrammen, so dass die Spielverderber auf eine höhere Instanz verweisen können und dabei ein gutes Gefühl haben. Ganz anders sieht es aus, wenn der Ü60-Kegelverein eine Fahrradtour unternimmt und ihre Fahrradflotte auch gerne mal außerhalb der offiziellen Fahrradtransportzeiten verfrachtet. In diesen Fällen wird dann Toleranz von den anderen Fahrgästen eingefordert. Tja, so sind wir Menschen eben gestrickt.

Neben den sehr dezenten Aufklebern zur Fahrgast-Etikette und dem Streckenplan natürlich, gibt es auf und in den Wagen und Fahrzeugen der Verkehrsbetriebe noch allerhand andere Druckwerke, die meisten davon zum Zwecke der Produktwerbung. Darüber hinaus sind auf den Bahnhöfen große Plakatflächen verfügbar, so dass man als Pendler immer auf dem neuesten Stand der aktuellen Werbekampagnen ist. Und eine der größten Medienkampagnen in diesem unserem Lande war weder eine Werbung für Zigaretten noch Werbung für eine bestimmte Automarke, sondern eine Social Marketing Kampagne namens *Du bist Deutschland* im Jahre 2005 und 2006. Erinnern Sie sich noch? Sollten Sie aber, denn der Aufwand für diese Kampagne war enorm und sollte 98 Prozent der in Deutschland lebenden Menschen erreichen und das nicht nur einmal, sondern jeder Einzelne sollte mindesten 16-mal angesprochen werden. Das ergibt rein rechnerisch 1,6 Milliarden mediale Kontakte. Entsprechend gigantisch war der Aufwand bei den Mediaträgern: allein 11 Fernsehsender strahlten den TV-Spot aus, der aber auch in 1.866 Kinos in 340 Orten zu sehen war. Die Printmedien waren mit nicht weniger als 40 Zeitschriften, acht überregionalen und 13 regionalen Tageszeitungen beteiligt und in 80 Orten hingen 2.326 Plakate auf großformatigen Werbeflächen aus. Initiiert wurde diese Medienkampagne von Gunter Thielen, damals Vorstandsvorsitzender der Bertelsmann AG, welche die Kampagne Feder führend leitete. Außer der Bertelsmann AG waren weitere 25 Medienunternehmen und zahlreiche Prominente beteiligt, die unentgeltlich ihre Dienste zur Verfügung stellten. Zu den prominenten Unterstützern zählten, unter anderem Günter Jauch, Oliver Kahn, Harald Schmidt, Xavier Naidoo, Maria Furtwängler, Anne Will, Reinhold Beckmann und Yvonne Catterfeld und viele andere mehr.

Der Zweck dieser Initiative war es, nach der über Jahre anhaltenden schwachen Konjunkturphase und der entsprechend eingetrübten Stimmung in Deutschland die Bürger dazu zu motivieren, mehr Initiative und Zuversicht zu zeigen und optimistischer in die Zukunft zu schauen. Entsprechend wurde das Kernstück der Kampagne, ein zweiminütiger TV-Spot, als typischer Motivationsfilm gestaltet, um die Menschen auf rein emotionaler Ebene anzusprechen und spontan zu begeistern. Als Hintergrundmusik wurde das aus dem Film *Forrest Gump* bekannte *Feather Theme* von Alan Silvestri verwendet, während die zumeist prominente Darsteller an alltäglichen oder historisch bedeutsamen Orten der Bundesrepublik Deutschland die typischen Parolen ausgaben, die jeder gute Motivationstrainer in seinem Standardrepertoire parat haben sollte. Hier ein kleines Zitat aus dem TV-Spot: *Ein Schmetterling kann einen Taifun auslösen. Der Windstoß, der durch seinen Flügelschlag verdrängt wird, entwurzelt vielleicht ein paar Kilometer weiter Bäume.* Ende des Zitats. Ja genau, der vielfach strapazierte Schmetterlingseffekt in nichtlinearen dynamischen deterministischen Systemen, der gerne auch (fälschlicherweise) als Synonym für die Chaos-Theorie benutzt wird, muss einmal mehr herhalten, um zu zeigen, dass selbst der kleinste Hobbit unter uns Mutter Erde zu verwüsten vermag. Oh, halt! Fehlinterpretation! Da habe ich mich wohl durch die Wörter *Taifun* und *Bäume entwurzeln* hinreißen lassen. Natürlich geht es darum, dass jeder von uns einen positiven Beitrag leisten kann und dass jeder eine Stimme hat, die zählt. Aber eines verstehe ich an dem Zitat nicht. Reden wir hier von einem Taifun oder doch eher von Sturmtief Lothar, denn ein Taifun ist ein tropischer Wirbelsturm, der in Ostasien und Südostasien, sowie im nordwestlichen Teil des Pazifiks auftaucht, und zwar westlich der Datumsgrenze und nördlich des Äquators. Es ist als schwer zu glauben, dass ein Taifun in der Eifel oder irgendwo anders in Deutschland Bäume entwurzelt, mit oder ohne Schmetterlingseffekt. Anderseits dürften die Bewohner des ost- und südostasiatischen Raumes nicht sehr begeistert darüber gewesen sein, dass 80 Millionen Bundesbürger auf einmal den Schmetterling in sich entdeckten und elfengleich mit ihren Armen den Flügelschlag imitierten.

Um den Inhalt besonders prägnant zu machen, wurden so oft es ging Metaphern verwendet, die mit *Du bist* anfingen, um damit die persönliche Ansprache an jeden Einzelnen noch mehr hervorzuheben. Schließlich mündete der gesamte Textvortrag in den zentralen Slogan der Kampagne *Du bist Deutschland*. Wollte man die Aussage des Spots in einem Satz zusammenfassen, dann würde ich aus John F. Kennedys Amtsantrittsrede vom 20. Januar 1961 im Kapitol zitieren: *Fragt nicht, was euer Land für euch tun kann – fragt, was ihr für euer Land tun könnt.* Und mit dieser Aussage sprach der TV-Spot mir voll aus der Seele, denn wo immer man sich damals auch umhörte, war jedermann nur am Jammer und Nörgeln, wie schlecht es uns doch gehe, verbunden mit immer neuen Forderungen an den Staat nach mehr finanzieller Unterstützung. In Deutschland nennen wir das gerne Jammern auf hohem Niveau, was die Sache eher noch schlechter als besser macht, zeigt es doch deutlich die fehlende Wertschätzung für all die Errungenschaften, die in vielen anderen Ländern nicht selbstverständlich sind. Vermutlich hat Herr Thielen die negative Stimmung ebenso als übertrieben und unangemessen empfunden, bevor er ganz im Zeichen dieser Kampagne für mehr Eigenverantwortung und Initiative, die Räder ins Rollen gebracht hat.

Nachdem man so viel Aufwand in die Kampagne gesteckt hat wollte man natürlich wissen, wie erfolgreich diese von den Bürgern aufgenommen wurde. Dafür beauftragte man die Gesellschaft für Konsumforschung mit einer Untersuchung. Eine repräsentative Umfrage zwei Wochen nach dem Start der Kampagne ergab, dass 35 Prozent der Befragten die Kampagne bewusst wahrgenommen hätten und etwas mehr als die Hälfte davon, nämlich 54 Prozent fühlten sich *positiv angesprochen* und 23 Prozent der Befragten fanden kein Gefallen an der Kampagne. Unter anderem wurde vor allem das vertrauliche *Du* kritisiert, was ich bereits weiter oben in diesem Kapitel als eines der stärksten Stilmittel der Kampagne beschrieben habe, und dass, obwohl ich ein nach wie vor ein großer Fan und aktiver Verwender des immer weiter schwindenden Honorifikums bin. Offensichtlich wurde das Duzen in der Medienkampagne nicht als Stilmittel der direkten Ansprache erkannt. Aber diese Kritik ist so typisch für Menschen, die völlig oberflächlich und unreflektiert ihre Umgebung wahrnehmen. Man reibt sich lieber an einer beliebig austauschbaren Formulierung und ignoriert dabei vollkommen die eigentliche Aussage, den Inhalt, die Message. Vielleicht wäre die Akzeptanz der Kampagne höher gewesen, hätte man zu jedem Medienkontakt einen günstigen Hot Dog oder ein landestypisches Fleischbällchengericht angeboten, so wie man es in den Filialen eines schwedischen SB-Marktes für Möbel und Wohn-Accessoires tut. Vielleicht fragen Sie sich jetzt, wie ich denn auf diesen schrägen Einfall komme? Nun, das ist doch offensichtlich, denn in den Medienkampagnen dieses Konzerns werden wir seit Jahr und Tag geduzt und ich könnte wetten, dass hat die Du-bist-Deutschland-Kritiker nicht davon abgehalten, ihre Wohnungen mit schwedischen Selbstbau-Möbeln aus polnischer Produktion auszustaffieren. Als Beispiel für eine solche Medienkampagne möchte ich nur den Slogan *Wohnst du noch oder lebst du schon* zitieren. Die ganz Smarten unter den Duzt-Kritikern mögen jetzt einwerfen, dass in Schweden jeder jeden duzt, aber das war nicht immer so, sondern wurde erst gegen Ende der 1960er Jahre populär. Davor hatten die Schweden sehr wohl eine Höflichkeitsform, die jedoch ziemlich kompliziert war, so dass selbst die Schweden Mühe hatten, diese korrekt umzusetzen. Ein wichtiger Wegbereiter des Duzens in Schweden war Bror Rexed. Bei seinem Amtsantritt zum Direktor der schwedischen Gesundheits- und Sozialbehörde verkündete er gegenüber seinen Mitarbeitern und den Klienten seiner Behörde *Kalla mig Bror* (*Nennt mich Bror*). Auch im Schriftverkehr der Behörde wurde fortan jeder Adressat geduzt. Und so verschwand allmählich die Höflichkeitsform in Schweden. Aber auch hier zulande ist die Höflichkeitsform zunehmend am Aufweichen, bedingt vor allem durch die intensive Nutzung des Internets und anderer elektronischer Kommunikationsformen, die fast ausschließlich das persönliche Du verwenden. Auch im Fernsehen zum Beispiel in Game Shows treten nur noch Kandidaten ohne Nachnamen an, die sich selbst wie Teenager auf einer Party vorstellen: *Hi, ich bin die Babsi!* Gegen den allgemeinen Trend werden die Lehrer an den höheren Bildungsanstalten in Deutschland angehalten, die Schüler der Oberstufe in der Höflichkeitsform anzureden. Mir war das gleichgültig, ob dieselben Lehrer, die mich jahrelang geduzt haben, nach den Sommerferien der zehnten Klasse mich nun siezen müssen. Von mir aus hätten sie damit auch noch die letzten drei Jahre fortfahren können, mich zu duzen, da wäre mir kein Zacken aus der Krone gebrochen und hätte weder meinem Selbstwertgefühl noch meiner Persönlichkeitsentwicklung geschadet. Aber wie immer gilt, keine Gruppe ohne Spielverderber und so ist es nicht verwunderlich, dass es natürlich auch Schüler gab, die unbedingt auf das Siezen bestanden und bei entsprechenden Verfehlungen des jeweiligen Lehrers eifrig darauf hinwiesen. Müßig zu sagen, dass dieses Verhalten besonders bei denjenigen Schülern ausgeprägt war, die man mit den Begriffen Höflichkeit und Respekt nicht unbedingt assoziiert.

Ich bleibe dabei, die Du-bist-Deutschland-Kampagne hatte es wirklich nicht verdient, nur auf diese Duzt-Sache reduziert zu werden. Umso trauriger war es, dass bereits so viele Personen die Kampagne lediglich aufgrund des verwendeten Vokabulars verurteilten und sich damit der beabsichtigte Effekt erst gar nicht einstellen mochte. Aber auch die professionellen Kritiker waren mit ihrer Kritik nicht besonders tiefgründig, indem sie die Medienkampagne als reine Stimmungsmache ohne Inhalt verurteilten. Diese Kritik mag seine Berechtigung haben, aber wenn man sich die Zielsetzung der Kampagne ansieht, eine möglichst breite Masse zu erreichen, dann geht das in einer so diversifizierten Gruppe nur auf dem kleinsten gemeinsamen Nenner und das ist nun einmal die emotionale Ebene.

Jeder andere Ansatz würde von vornherein zu viele Personen ausschließen und verbietet sich daher von selbst. Zum Abschluss meiner Auslassungen über die Du-bist-Deutschland-Kampagne möchte ich noch auf eine kleine Szene in dem TV-Spot eingehen, die mir irgendwie befremdlich erschien, nämlich Reinhold Beckmann als Fahrgast in einem Wagen des öffentlichen Personennahverkehrs möglicherweise während der Pendlerzeiten. Liegt es nur an mir oder warum kann ich mir Herrn Beckmann nur schwer als Pendler vorstellen, aber vielleicht macht sein Kegelclub auch gerade seinen Jahresausflug und er ist mit dem Fahrrad unterwegs.

Doch zurück zum eigentlichen Thema, denn eine weitere Medienkampagne hat mich über die Jahre als Pendler begleitet, nämlich *mach's mit* von der Bundeszentrale für gesundheitliche Aufklärung (BZgA). Darin wird das Benutzen von Kondomen propagiert, sowohl zur Verhütung als auch zum Schutz vor sexuell übertragbaren Krankheiten. Auf den Plakaten waren zumeist Fotos von einem oder mehreren gefärbten Kondomen im aufgerollten Zustand zu sehen, die durch Stiftzeichnungen zu bestimmten Objekten ergänzt wurden. Dazu gab es einen Begriff oder sehr kurzen Text, der eindeutig zweideutigen, aber humorvollen Art und Weise, der die Grafik kommentierte. Ein Beispiel: ein Maiskolben, dem ein Kondom übergestülpt und mit dem Text versehen wurde: *Poppt sicher!* Über die Jahre gesehen gab es eine ganze Reihe dieser Plakate zu sehen und ich war immer neugierig darauf, was sich die Werbefachleute als nächstes ausdenken würden. Was mir an der Kampagne besonders gefallen hat war die Art und Weise, wie dieses hochsensible und in der Öffentlichkeit oft tabuisierte Thema angesprochen wurde. Dabei wurde nicht nur die nötige Sensibilität gezeigt, sondern auch noch sehr viel Intelligenz und Humor. Allerdings habe ich mich oft gefragt, ob für die mutmaßliche Zielgruppe die Aufklärungskampagne nicht schon zu intelligent und zu humorvoll war, um wirklich ernst genommen zu werden. Ich kann es Ihnen nicht sagen, aber persönlich würde ich dazu tendieren, eher nicht an eine hohe Effektivität zu glaube. Allerdings sollte man den Einfluss von Werbung niemals unterschätzen. Erinnern Sie sich noch an die Einführungskampagne des Stromanbieters Yello Strom? Vehement wurde uns darin eingebläut, dass Strom gelb sei, nur weil die Farbe des Unternehmenslogos auch gelb ist. Wenn man die Leute auf der Straße befragen würde, welche Farbe Strom hat, dann bin ich mir sicher, dass von denjenigen Personen, die eine Farbe nennen, die meisten mit gelb antworten würden. Das ist kompletter Unfug, den die Farbe von Strom ist, nicht gelb, sondern grün und dass nicht nur bei Öko-Strom. Und ich kann es beweisen! Jedes Mal, wenn der Akku meines Android-Smartphones vollständig entladen ist und ich das Ladekabel anschließe, dann zeigt mir das Gerät an, wie sich der Strom vom USB-MicroB-Stecker in kleinen grünen Blubberblasen durch das Smartphone in Richtung Akku bewegt und sich dort ansammelt. Also merken Sie sich bitte, Strom ist grün, es gibt keine Aliens und keine Men in Black. Was für ein leichtgläubiger Menschenschlag!

Das mit Abstand interessanteste, was man beim Pendeln beobachten kann sind die Pendler selbst, zu denen auch Schulkinder und Berufsschüler gehören. Morgens wurden die Aufschriebe herausgeholt, um noch ein bisschen Unterrichtsstoff für die gleich anstehende Klassenarbeit aufzusaugen und auf der Rückfahrt wurde versucht, die Hausaufgaben zu lösen. Was man da teilweise zu sehen bekommt lässt einen daran zweifeln, dass diese Generation jemals für unsere Rente aufkommen soll. Und auf einmal wirkt das Abschneiden in der PISA-Studie wie ein geschmeicheltes Resultat. Glauben Sie nicht? Wie wäre es mit einer kleinen Kostprobe? OK, überredet: eines Tages steigt ein äußerst aufgebrachter Schüler aus der zehnten Klasse mit ein paar weiteren Mitschülern in den Wagen und schimpft wie ein Rohrspatz über seine Lehrerin für Mathematik. Dabei lässt er kein gutes Haar an ihr und an ihrem Unterricht. Dabei spart er auch nicht an bösen Wörtern, die ich hier natürlich nicht wiedergeben möchte. Natürlich war ich sehr daran interessiert, den Grund für seine Aufgebrachtheit zu erfahren, wie vermutlich auch die Hälfte der anderen Fahrgäste in diesem Wagen. Zwischen all den Flüchen und Schimpfwörter setzte sich allmählich das Gesamtbild zusammen. Schuld an der Misere: die Mitternachtsformel! Und natürlich die Lehrerin. Oder besser gesagt: die wirklich fatale Kombination aus beidem. Sie erinnern sich doch noch an die Mitternachtsformel, oder? Sollten Sie aber, denn, so hat es mein damaliger Mathematik-Lehrer uns Schülern eingebläut, die Mitternachtsformel sei eine der wichtigsten Formeln, die wir während unserer Schulzeit lernen würden. Auf die Frage, warum die Formel diesen seltsamen Namen hat, sagte er: *Wenn ich um Mitternacht an eurem Bett stehe und euch einen Eimer kaltes Wasser über den Kopf gieße und nach der Mitternachtsformel frage, dann muss die Antwort wie aus der Pistole geschossen kommen!* Und weil zu jener Zeit die Lehrer noch ernst genommen wurden, lernte jeder von uns die Formel auswendig und wir hauten uns das Ding bei jeder unpassenden Gelegenheit gegenseitig um die Ohren. Ein Zögern oder gar das falsche Aufsagen der Formel stempelte einen zum Mathe-Loser des Tages. Das waren harte Zeiten damals. Allerdings nahmen wir die Lehrer auch nicht so ernst, dass wir wirklich glaubten, dass sie eines schönen Mitternachtstraumtages leibhaftig mit einem Eimer Wasser in unseren Schlafzimmern auftauchten – jedenfalls war es bei den meisten so. Der Vater einer unserer Mitschüler war Mathe-Lehrer und das auch noch an derselben Schule – hier war also ein reales, latentes Risiko vorhanden. Damit nun niemand die Mitternachtsformel Googlen muss, weil der eine oder andere ganz umsonst des Mitternachts nass werden würde, hier die Formel in voller Pracht: x-Index-eins-zwei-ist-gleich-minus-b-plus-minus-wurzel-aus-b-zum-Quadrat-minus-vier-mal-a-mal-c-und-das-alles-geteilt-durch-2-a. Alles kein Hexenwerk. Rückblende auf unseren zornigen, kleinen Mann. Der erzählte, dass die Lehrerin gegen Ende der Stunde ein wenig unter Zeitdruck geraten ist, die Koeffizient a, b und c noch bestimmte und in die Formel eingesetzt und an die Tafel geschrieben hätte, aber nicht mehr dazu gekommen ist, das Ergebnis auszurechnen und es den Schülern als Hausaufgabe aufgab. Keine große Aufgabe sollte man meinen aber - PISA ick hör dir trapsen - unser Musterschüler sah sich vor ein schier unüberwindliches Problem gestellt und in einer Mischung aus Entrüstung und abgrundtiefer Verzweiflung stellte er die rhetorische Frage in den Raum, wie man denn von ihm erwarten konnte, diesen Term ohne Erklärungen auszurechnen. Seine Kumpels, offensichtlich auch alles Musterschüler, stimmten ihm natürlich zu, während den meisten anderen Fahrgästen längst klar war, dass von ihm auf dem Feld der Mathematik keine großen Taten zu erwarten sind.

Nun ja, Mathematik ist Spezialwissen und nicht jedermanns Sache, aber auch von den anderen Fahrgästen kann an eine Menge an Allgemeinwissen erwerben. Da war mal ein Ehepaar, welches mit einem befreundeten Pärchen über die bevorstehende Hochzeit ihrer Tochter sprach. Während die stolzen Brauteltern auflisteten, welche Vorbereitungen noch zu treffen seien, erwähnte die Brautmutter ganz beiläufig, dass ihre Tochter das Wichtigste für die Hochzeit bereits habe. Mein Gehirn entschied sich sofort für *Antwort A Bräutigam*, loggte ein und setze auch gleich noch das grüne Häkchen hinter die Antwort, denn – so die logische Erklärung – ohne Bräutigam, keine Hochzeit. Unter den tatsächlichen Kandidaten machte der männliche Part des befreundeten Pärchens das Rennen und entschied sich ebenfalls für *Antwort A*, was mich in meinem Glauben, die richtige Antwort gefunden zu haben, noch bestärkte. Zum Entsetzen aller, außer der Brautmutter natürlich, wäre die richtige Wahl jedoch *Antwort B Die Brautschuhe* gewesen. Ich sah meinen Denkfehler sofort ein, denn zu glauben, dass für eine Frau der zukünftige Ehegatte das wichtigste Utensil bei einer Hochzeit sei, war allein meinem männlichen Chauvinismus geschuldet. Um mein angekratztes Ego nicht noch weiter leiden zu lassen, verkniff ich mir die Überlegungen, auf welchem Listenplatz aus Sicht der Brautmutter der Bräutigam eingereiht werden würde. Auf dieser Pendlerfahrt hatte ich erst mal genug gelernt.

# Der Vater, der Sohn, das Buch

*Wenn ein Kopf und ein Buch zusammenstoßen und es klingt hohl, ist es denn das allemal im Buch?*

Georg Christoph Lichtenberg

Sie glauben gar nicht, wie viele Erkenntnisse man im ganz gewöhnlichen Alltag gewinnen kann, wenn man die Augen und Ohren ein wenig offenhält. In diesem Fall war es beim Shopping, aber ich habe keine Ahnung mehr in welchem Laden sich das folgende kleine Drama abgespielt hat. Spielt aber auch keine Rolle, denn der Ort der Handlung ist beliebig austauschbar. In jenem beliebig austauschbaren Laden also, befand sich ein typischer Ramschtisch mit allerhand Gesellschaftsspielen und bunten Spielzeugen, die die Aufmerksamkeit von Kindern auf jeden Fall auf sich ziehen würden. Ebenfalls auf dem Ramschtisch vorhanden waren ein paar wenige Bücher, Kinderbücher und Malbücher, wie ich aufgrund der anderen Ramschartikel vermutete, denn erkennen konnte ich es von meiner Beobachterposition aus nicht. Vorstellung der handelnden Personen: eine junge Familie mit Migrationshintergrund, Vater, Mutter und zwei Söhne im Alter von acht und elf Jahren, deren Kulturkreis Frauen das Tragen eines Kopftuches aus nicht-modischen und nicht-meteorologischen Gründen ausdrücklich erlaubt. Das sagte mir wiederum, dass die handelnden Personen eher dem traditionell-konservativen Umfeld zuzuordnen sind. Die Nationalität spielt nur insofern eine Rolle, als dass ich die Sprache nicht verstehen konnte, in der die folgende Diskussion gehalten wurde. Allerdings bedurfte es auch nicht viel Sprachverständnis, um die Standpunkte der Diskussionsparteien zu verstehen. Wenn Sie sich fragen, warum ich überhaupt diese Szene überhaupt so genau beobachtet habe, dann lautet meine Antwort zum einen, weil es sich gerade so ergeben hat und zum anderen, weil ich neugierig war, was von dem Ramschtisch die Kinder wohl so herauspicken würden.

Die handelnden Personen in der Reihenfolge des Auftretens: zuerst kam der ältere der beiden Jungen zum Ramschtisch und steuerte langsam und ohne Hast die Stelle an, an der die Bücher ausgelegt waren. Danach folgte der jüngere Bruder und kurz dahinter, offensichtlich mit der Aufgabe der Brutaufsicht betraut die Mutter der beiden Jungen. In einigem Abstand zum Ramschtisch und damit auch zum Rest der Familie betrat der Vater die Szenerie und war offensichtlich beschäftigt mit ... gar nichts. Ich beobachtete, wie der ältere der beiden Jungen sich nur für eine einzige Sache auf dem Ramschtisch interessiert, nämlich für einen großformatigen, wunderschön gestalteten Weltatlas. Der Junge begann darin zu lesen und die Zufriedenheit und Begeisterung für dieses Buch spiegelten sich in seinem Gesicht wider. Und ich war ebenso erfreut zu sehen, dass bei all den Verlockungen für Kinder, die auf diesem Ramschtisch lagen, der Junge sich ausschließlich für dieses Buch interessierte, zumal das Thema ebenfalls nicht zu den Top-Themen gehören, für die man sich als Kind interessiert. Das Buch war noch nicht einmal kindgerecht geschrieben, wie ich mich später noch vergewissern konnte. Nachdem der Junge eine Weile in dem Buch gelesen hatte, kam der Vater näher hinzu und mahnte zum Weitergehen. Der Junge bat ihn, ihm das Buch zu kaufen. Der Vater lehnte ab aber der Junge argumentierte weiter und die Reaktionen seines Vaters wurden zunehmend ungehaltener. Schließlich folgte so etwas, was ich als finales patriarchalisches Machtwort interpretierte.

Die ganze Szene tat mir in der Seele weh, denn der Junge bettelte nicht um einen Plastik-Saurier oder um die Super-Pump-Water-Pistol, die einen Wasserdruck wie ein Hochdruckreiniger im bekannten gelb-schwarzen Design entwickelt, sondern um ein Buch, um Wissen und Bildung sozusagen. In Konjunktion mit Kindern aus Familien mit Migrationshintergrund wird auch gerne der Begriff bildungsferne Schichten verwendet, wobei Familien mit Migrationshintergrund natürlich nur eine Teilmenge der bildungsfernen Schichten bilden. In diesem Moment war ich mir nicht sicher, ob diese Bildungsferne aus einem aktiven oder passiven Prozess heraus entstanden ist. Passiv bedeutet, man lässt nur so viel Bildung zu, wie es zum Beispiel der Gesetzgeber vorschreibt (Schulpflicht) und ansonsten keine weiteren Anstalten unternimmt, um etwas mehr an Bildungen ins eigene Leben einzubringen. Oder ist es ein aktiver Prozess bestimmter Bevölkerungsschichten sich gegen mehr Bildung und Wissen zu entscheiden. In dieser kleinen Alltagsszene war ich fast geneigt, an letzteres zu glauben, denn wer weiß, inwieweit dieses Buch die weitere Entwicklung des Jungen bestimmt und zu was es ihn inspiriert hätte. Selbst wenn sich nur seine Sprachkenntnisse durch das Lesen des Buches verbessert hätten und das Wissen, wo welches Land liegt und welche Hauptstadt es hat, dann wäre das ein positiver Aspekt im Sinne der Allgemeinbildung gewesen. Möglicherweise hätte sich das Vorbild des älteren Jungen auch positiv auf dessen Bruder übertragen. Je mehr ich darüber nachdenke, desto weniger Gründe fallen mir ein, dass das Buch keinen positiven Einfluss gehabt hätte. Natürlich habe ich als Kind auch viele Sachen nicht bekommen, aber nie wurde mir ein Bücherwunsch verwehrt, worüber ich heute noch sehr dankbar bin.

Apropos Allgemeinwissen in Geografie, welches ich als elementar erachte, denn jeder Mensch sollte die Kontinente richtig benennen können und zumindest deren wichtigsten Einzelstaaten inklusive der jeweiligen Hauptstädte. Aufgrund der damals aktuellen Drohungen von Donald Trump gegenüber Nordkorea, sah sich der amerikanische Late-Show-Moderator Jimmy Kimmel veranlasst, doch einmal zufällig auf der Straße ausgewählte Passanten zu fragen, wo denn Nordkorea läge und die Passanten angewiesen, dies auf einer Weltkarte zu zeigen. Das Resultat war gleichermaßen amüsant, wie verheerend. Ich möchte niemanden verurteilen, wenn jemand Nordkorea nicht finden kann, nimmt die Fläche dieses Landes auf so einer Weltkarte doch relative geringe Ausmaße an. Aber die richtige Region sollte man schon identifizieren können und wenn man die Nachrichten zu den nordkoreanischen Raketentest verfolgt hat, dann hat man vielleicht noch im Hinterkopf, dass Japan als Nachbarland sich nicht ohne Grund Sorgen darüber macht. Aber anstatt des Bereichs um Japan herum einzukreisen, brachte eine Frau es fertig, Kanada als Nordkorea zu deklarieren. Man sollte meinen, dass es sich im eigenen Land rumgesprochen haben sollte, wer der nördliche Nachbar ist, aber offensichtlich ist das nicht der Fall. Es ist jedoch nichts so schlimm, dass es nicht noch schlimmer werden könnte, denn eine Passantin aus Virginia tippte direkt auf die USA. Im Falle eines Falles wäre das ein kurzer Anreiseweg für die amerikanischen Truppen. Herzlichen Glückwunsch, das entlastet den Militäretat enorm und ganz nebenbei wurde der Begriff Heimatfront auch noch neu definiert! Angespornt von den Fehlleistungen seiner Mitbürger startete Jimmy Kimmel eine weitere Straßenumfrage, diesmal sollten die Passanten ein beliebiges Land ihrer Wahl auf der Weltkarte zeigen. Viele scheiterten bereits daran, sich für ein Land zu entscheiden, was insofern erstaunlich ist, da die Amerikaner doch ein wenig dazu neigen, die Mia-san-mia-Mentalität noch stärker auszuleben, als es die Bayern selbst tun. Da sollte es doch nahe liegen, auf das eigene Land zu tippen. Aber Fehlanzeige, vielen fiel nicht einmal das eigene Land ein, dafür wurde aber überraschend oft Afrika als Kontinent genannt. Ein Land in Afrika wollte den meisten aber auch nicht einfallen, nur einer der Gefragten nannte Südafrika und versetzte es kurzerhand in die Sahara. Warum Südafrika wohl Südafrika heißt? Vermutlich war der Gedanke, dass der Kontinent Afrika im Ganzen bereits weit genug südlich platziert ist. Ich kann mich nur wiederholen: amüsant, aber verheerend.

Doch zurück zu den eigentlichen Protagonisten dieses Kapitels. Wie gesagt, aufgrund der Sprachbarriere kann ich Ihnen nicht so genau sagen, warum der Junge das Buch nicht bekommen hat, im Zweifelsfall lag es am knappen Geld, was ich als einziges Argument gelten lassen kann. Als die Familie sich von dem Ramschtisch entfernt hatte schaute ich mir das Buch genauer an und auch den Preis, der mit 6.95 Euro mehr als ein Schnäppchen für so ein Buch war. Das machte mich schon fast wütend, denn selbst mit einem sehr knappen Budget lassen sich die knapp sieben Euro abzwacken und ich war drauf und dran, dem Jungen das Buch zu kaufen. Allerdings widersprach so ein Vorgehen meinem Prinzip, mich nicht in die Erziehung fremder Kinder einzumischen und damit die Autorität der elterlichen Entscheidung in Frage zu stellen. Dennoch ärgere ich mich heute noch, dieses Prinzip nicht ausnahmsweise mal über Bord geworfen zu haben.

# Thunberg - Tesla – Terminator

*Oft bedarf es nur eines kleinen Zündfunkens, um die Dinge ins Rollen zu bringen. Eine sprachliche Analogie, die direkt von den ökologisch nicht korrekten Verbrennungsmotoren unserer Fahrzeuge entlehnt sein könnte. Ein solcher Zündfunke war es auch, der mich dazu bewog, das Thema Greta Thunberg noch einmal aufzugreifen und diesem sogar ein weiteres Kapitel zu widmen.*

Da war Tintin nun endlich in Amerika angekommen und die Menschen in Europa, aber auch in vielen anderen Ländern freuten sich darüber wie Bolle und warteten gespannt auf ihre öffentlichen Auftritte und vor allem natürlich auf ihre Rede vor der UN, dem eigentlichen Zweck der abenteuerlichen Seereise. Bereits vor Reiseantritt hatte Tintin verlauten lassen, dass sie sich auf gar keinen Fall mit Donald Trump treffen werde, dieser sei verrückt und wenn andere ihn nicht von der dringenden Notwendigkeit umfassender Klimaschutzmaßnahmen überzeugen können, könne sie das auch nicht. Ein Treffen mit Trump wäre also pure Zeitverschwendung, so ihre eigenen Worte. Nun ja, man kann so argumentieren, wie es Tintin getan hat, dass ist jedoch weder klug noch sinnvoll. Und diplomatisch schon gar nicht, denn Trump, ob verrückt oder nicht, ist nun einmal der amtierende Landes- und Herbergsvater für die UN-Funktionäre und deren Gäste aus aller Welt und damit auch für Tintin, die sich auf Einladung der UN in den USA befand. Da wäre es doch opportun gewesen, ein gegenseitiges Treffen mit Trump zu vereinbaren, um wenigstens den Versuch zu unternehmen, positiv auf ihn einzuwirken. Denn eines steht fest, um ein globales Problem wie den Klimaschutz in Griff zu bekommen sollten möglichst alle Staaten mit ins Boot geholt werden, das gilt erst recht für eine hochentwickelte Industrienation wie die USA, die zudem als Vorbild vieler anderer Nationen großen politischen Einfluss auf solche Länder nehmen kann. Stattdessen liefern sich der angeblich mächtigste Mann der Welt und ein kleines schwedisches Mädchen, dass zu den 100 einflussreichsten Persönlichkeiten 2019 zählte und Trägerin des schwarzen Right-Livelihood-Awards-Gürtels ist ein kindlich-kindisches Scharmützel über einen Internet-basierten Kurzmitteilungsdienst, für das beiden kindischen Kindsköpfe auch noch reichlich Applaus von der internationalen Fangemeinde für kindischen Kindsköpfe ernteten. In diesen Reigen kann ich mich leider nicht einreihen, denn ich sehe darin eine verpasste historische Chance und ein wenig durchdachtes Vorgehen, um etwas Positives für den Klimaschutz zu erreichen.

Schließlich war der mit Spannung erwartete Tag gekommen, an dem Tintin ihre Rede vor der UN halten sollte und ich war ein wenig enttäuscht, denn inhaltlich war die Rede sehr stark an ihren Vortrag auf der UN-Klimakonferenz 2018 in Katowice (Polen) angelehnt. Ganz anders war jedoch die gewählte Tonart des Vortrags, die sehr viel episches Pathos enthielt und an den Stellen, an denen 2018 noch von *wir* und *uns* gesprochen wurde, vor Ich-Bezogenheit nur so triefte. Vielleicht dachte sich Tintin, wenn sie schon mal die Gelegenheit hat, allen Großmächtigen dieser Welt die Meinung zu sagen, dann müsse sie noch eine Schippe draufpacken und so ließ sie die Silberbüchse und den Henrystutzen vollkommen unbeachtet im Waffenschrank hängen und griff beherzt nach dem Bärentöter. Was ich mit dem Wort Pathos umschrieben habe wurde von der internationalen Presse als Wutrede bezeichnet, aber so oder so, für meinen Geschmack war das Ganze einen Touch-too-much. In Theaterkreisen würde man von Overacting sprechen, also von dem übertriebenen Gebrauch von Mimik und

Gestik. Da unsere Tintin einer Schauspielerfamilie entstammt, sollte sie darüber eigentlich Bescheid wissen, zumindest hätte ihr mitgereister Vater sie besser beraten oder sogar coachen können. Angesichts des Ortes und der anwesenden Zuhörerschaft wirkte die Rede in meinen Augen eher befremdlich als überzeugend, mehr wie eine emotionale Auswanderung aufm Sofa, respektive auf dem Armlehnen-losen Stuhl. Wo habe ich diese seltsame Formulierung nur schon mal gehört? Aber selbst, wenn man das alles auf ihr Asperger-Syndrom schieben möchte, für die inhaltliche Ich-Bezogenheit ihrer Rede kann das keine Entschuldigung sein. Meine persönliche Lieblingsstelle ist, als sie die Anwesenden beschuldigt, ihre Kindheit gestohlen zu haben und dass doch alles falsch sei, denn anstatt jenseits des Ozeans weiter zur Schule zu gehen, müsse sie in New York für das Klima kämpfen ... Ziemlich starker Tobak, wie ich finde, denn soweit ich das überblicke hatte Tintin bis zu ihrem 15. Lebensjahr, also einen großen Teil ihrer Kindheit angenehmes und materiell sorgenfreies Leben mit einer guten Schulausbildung in einem industriell gut entwickelten, politisch stabilen und liberalen Land. Und eigentlich hat sich an diesem Status nicht viel geändert, so dass Tintin auch noch den Rest ihrer Kindertage hätte genießen können. Aber die Aschenputtel-Karte auszuspielen und die Schuld an ihrer vermeintlich gestohlenen Kindheit quasi als Schwarzen Peter der gesamten Vorgängergeneration unterzuschieben ist schlicht weg eine an Dankbarkeit mangelnde Frechheit und steht ihr absolut nicht zu. Viele Kinder in der Welt haben bis zum 15.Lebensjahr schon eine ganze Menge mehr erleiden müssen, denken wir doch einfach mal an all die hungernden und unterernährten Kindern in der Welt, gezeichnet von Krankheiten, die durch mangelnde hygienische und medizinische Grundversorgung entstehen und die in Schweden und dem Rest Europas schon lange den einstigen Schrecken verloren haben. Denken

236

wir weiter an die Kinder, die in ehemaligen oder aktuellen Kriegsgebieten leben oder als Kindersoldaten an die Front geschickt werden. Denken wir an die Kinder, die von marodierenden Söldnern durch Schändungen von Mädchen und Frauen der jeweils anderen Kriegsparteien gezeugt wurden und deshalb selbst bei den eigenen Landsleuten als Aussätzige gelten. An Kinder, die auf der Flucht im eigenen oder sogar in fremden Ländern sind. An Kinder, die in ehemaligen Kriegsgebieten leben, aber zum Teil noch nach Jahrzehnten unter den Hinterlassenschaften des Krieges, wie Landminen oder toxischen Stoffen leiden müssen. Denken wir weiter an all die Waisenkinder, die auf den Müllkippen dieser Welt nach Nahrung und verwertbaren Gegenständen suchen müssen oder an Kinder, die in die Kriminalität getrieben werden, um zu überleben. Denken wir an die Mädchen, die aufgrund althergebrachter Traditionen beschnitten werden oder als Tempeldienerinnen leben müssen, bei denen sie nicht nur den jeweiligen Göttern dienstbar sein müssen. Und denken wir an die vielen Kinder, die keine Schulbildung erhalten und stattdessen zum Teil schwersten Arbeiten in Minen, im Tagebau oder in der Landwirtschaft verrichten müssen, um zum Familienunterhalt beizutragen. Sextourismus, Kinderhandel ... die Liste ließe sich noch fortführen. DAS nenne ICH eine gestohlene Kindheit!

Meine sehr verehrten Leserinnen und Leser, der nun folgende Abschnitt ist exklusiv Greta Tintin Eleonora Ernman Thunberg vorbehalten. Also, falls Ihr Reisepass oder Ihr Personalausweis nicht denselben komplex-bizarren Namen aufweist und Sie auch nicht mit dem Asperger-Syndrom diagnostiziert sind und Sie noch nie monatelang die Schule geschwänzt haben und auch nicht bevorzugt zwei Zöpfe tragen, dann möchte ich Sie jetzt um ein wenig Diskretion bitten und den nächsten Abschnitt auszulassen und sofort zum übernächsten Abschnitt zu springen.

*Liebe Tintin, wie du vielleicht an meiner subtilen Auflistung von Kindern mit gestohlener Kindheit erkennen kannst, hat die Menschheit ein paar mehr Probleme zu lösen als nur die Klimaerwärmung. Außerdem bin ich mir sicher, dass diese Kinder alles für den Klimaschutz tun würden, sofern sie ihr bisheriges Leben mit deinem Tauschen könnten.*

*Spoiler alert: ich kann mir gut vorstellen, dass dich in naher Zukunft irgendjemand für deine Klimaschutz-fixierte Sichtweise als ein gutmütiges und sehr ehrliches Mädchen bezeichnen wird, dem niemand erklärt habe, dass die moderne Welt komplex und vielfältig sei. Aber darauf würde ich gar nicht direkt eingehen. Bestenfalls würde ich meinen Status in einem Internet-basierten Kurzmitteilungsdienst ändern, z.B. in A kind but poorly informed Teenager. Ist doch genial, oder?*

Doch zurück zur Rede, der gestohlenen Kindheit und warum diese Stelle trotz des offensichtlich ernsten Hintergrunds nicht einer gewissen paradoxen Ironie entbehrt, die mich zum Schmunzeln bringt. Wer ist denn auf die geniale Idee gekommen, zum Dauerschwänzer in der Schule zu werden. Das war allein die Entscheidung unserer Tintin, und zwar gegen den massiven Widerstand der Eltern und der Schule. Wenn sie so gerne zur Schule geht, dann hätte sie auch in den Ferien oder nach dem täglichen Unterricht für das Klima demonstrieren können. Ach richtig, da war doch noch etwas, in den Ferien musste sie ja das berühmte Pappschild malen. Und nachdem die Sache am Laufen war hat sie auch nur noch freitags geschwänzt, so wie die Schüler in den anderen Ländern. Man kann nur hoffen, dass dieses Modell keine Nachahmer bei anderen Interessensgruppen findet, etwa in der Art Schulstreik zur Rettung der Wale am Donnerstag, Schulstreik gegen Plastikmüll am Mittwoch, Schulstreik für die Legalisierung von Hanf am Dienstag und Schulstreik für bessere Schulbildung am Montag!

Irgendwann nach der Rede von Tintin vor der UN wurde der russische Staatspräsident Wladimir Putin zu einer Stellungnahme befragt. Putin, ganz der gewiefte Staatsmann und erfahrene Diplomat äußerte sich kritisch, aber in wohlfeilen Worten, dass er die allgemeine Euphorie um Tintin und ihre Rede nicht teile. Er sei sicher, dass Tintin ein gutmütiges und ein sehr ehrliches Mädchen sei. Ferner führte Putin aus, dass es auch nicht richtig sei Kinder für das Erreichen derart hoher Ziele einzuspannen. Er gehe davon aus, dass niemand der 16-Jährigen erklärt habe, dass die moderne Welt komplex und vielfältig sei. Ich bin nicht gerade ein Fan von Putin und seiner Politik, aber in diesem Fall kann ich mich mit seiner Kritik und deren fairen Vortrag nur anschließen. Die Reaktion darauf war ungefähr dieselbe wie bei Trump und ist so typisch für die junge Generation, die sich zwar sehr kommunikationsfreudig gibt, aber dabei völlig Dialog unfähig ist. Also wurde auf dem zuvor schon erwähnten Internet-basierten Kurzmitteilungsdienst der Status auf *A kind but poorly informed teenager* gesetzt. Und wiederum gab es viel Applaus von der Anhängerschaft unserer kleinen Klimaheldin und den internationalen Medien, die sich zum Teil darin überschlugen, wie gekonnt sie Putins Aussagen gekontert hat. Aber auch hier muss ich wieder darauf hinweisen, dass wie zuvor bei Donald Trump es besser gewesen wäre, die Kröte zu schlucken, anstatt auch noch Putin vor den Kopf zu stoßen und damit Russland und deren Gefolgsstaaten zu verprellen. Stattdessen lautet nun das Zwischenergebnis Tintin Zwei, Klima Null.

Ein bekennender Fan von Tintin ist kein geringerer als der ehemalige Gouverneur des Bundesstaates Kalifornien Arnold Schwarzenegger. Arnie, der seine eigenen Projekte in Sachen Klimaschutz vertritt, lernte Tintin bereits bei der Klimatagung in Wien kennen und ist seither ein großer Bewunderer von ihr und ihren Projekten. Angerührt von der verlorenen Kindheit der kleinen Tintin, deren Situation sich in den letzten beiden Jahren durch die vielen hochdotierten Auszeichnungen (allein über 100.000 Euro durch den Gewinn des Right Livelihood Awards) noch weiter verschlimmert hat, stellt ihr der mittlerweile altersmilde Schwarzenegger einen vollelektrischen Tesla 3 zur Verfügung, damit sie sich in den USA und Kanada frei und vor allem emissionsfrei bewegen kann. Gut, dass Papa Thunberg mit von der Partie ist, denn ich bezweifle das Tintin bereits über eine gültige Fahrerlaubnis zum Führen eines Personenkraftwagens verfügt und wir wollen schließlich nicht, dass Tintin des Terminators Tesla terminiert. Für die Rückreise ist dieses Vehikel allerdings auch keine Alternative, aber dafür hätte ich einen Vorschlag, einfach warten, bis die Nordwestpassage zugefroren ist und dann von Nova Scotia via Grönland über das zugefrorene Nordpolarmeer nach Spitzbergen und schließlich von dort über das ebenfalls zugefrorene Europäische Nordmeer nach Nordschweden, was von Spitzbergen nur noch einen Katzensprung entfernt ist. Der Trip kann zu Fuß bewältigt werden, oder per Hundeschlitten, beides ist gleichermaßen emissionsfrei. Vielleicht müsste man erst ein oder zwei Hundeschlitten-Teams von Alaska nach Nova Scotia überführen, aber das passt schon. Natürlich müssten die Hundeschlitten-Teams nach so einer strapaziösen Reise auch wieder von Schweden nach Alaska rücküberführt werden, schließlich kann man den armen Tieren nicht noch so eine Leistung abverlangen. Doch halt, vielleicht ist die Idee doch nicht so gut, nämlich dann, wenn die entsprechenden Seewege gar nicht zufrieren, wegen dieser angeblichen Klimaerwärmung. Dagegen sollte mal jemand etwas tun, sonst kommt unsere Tintin niemals rechtzeitig zur Zeugnisausgabe in Schweden an. Andererseits, was macht das schon, wenn sie die auch noch verpasst. Dürfte ohnehin nicht ihr bestes Zeugnis werden, vor allem nicht in den Kategorien Verhalten und Mitarbeit.

Rechtzeitig in Schweden, respektive in Oslo (Norwegen) hätte sie unbedingt sein müssen, wenn sie den Friedensnobelpreis 2019 gewonnen hätte. Tintin war nicht nur nominiert, sondern gehörte auch noch zum Favoritenkreis, genauso wie der Papst. Das Rennen hat jedoch jemand anderer gemacht, nun ja, es standen mit 222 nominierten Einzelbewerbern und 78 nominierten Gruppen genug Alternativen zur Verfügung und wahrscheinlich war das norwegische Nobelkomitee der Meinung, dass es dann doch ein wenig zu viel des Guten gewesen wäre. Apropos Papst, hat der Vatikan sich eigentlich schon zu Wort gemeldet, ob man daran denke, Tintin noch zu Lebzeiten heilig zu sprechen oder leidet Tintin wie ungefähr 99 Prozent aller Schweden an dem Problem die falsche Konfession zu haben (nur zirka 150000 Schweden gehören der römisch-katholischen Kirche an). Tja, niemand ist perfekt. Ohnehin dürften weder die Päpste noch der Dalai-Lama zu den besten Freunden von Tintin gehören, wegen der ständigen Flugreisen in alle Welt. Denken Sie nur an Papst Johannes Paul II, der aufgrund seiner 104 Amtsreisen auch unter dem Beinamen *Der Eilige Vater* bekannt wurde. Im Jahre 1989 besuchte Papst Johannes Paul II im Rahmen einer Skandinavien-Reise sogar Schweden, zum einen, weil es gerade auf dem Weg lag und zum anderen, weil er als Papst noch nie in Schweden war. Und drittens, um auch dort die wenigen versprengten Schäfchen um sich zu scharen und persönlich zu zählen. Beim Dalai-Lama wollen wir wegen der Klima-schädigenden Vielfliegerei mal ein Auge zudrücken, der Mann war ja viele Jahre lang quasi auf der Flucht.

Christian Friedrich, Vladimir Putin, Donald Trump – nur drei der zahlreichen mehr oder weniger prominenten Tintin-Kritiker. Da weht ein ziemlich rauer Wind unserer kleinen Klimaheldin entgegen. Aber die Dialektik gebietet es mir, auch mal die Unterstützer von Tintin zu Wort kommen zu lassen. Durch Zufall bin ich dabei auf zwei Artikel desselben Autors gestoßen, der für die Online-Redaktion der Brigitte.de schreibt und dessen interne Berufsbezeichnung *Head of Social Media* lautet. Für die Älteren unter meiner Leserschaft möchte ich kurz erklären, was sich hinter diesem relativ neuen Berufsbild verbirgt. Der Autor ist Leiter einer Gruppe von Mitarbeitern, die den ganzen Tag im Internet auf der Suche nach den neuesten Nachrichten und Meinungstrends auf den Plattformen der Sozialen Medien unterwegs sind. Zu den bevorzugten Streifgebieten zählen dabei Facebook, Instagram und Twitter. Das positive an den Sozialen Medien ist, dass jedermann seine Meinung kundtun und beliebig verbreiten kann. Das negative an den Sozialen Medien ist, dass wirklich jedermann seine Meinung kundtun und beliebig verbreiten kann.

Nun, besagter Autor bei der Brigitte.de zeichnet verantwortlich für die beiden Online-Beiträge *Nur noch Zoff: Spaltet Greta unsere Gesellschaft?* und *Hört endlich auf, auf Greta rumzuhacken*. Die beiden Artikel erregten meine Aufmerksamkeit unter anderem deswegen, weil es ausgehend von den beiden Überschriften zunächst so schien, als wenn ein Tintin-kritischer und ein Tintin-freundlicher Beitrag aus der Feder desselben Autors stammten. Diesen Spagat wollte ich mir nicht entgehen lassen, wurde aber gänzlich enttäuscht als ich feststellen musste, dass beide Artikel einen monumentalen Lobesgesang auf unsere kleine Tintin anstimmen. Und so kam es, dass sich vor meinem geistigen Auge bereits während des Lesens der Beiträge ein Szenario aufbaute, bei dem im Hintergrund Whitney Houston einen ihrer größten Hits singt, nämlich *I will always love you* der langsam in seiner Dynamik anschwillt und nach einem Auftakt in dem finalen Refrain seine Klimax findet und sich ein Mann mit seinem eher unsportlichen Körper und ohne Teflon-Weste, ja noch nicht einmal mit einem gestärkten Hemd (Holzfällerhemden aus Flanell werden nun einmal nicht gestärkt), schützend zwischen Tintin und der öffentlichen Kritik wirft. Und der Mann ist nicht etwa Frank Farmer alias Kevin Costner, obwohl Kevin Costner auch sehr gerne Holzfällerhemden trägt, sondern Florian Meyer von der Brigitte.de. So selbstlos. So heroisch. So episch. So opportunistisch.

In diversen Intelligenztests gibt es häufig Aufgaben, deren Fragestellung lautet: welcher Begriff gehört nicht in diese Wortgruppe. In der Wortgruppe selbstlos, heroisch, episch und opportunistisch ist das eindeutig der Begriff opportunistisch. Warum opportunistisch? Nun, im Grunde wissen wir doch alle, dass es bei Online-Magazinen in erster Linie darum geht viele Seitenaufrufe zu generieren, die zu vielen Werbeeinblendungen führen und im besten Fall zu einem Klick des Benutzers auf das Banner des Werbetreibenden konvertiert werden können. Für die ältere Generation: es geht um Geld, wogegen absolut nichts einzuwenden ist. Damit es zu den gewünschten vielen Seitenaufrufen kommt, werden Beiträge benötigt, die vor allem eines sind: massenkompatibel. Damit ein Beitrag massenkompatibel ist, bedarf es Themen, die grundsätzlich oder aktuell möglichst viele Leser ansprechen. Auch die Ansprüche an Form und Sprache müssen gesenkt werden, fremdartige Fremdwörter, entlehnt aus befremdlich wirkenden Fremdsprachen verbieten sich ebenso, wie komplizierte Satz-Konstrukte mit vielen, womöglich noch verschachtelten Nebensätzen. Auch damit kann ich gut leben. Meine Toleranzschwelle wird jedoch erreicht, wenn selbst die Grundregeln des guten Journalismus, der Rechtschreibung und der Grammatik nicht eingehalten werden, Inhalte schlecht recherchiert oder wenig durchdacht sind und geschickt formulierte Überschriften viel mehr versprechen, als der folgende Abschnitt oder der gesamte Artikel halten kann. Die beiden von Herrn Meyer verfassten Beiträge sind leider so schlecht geraten, dass ich gar nicht weiß, wo ich mit meiner Kritik anfangen soll. Das fängt bereits mit den einleitenden Worten der jeweiligen Beiträge an, die im günstigsten Fall von einem Kollegen stammen, der den Artikel vorher gegengelesen hat und im ungünstigsten Fall von Herrn Meyer selbst geschrieben wurden, sei es aus Zeitmangel bei den Kollegen oder anderen organisatorischen Umständen. Da heißt es in der Einleitung zu dem Beitrag *Hört endlich auf, auf Greta rumzuhacken*: *Klimaaktivistin Greta Thunberg ist allerorten*. Jedes Mal, wenn ich diesen Satz lese, dann zucke ich unwillkürlich zusammen und verspüre den Drang über meine Schulter zu blicken, ob Tintin hinter mir steht, um mir ein gepresst wütendes *How dare you* ins Ohr zu zischeln. Doch dann stelle ich zu meiner Erleichterung und Zufriedenheit fest, dass die Gesetze der klassischen Physik immer noch gelten, nach denen jeder Masse behafteter Körper zu jedem wohldefinierten Zeitpunkt genau einen exakt bestimmbaren Ort im Raum einnimmt. Und so zierlich unsere Tintin auch sein mag, so bin ich mir doch ziemlich sicher, dass auch ihr Körper Masse behaftet ist. Was dieser Einleitungssatz ausdrücken möchte ist, dass Tintin zurzeit in aller Munde ist. In aller Munde zu sein ist eine idiomatische Wendung, also eine Redewendung, deren Gesamtbedeutung nicht aus der Bedeutung der Einzelwörter erschlossen werden kann. Da jedoch Herr Meyer diese Redewendung bereits in seinem Artikel verwendet und es im Deutschen als schlechter Schreibstil gilt, in aufeinanderfolgenden Sätzen immer dieselben Begriffe zu verwenden, hat der Einleitungsschreiberling einfach die adverbiale Bestimmung des Ortes *allerorten* verwendet und damit die idiomatische Wendung ersetzt, was die ursprüngliche Bedeutung nicht korrekt wiedergibt.

Meine lieben Leser, Sie müssen keine Angst haben, dass ich meine Kritik an den beiden Artikeln auf Wortebene fortführen werde, dass würde dann doch ein wenig zu umfangreich werden und ich möchte Sie auf gar keinen Fall damit langweilen. Im Folgenden werde ich mich mehr auf die Qualität des Inhaltes beschränken. Beginnen möchte ich mit dem Beitrag *Hört endlich auf, auf Greta rumzuhacken*, weil dieser chronologisch vor dem anderen Artikel erschienen ist. An dieser Stelle darf ich noch einmal ausdrücklich betonen, dass meine Kritik an dem Beitrag sich nicht aus der Tatsache ergibt, dass Herr Meyer offensichtlich ein Greta-Thunberg-Fan zu sein scheint, während ich auch weiterhin der Meinung bin, dass die Welt Greta Thunberg nicht braucht. Ich kann jede andere Meinung, auch die von Herrn Meyer genauso gut akzeptieren. Mit der folgenden Quellenangabe können Sie den angesprochenen Artikel leicht ausfindig machen und selbst lesen. Das erleichtert Ihnen, mir inhaltlich zu folgen. Die Veröffentlichungsdaten des Artikels sind:

*Quelle*: *Hört endlich auf, auf Greta rumzuhacken!*

*Florian Meyer für Brigitte.de*

*12. August 2019 12:10 Uhr*

Zu Anfang seines Artikels stellt Herr Meyer die Frage, wie es denn käme, dass vor allem in den Sozialen Medien anscheinend so viele Menschen so genervt von unserer kleinen Tintin sind, und dass sich so viele negative Kommentare finden lassen, die zum Teil extrem unter die Gürtellinie gehen. Er führt dazu drei Beispiele an, die jedoch noch relative milde ausfallen, wie: *Ganz schön eingebildet, das Gretel* oder *Die sollte lieber wieder zur Schule gehen* oder auch *Geht die mir mit ihrem Gesabbel auf die Nerven*. Herr Meyer stellt ebenso fest, dass vor allem bei Facebook-Nutzern die Berichterstattung über Tintin negativ ausfällt und die unsere Tintin als *Marionette* bezeichnen und sich fragen, wer im Hintergrund agiert. Diese Frage finde ich durchaus berechtigt und auch die angeführten Beispiele würde ich mehr als flapsig formulierte Meinungsäußerung auffassen, denn als Beleidigung. Ich hingegen frage mich, warum ausgerechnet ein Head of Social Media sich darüber wundert, dass sich so viel negative Kritik und Beleidigungen über unsere Tintin in den Sozialen Medien finden lassen. Denn während die traditionellen und die neuen Medien durch das Pressegesetz zu Objektivität und angemessener Wortwahl in den Artikeln und Beiträgen verpflichtet sind, so kann der Ottonormalverbraucher auf diese lästigen Einschränkungen verzichten und macht von dieser Freiheit auch reichlich Gebrauch. Jede Person, die irgendwie in der Öffentlichkeit steht, kann das nur bestätigen. Man sollte jedoch annehmen, dass jemand der beruflich tagtäglich in den Sozialen Medien unterwegs ist, ebenfalls diese Beobachtung gemacht hat. Vielleicht hätte Herr Meyer am Anfang seines Beitrags erst einmal klar machen müssen, wo für ihn persönlich die Grenzen zwischen konstruktiver Kritik, freier Meinungsäußerung und Verunglimpfung durch sogenannte Hater verlaufen, denn die bisher angeführten Beispiele unterstützen noch nicht so richtig die Intension dieses Artikels. Auch das nächste Beispiel ist schlecht gewählt, denn darin wird ein Facebook-Eintrag des Entertainers Detlef Steves zitiert, der wie folgt lautet:

*Jetzt reicht es mir! Eine 16-jährige beweint den Hambacher Forst? Die sollte lieber beweinen, dass ihr Freund auf einer Party mit ner anderen geknutscht hat.*

**Quelle** *Detlef Steves auf Facebook*

Steves ist dafür bekannt sein Geld mit Sprüchen der etwas derberen Natur zu verdienen, deshalb ist es auch nicht weiter verwunderlich, dass seine Fans einen ähnlich derben Humor pflegen und diesen in den Kommentaren zur Schau stellen. Aber auch wenn die bisherigen Beispiele schlecht gewählt sind, so können Sie sicher sein, dass es die Greta-Hater tatsächlich gibt und so stellt Herr Meyer nun die Frage, was die Greta-Hater antreiben würde und stimmt dabei gleichzeitig den allgemeinen Lobgesang auf Tintin an, wie sie den Planeten rettet möchte, wie sie mahnt, demonstriert und andere Jugendliche ihrer Altersgruppe ebenfalls zum Schulschwänzen animiert. Das letztere hat Herr Meyer so nicht formuliert, den Rest schon. Und wann immer ich die Formulierung höre oder lese, dass dieser oder jener Mensch den Planeten rettet, muss ich mir ein lautes Lachen verkneifen. Sieht man einmal von den beschränkten Mitteln und Fähigkeiten des Individuums Mensch ab, bleibt noch festzustellen, dass nicht der Planet gerettet werden muss. Der zieht nämlich schon seit 4.6 Milliarden Jahren seine Bahn durch das Universum, und die wenigste Zeit davon als das blaue, schimmernde Kleinod innerhalb der habitablen Zone unseres Sonnensystems. Die meiste Zeit war unser Planet als lebensfeindlicher Gas- und Gesteinsbrocken unterwegs und wenn es hart auf hart kommen sollte, dann zieht die Erde diese Nummer nochmals fünf Milliarden Jahre durch, bevor unser Planet tatsächlich mal Hilfe braucht. Das wird jener Zeitpunkt sein, an dem sich die Sonne unseres Sonnensystems dem eigenen Ende nähert und sich dabei zu einem Roten Riesen aufpumpt der zunächst den Merkur, dann die Venus und vermutlich auch die Erde verschlucken wird. Und ich bin mir ziemlich sicher, dass sofern die Menschheit bis dahin überlebt hat, niemand sagen wird: *Hey, weißt du noch, wie Tintin damals den Planeten gerettet hat? Warum haben wir keine Tintin ….* Aber gönnen wir Herrn Meyer diese klitzekleine Ungenauigkeit im kosmischen Maßstab, denn offensichtlich schien er an dieser Stelle mit dem Schreiben erst so richtig in Fahrt zu kommen und vernahm bereits in seinem Kopf ganz leise die ersten Klänge von Whitney Houstons *I will always love you*.

Zur besseren Orientierung sei gesagt, dass wir mittlerweile an der Stelle des Meyer'schen Artikels angekommen sind, an der der Autor behauptet, dass Tintin inhaltlich Recht habe. Niemand, nicht einmal ich, möchte ernsthaft bestreiten, dass unser gegenwärtiges Verhalten gegenüber unserem Lebensraum letztendlich dazu führt, dass wir uns selbst Schaden zufügen (ja, es heißt *selbst* und nicht *selber*, das ist Umgangssprache und gehört nicht in einen geschriebenen Artikel). Richtig ist auch, dass viele der von Tintin genannten Fakten nach dem heutigen Stand der Forschungen wissenschaftlich belegt sind. Richtig ist aber auch, dass Tintin diese wissenschaftlich belegten Fakten nur stereotyp wiederholt, ohne auch nur einen eigenen, noch so geringen Beitrag zu diesen Erkenntnissen geleistet zu haben. Ein ehemaliger Deutschlehrer von mir, den ich bereits in einem vorangegangenen Kapitel zitiert habe, würde dazu nur trocken bemerken: *Getretener Quark wird breit, nicht stark.* Frei übersetzt heißt das so viel wie, ein Argument wird weder relevanter noch gewichtiger, nur weil es ständig wiederholt wird. Ich bin mir sicher, dass bei einer Umfrage in der Prä-Tintin-Ära nach den dringendsten Problemen auf diesem Planeten (LOL), der Umwelt- und Klimaschutz eine der am häufigsten genannten Antworten gewesen wäre. Und Werner Schulze-Erdel hätte mir bestimmt sagen können, ob das die Top-Antwort gewesen wäre. Wir sind uns also der Problematik vollkommen bewusst und dass nicht erst seit gestern.

In den Zeilen, die unmittelbar auf den *Sie-hat-ja-sooooo-recht*-Abschnitt folgen, langweilt Herr Meyer uns mit weiteren Wiederholungen, dass Tintin eine Botschaft an die Menschen schicken will und wie genervt die Leute darauf reagieren und wie unverständlich dieser Hass auf Greta für ihn, den Herrn Meyer sei. Neu in diesem Abschnitt ist lediglich die Aussage, dass auf den Parkplätzen vor den Supermärkten immer mehr Sportwagen zu finden sind, die einen Aufkleber mit der Beschriftung *Fuck you, Greta* auf der Heckscheibe tragen. Zu meiner Schande muss ich gestehen, dass ich von diesem Trend mal wieder überhaupt nichts mitbekommen habe, denn tatsächlich habe ich noch nie ein Auto mit einem Aufkleber pro oder contra Tintin gesehen. Das mag daran liegen, dass Auto-Aufkleber dieser Art nicht mehr en vogue sind und dass sich Tintins Fan-Gemeinde sich noch keine eigenen Autos leisten kann und daher auf Papis oder Mamis Wagen angewiesen sind, die sich jegliche Verschandelung durch Aufkleber verbitten. Aber vielleicht kaufe ich einfach nur in den falschen Supermärkten ein.

Einer der Abschnitte, die mich in dem Beitrag des Herrn Meyer am meisten entsetzt hat, ist derjenige, der mit den Worten *Greta möchte aufrütteln...* beginnt und in einer linguistischen Katastrophe endet und das lediglich nur drei Zeilen später. Darin steht, dass die Menschen Angst bekommen sollen. Ganz schlechte Idee. Jeder Mensch weiß doch aus eigener Erfahrung, dass Angst der so ziemlich schlechteste Berater ist, gerade wenn es gilt vernünftige und wohldurchdachte Entscheidungen für die Zukunft zu treffen. Was wir wirklich brauchen sind Menschen, die mit Perspektive, Visionen und vor allem mit Zuversicht in die Zukunft blicken, um so den Elan zu entwickeln, mit dem die aktuellen Probleme gelöst werden können. Was wir nicht brauchen sind Menschen, die sich aus Angst vor der Zukunft in Embryonalstellung unter ihrem Bett verkriechen und sich Nacht für Nacht in einen unruhigen Schlaf weinen in der sicheren Erwartung der Apokalypse. Seit Jahrzehnten versucht Meister Yoda jeder neuen Generation von Filmfans zu erklären, dass Furcht der Weg zur Dunklen Seite der Macht ist. Dem jungen Anakin Skywalker erklärt er es so: *Angst führt zu Wut, Wut führt zu Hass, Hass führt zu unsäglichem Leid!* Oder ist Star Wars im Hause Thunberg etwa verpönt.

Meine größte Sorge just in diesem Moment, da ich diese Zeilen niederschreibe gilt jedoch – angesichts des letzten Halbsatzes des obenstehenden Zitates - der deutschen Sprache und nicht dem Klimawandel. Wie kann man in einem so kurzen Konstrukt nur so viele

Fehler einbauen. Fangen wir doch mal am Ende an und arbeiten uns nach vorne vor. Sich Bann brechen, wirklich?? So wie in dem Satz: *Das Weihwasser war eine Bann brechende Erfindung im Kampf gegen die bösen Mächte der Unterwelt*. Oder mehr wie in: *Buffy – Im Bann der Dämonen*? Die korrekte idiomatische Wendung lautet *sich Bahn brechen* und wir merken sofort, wie sich das Wort Bahn semantisch an das Wort *Wege* geradezu anschmeichelt. Vermutlich hätte ich diesem Halbsatz mit anderen Wörtern formuliert, aber wenn ich dieselben Wörter verwendet hätte, dann wären diese korrekt dekliniert gewesen. So wäre aus *merkwürdige Wege* auf weit weniger merkwürdigen Wegen die Formulierung zu *merkwürdigen Wegen* geworden. Den Gedankenstrich würde ich weglassen, zum einen, weil der Satz direkt weitergeführt und damit der Gedankenstrich nicht benötigt wird und zum anderen, weil mittlerweile klar sein dürfte, wie wenige Gedanken tatsächlich in diesen kleinen Nebensatz geflossen sind. Hatten die Deutschen sich einst die Reputation als Volk der Dichter und Denker erworben, so muss man mittlerweile konstatieren, dass es selbst bei der Prosa kaum noch zu einem Spitzenplatz reichen würde, selbst mit den professionellen Schreiberlingen nicht.

Die nächste Zwischenüberschrift in Herrn Meyers Beitrag lautet *Ein Erklärungsversuch*. Nachdem der Leser bereits in dem Abschnitt mit der Zwischenüberschrift *Was treibt die Greta-Hater an?* nichts über deren tatsächliche Motivation erfahren hat, wird die Hoffnung auf Erleuchtung auch in diesem Abschnitt gleich mit dem ersten Satz im Keim erstickt, der da lautet: *Wir wissen nicht, was die Greta-Hater antreibt*. Das ist geradezu ein Parade-Beispiel dafür, wie man sich journalistisch gesehen ins eigene Knie schießen kann, denn unter diesem Satz zerbröselt der Spannungsbogen, auf dem der Leser durch den gesamten Artikel geführt werden soll, wie ein Butterkeks unter einer Straßenwalze. Die Anzahl der Zähne am Rand des verwendeten

Butterkekses spielt dabei keine Rolle, dieses Duell von David gegen Goliath wird immer gleich ausgehen. Anderseits hat der Satz auch eine positive Seite, denn der Leser weiß sofort, dass mehr als spekulatives herumstochern im Sumpf der möglichen Motive der Greta-Hater, nicht zu erwarten ist. Und da wird es nun ganz vogelwild, wie Sie ja selbst lesen konnten, sofern Sie sich die Mühe gemacht haben sollten.

Ich möchte nicht weiter auf die Spekulationen des Herrn Meyer im Einzelnen eingehen, so absurd und realitätsfern diese auch sein mögen. Auch verkneife ich mir mit einem leisen Lächeln auf den Lippen jede weitere Bemerkung über einen erneuten Rettungsversuch des Planeten. Was ich aber zutiefst bedauere ist die verpasste Möglichkeit, dem geneigten Leser dieses Online-Beitrags einen kleinen Einblick in die Denk- und Handlungsweise der Greta-Hater zu präsentieren. Dabei wäre es ein leichtes gewesen, spätestens an dieser Stelle ein Kurzinterview mit einem Experten einzubinden, der sich mit dem Phänomen der Hater-Kommentare auf wissenschaftliche Art und Weise auseinandersetzt. Noch einfacher hätte es für den Head of Social Media sein können, Kontakt mit einigen der Greta-Hater aufzunehmen und direkt nach deren Motivation zu fragen, denn nichts geht über Informationen aus erster Hand. Und die Kontaktaufnahme sollte auch kein Problem darstellen, denn will man etwas in den Sozialen Medien posten, muss man sich zumindest mit einer gültigen E-Mail-Adresse registrieren. Selbst, wenn der Hater die öffentliche Anzeige seiner Kontaktdaten in den Einstellungen für Privatsphäre verweigert, ist dieser immer noch über die Social Media Plattform oder über deren Betreiber erreichbar.

Auch wenn es in diesem Beitrag vornehmlich um die Greta-Hater geht, so wäre es doch angebracht gewesen darauf hinzuweisen, dass das Hater-Phänomen in den Sozialen Medien nicht auf einzelne Personen beschränkt ist. Man hätte in einem induktiven Ansatz auf das generelle Hater-Problem aufmerksam machen können, dass Normalos und Prominente aller Art gleichermaßen betrifft. Von diesem Punkt aus leitet man zu der speziellen Gruppe der Greta-Hater über. So hätte man gleichzeitig das Hater-Phänomen im Allgemeinen verurteilen können, ohne dabei den Fokus auf die eigentliche Protagonistin des Artikels zu verlieren.

In den letzten beiden Sätzen kommt unser guter Herr Meyer noch einmal so richtig in Fahrt und feuert ein paar volle Breitseiten gegen die Greta-Hater ab. Hätte der Autor am Anfang seines Artikels den induktiven Ansatz gewählt, so wie von mir soeben beschrieben, hätte man jetzt mit einer Deduktion die Geschützmündungen nicht nur auf die Greta-Hater, sondern auf alle Hater in den Sozialen Medien richten können. Das hätte den Beitrag in einer gefälligen Form abgerundet. Stattdessen setzt der Autor einmal mehr auf sehr viel Pathos und einmal mehr beginne ich vor meinem geistigen Auge und Ohr den finalen Refrain von Whitney Houstons *I will always love you* zu hören. Doch irgendwie verändert sich die ganze Szenerie. Da ist nicht mehr Florian Meyer, mit dem nicht gestärktem Holzfällerhemd über dem eher unsportlichen Körper, der sich zwischen unsere Tintin und den Kugelhagel aus Hater-Kritik wirft, sondern ein Florian Meyer mit prallen, gestählten Muskeln und Blutadern so dick wie Gartenschläuche. Das Holzfällerhemd bedeckt nur noch als ärmellose Weste einen kleinen Teil des mächtigen, muskulösen Oberkörpers, während Fetzen desselben Kleidungsstückes um die Stirn und um die ebenso mächtigen Oberarme gebunden sind. In den Händen jeweils ein Maschinengewehr samt einem schier endlosen Munitionsgurt, gefüllt mit Munition des Typs *7,62 x 51 mm*, mit denen er sich wildentschlossen dem Feinde Auge in Auge gegenüberstellt und unter Feuer nimmt. Der Feind: ein voll gerüsteter russischer

Kampfhubschrauber des Typs *Mil Mi-24* (NATO-Codename: *Hind*). Unter dem rasselnden Geräusch der Munitionsgurte und der leeren Patronenhülsen von denen mehr als 2400 Stück pro Minute zu Boden fallen, schwillt die Dynamik eines Mark und Bein durchdringenden Kampfschreis proportional zur Temperatur der Rohre und Rückstoßverstärker an, bis sein Rachen und die zuvor genannten MG-Teile gleichermaßen rotglühend sind. Nehmt DAS, Greta-Hater!

Nachdem ich mich selbst ermahnt habe, wieder in den Realitätsmodus umzuschalten, muss ich leider konstatieren, dass ich bereits in der sechsten Klasse Aufsätze geschrieben habe, die in Form, Sprache, Inhalt und Rechtschreibung mehr Format hatten als dieser Artikel. Tja, die merkwürdige Wege zu Bann brechendem Rum führen eben manchmal durch die Höhle. Würden Sie das nicht auch sagen, Herr Meyer?

Derweilen in der realen Welt: die UN-Klimakonferenz 2019 (COP 25), die ursprünglich Anfang Dezember in Santiago de Chile (Chile) abgehalten werden sollte, wurde kurzfristig aus *logistischen* Gründen nach Madrid (Spanien) verlegt, der Termin blieb jedoch bestehen. Die logistischen Probleme ergaben sich aus den Protesten der Bevölkerung gegen die chilenische Regierung, die zur Kontrolle der Lage eine Menge an Sicherheitskräften erforderte. Um auch noch für die Sicherheit der Konferenzteilnehmer zu sorgen, sah sich Chiles Regierung außer Stande. Somit ergab sich für Tintin das logistische Problem, früher als geplant die Rückreise nach Europa anzutreten. Also wurde der virtuelle Anhalterdaumen in den Sozialen Medien in die Höhe gestreckt und erneut waren nette Menschen bereit, die Anhalterin mitzunehmen. Das hochseetaugliche Vehikel war diesmal etwas weniger spektakulär als die Malizia II aber dennoch sehr imposant. Es handelte sich um die La Vagabond, einem 15 Meter langen Katamaran, ausgestattet mit einem Solarmodul, Hydrogeneratoren und wie man hört mit einer Toilette. Die Eigner des Katamarans sind die australischen YouTuber Riley Whitelum und Elayna Carausu, die zusammen mit ihrem 11 Monate alten Sohn Lenny unsere Tintin auf der Rückfahrt begleiteten. Ebenso mit an Bord war die Profiseglerin Nikki Henderson. Man kann davon ausgehen, dass die gesamte Überfahrt hervorragend per Video dokumentiert wurde. Warum auch nicht, *manus malum lavat*. Das ist Senecas lateinische Übersetzung eines Verses aus der Komödie Apocolocyntosis des griechischen Dichters Epicharm, zu Deutsch: eine Hand wäscht die andere Hand. Auf das Vorhandensein einer Toilette an Bord angesprochen – einem Komfort, auf den Tintin und die anderen Mitreisenden auf der ersten Atlantiküberquerung verzichten mussten – antwortete sie mit der ihr eigenen, notorisch ignoranten Art gegenüber nicht-klimarelevanter Themen: *Es gibt unzählige Leute auf der ganzen Welt, die keinen Zugang zu einer Toilette haben. Es ist nicht so wichtig. Aber es ist schön, es zu haben.* Florian Meyer würde jetzt bestimmt sagen, dass Tintin inhaltlich recht habe. Hat sie auch. Zum einen mit der generellen Feststellung, dass es viele Menschen gibt, die keinen Zugang zu einer Toilette haben. Zum zweiten mit ihrer persönlichen Aussage, dass eine Toilette an Bord zu haben zwar schön, aber nicht so wichtig sei. Jede dieser Aussagen für sich genommen mag richtig sein, aber in dieser Kombination ist das ein Faustschlag ins Gesicht all derjenigen Menschen ohne Toilettenzugang. Es liegt ein gewaltiger Unterschied darin, ob man situationsbedingt für einen begrenzten Zeitraum von 14 Tagen seine Notdurft in einen Eimer verrichtet muss und die Hinterlassenschaften anschließend in den Weiten des Atlantischen Ozeans verklappt, oder ob man dazu gezwungen ist sein alltägliches Leben, ohne eine Toilette zu verbringen. Denn während Tintin lediglich einen temporären Verlust an Komfort verspürt bedeutet das dauerhafte Fehlen entsprechender Sanitäranlagen ein Fehlen an Basishygiene, was wiederum zu ernsthaften Erkrankungen führen kann. Wenn wir von Toiletten sprechen, dann dürfen wir nicht nur die Sitzschüssel vor Augen haben, sondern müssen auch die anschließende Entsorgung der Fäkalien bedenken. In vielen Armensiedlungen auf der Welt ist das entweder, ein nahe gelegenes Gewässer, dass die Menschen gleichzeitig benutzen, um darin zu baden, die Wäsche zu waschen und sogar das Trinkwasser schöpfen oder ein oberirdischer Kanal, der an den Hütten vorbeifließt und dabei einen pestilenzartigen Gestank verströmt. Eine Todesfalle für Kleinkinder, die vor dem Haus auf der Straße spielen. Ausdrücklich loben möchte ich an dieser Stelle den Großkonzern Unilever, der sein Produkt Domestos derzeit damit bewirbt, 200.000 Toiletten zu bauen und Schultoiletten sanieren zu wollen. Das mag vielleicht nur ein Tropfen auf den heißen Stein sein, aber auch einer aus der Kategorie *Jeder Tropfen zählt*. Wenn Sie denken, dass ich mal wieder maßlos in meiner Beschreibung der Lebensumstände von Menschen in den Entwicklungsländern übertreibe, dann empfehle ich Ihnen, das UniCef Foto des Jahres 2019 einmal näher zu betrachten.

Trotz des spontanen und äußerst knappen Reiseplans ist Tintin pünktlich in Madrid angekommen und hat auch dort wieder ihr übliches Ding durchgezogen. Da ich bereits über ihren Auftritt bei den Vereinten Nationen in New York ausführlich berichtet habe, können Sie sich ein ziemlich genaues Bild davon machen, was in Madrid passiert ist. Widmen wir uns deshalb lieber wieder den wohlfeilen Worten des Herrn Florian Meyer und einem Beitrag, den er im Oktober 2019 verfasst hat, nachzulesen unter der folgenden Quellenangabe.

*Quelle: Nur noch Zoff! Spaltet Greta unsere Gesellschaft?*

*Florian Meyer für Brigitte.de, 01. Oktober 2019 14:49 Uhr*

Die Überschrift lässt vermuten, dass es sich dabei um einen Greta-kritischen Artikel handelt. Ein Greta-kritischer Artikel? Aus der Feder von Florian Meyer? Nach all dem Minne-Gesang aus dem Beitrag im August? Ich kann es vorwegnehmen, die härteste Kritik gegenüber Greta in diesem Beitrag ist die Überschrift selbst und die ist auch noch mit einem abschwächenden Fragezeichen versehen. Ansonsten ist die Welt der Greta-affinen Minnesänger immer noch in Ordnung und im Hintergrund läuft deutlich vernehmlich *I will always love you* von Whitney Houston.

Herr Meyer scheint eine Vorliebe für deutsche Comedians zu haben, diesmal eröffnet er mit dem Zitat eines Gags von Dieter Nuhr über unsere Tintin und bewertet diese auch gleich als wenig gelungen. Ob der Gag von Dieter Nuhr wirklich sehr platt ist oder in der Trivialität einfach nur genial darf jeder für sich selbst beurteilen. Fest steht jedoch, dass das eine an sich harmlose aber durchaus berechtigte Frage ist. Mich würde die Antwort auf diese Frage auch interessieren. Wie heizt eine engagierte Klima-Aktivistin ihre Behausung, die aus Klimaschutzgründen sogar das Reisen mit einem Flugzeug verweigert. Eine Verunglimpfung von Tintin oder der Fridays-for-Future-Bewegung (FFF) kann ich hier wirklich nicht erkennen. Eine Verunglimpfung ist es, wenn die selbsternannte Alpha-Pussy Carolin Kebekus auf der Bühne einen hoffnungslos überzeichneten Stuhlgang von Angela Merkel mimt, begleitet von derben Sprüchen, die allesamt unter der Gürtellinie liegen mit einer übertriebenen, lautmalerischen Kulisse, bei der Frau Kebekus so viel Speichel absondert, dass das Publikum in den ersten drei Zuschauerreihen gut beraten wäre, die Regenschirme aufzuspannen. Ich möchte bezweifeln, dass Carolin Kebekus dafür denselben Gegenwind erfahren hat, wie Dieter Nuhr für seine harmlose, mit leiser Stimme in seiner bekannt süffisanten Art, vorgetragenen Frage. Offensichtlich hat Florian Meyer recht, wenn er sagt, dass Kritik an Tintin und der FFF-Bewegung nicht geht, aber ich frage mich, warum das so sein soll. Niemand ist gegenüber gerechtfertigter Kritik unantastbar und darauf sollte auch mit entsprechender Toleranz gegenüber dem Kritiker reagiert werden, sofern sich die Kritik innerhalb der anerkannten gesellschaftlichen Normen bewegt. Eindimensionale Sichtweisen und Gesinnungen haben noch nie etwas Positives bewirkt, deshalb möchte ich an dieser Stelle dafür plädieren, dass die vor einigen Jahren in Mode gekommene und mittlerweile in vielen Argumentation verbreitete und überstrapazierte Floskel *das geht gar nicht* wieder aus unserem Sprachgebrauch verbannt wird. Alles geht!

Herr Meyer schreibt weiter, dass die Klima-Frage zur Generationen-Frage geworden ist. Damit soll doch wohl nicht gemeint sein, dass es eine Generation gibt, die für den Klimaschutz ist und eine andere Generation dagegen. Ich denke, dass heutzutage alle Generationen durch die Medien darüber aufgeklärt sind, dass unsere aktuelle Lebensweise das Klima negativ beeinflusst. Unabhängig von den aktuellen Ereignissen ist der Klimawandel unter dem Aspekt der zeitlichen Ausdehnung gesehen in sich ein Generationen-übergreifender Prozess.

Der obenstehende Abschnitt unter der Überschrift *Klimaschutz gegen Freiheit* macht es deutlich, dass tatsächlich die erste Definition gemeint ist. Da gibt es also die junge Generation (The Good), die sich dem radikalen Kampf für den Klimaschutz verschrieben hat und auf der anderen Seite die Eltern-Generation (The Bad) und die Generation der Großeltern (The Ugly), die nichts weiter im Sinn haben, als ihren persönlichen Status Quo abzusichern und unsere Tintin auf das widerwärtigste zu verunglimpfen. An dieser Stelle wäre es interessant, wenn man einen Blick in die Zukunft werfen könnten, nämlich zu dem

Zeitpunkt, in dem The Good an die Stelle der Eltern-Generation rückt und sich somit der Kritik der eigenen Brut gegenübersieht. Wäre die neue junge Generation wohl zufrieden mit dem, was Tintin und ihre heutigen Klima-Spießgesellen erreicht haben? Oder würde die Kritik genauso hart ausfallen, wie es derzeit der Fall ist. Mein persönlicher Tipp: wir hätten genau dasselbe Szenario, wie heute. Dazu fallen mir spontan die ersten Zeilen einer wunderschönen Pop-Ballade ein:

*Every generation blames the one before and all of their frustrations come beating on your door.*

*The Living Years - Mike and the Mechanics*

So sind wir Menschen eben gestrickt.

In der Tat scheint der Ton rauer zu werden, aber wie sagt der Volksmund, wie man in den Wald hineinruft, so schallt es wieder heraus. Und wir wissen alle, wer die rauen Töne zuerst angeschlagen hat. Ebenso sollten alle handelnden Personen auf der Klima-Bühne auch wissen, dass bei solchen globalen Problemen Änderungen nur dann eintreten, wenn man die sanften Klänge der Diplomatie anschlägt. Auf die Stammtisch-Brüder, auch die, die sich in den Sozialen Medien vereinen, kommt es dabei nicht an. Hier finden sich immer Personen zusammen, die extreme Positionen einnehmen, und zwar in beiden Richtungen. Im Sinne des Meinungspluralismus ist das vollkommen in Ordnung. Aber man sollte denen auch nicht zu viel Bedeutung beimessen.

Der Abschnitt unter der Überschrift *Mehr Schwarz als Weiß* erinnert mich so ein wenig an die Episode von *StarTrek – The Next Generation* mit dem Titel *Gestern – Heute – Morgen*, in der Jean-Luc Picard unwillentlich an Orte seiner eigenen Vergangenheit, der Gegenwart und der Zukunft versetzt wird. Viele Menschen möge solche Filme nicht, vermutlich weil sich die meisten von uns schwer damit tun in verschiedenen Zeitebenen zu denken. Ich könnte mir gut vorstellen, dass Herr Meyer ebenfalls zu dieser Gruppe von Menschen gehört. Doch lassen Sie mich auf den konkreten Inhalt dieses Abschnitts eingehen.

Boris Palmer hat in jedem Fall recht, wenn er auf die vielen Verbesserung für junge Menschen hinweist. Junge Menschen wohlgemerkt und nicht nur junge Mädchen, so wie Herr Meyer schreibt, das vergrößert die relevante Gruppe um sagen wir, auf das Doppelte. Aber diese gewisse Fixiertheit bei Herrn Meyer kennen wir ja bereits aus dem ersten Beitrag.

Die von Boris Palmer angesprochenen Errungenschaften gering zu schätzen, nur weil diese in der Vergangenheit erbracht wurden ist jedoch völlig unangebracht. Denn, wer von einem ausgebauten Dachstuhl träumt, der hat in der Vergangenheit hoffentlich für ein solides Fundament gesorgt. Deshalb wäre es für alle handelnden Personen im Bereich Klimaschutz angeraten, den Blick auf die Gegenwart zu richten, den aktuellen Status abzufragen und schnellstmöglich die nächsten Schritte einzuleiten. Den Vorwurf von Tintins zerstörter Kindheit habe ich bereits ausreichend kommentiert und auch wenn mir der Blick in die Vergangenheit seitens Herrn Meyers Vorstellung nicht erlaubt wird, muss ich doch darauf hinweisen, dass in Sachen Umweltschutz gerade hier in Deutschland sehr viel Gutes getan wurde. So hat sich die Gewässerqualität in den letzten Jahren erheblich verbessert, infolgedessen hat sich auch der Fischbestand erholt. Das gilt auch für viele andere Tier- und Pflanzenarten. Die Abkürzung FCKW und deren Verwendung in Kühlgeräten oder Spraydosen ist den meisten Jugendlichen heute nicht mehr geläufig und muss daher gegoogelt werden. Was die alternative Energiegewinnung angeht, so ist Deutschland sowohl bei der Solarenergie als auch bei Windkraftanlagen technologisch führend. Bei der Frage, ob The Bad-Generation in der Vergangenheit genuggetan hat und vor allem auch in der Gegenwart genug für den Klimaschutz tut, muss man sich erst einmal den Weg von einem Problem zu dessen Lösung genauer vor Augen halten. Zunächst muss ein Problem als solches erkannt werden. Bei langfristigen Prozessen, wie dem Klimawandel ist das gar nicht so einfach, weil die Veränderungen nur sehr langsam und in sehr kleinen Schritten erfolgen. Ist das Problem erst einmal erkannt muss Expertenwissen aufgebaut werden. Das erfordert unter Umständen, dass neue akademische Fachbereiche entstehen, die neue Spezialisten ausbilden, die wiederum neue Theorien, Untersuchungsmethoden und Modelle aufstellen, um zu verlässlichen Prognosen zu gelangen. Liegen verlässliche Daten und Prognosen vor, so kann man damit beginnen, Lösungsansätze zu erarbeiten. Bis zu diesem Zeitpunkt sind möglicherweise schon Jahrzehnte ins Land gegangen, ohne das eine einzige Klimaschutzmaßnahme realisiert wurde, dennoch wurde schon sehr viel an wichtiger Vorarbeit geleistet. Um Ihnen mal eine ungefähre Vorstellung zu geben, welcher Aufwand erforderlich ist, um ein globales Phänomen wie das Klima überhaupt zu erfassen, hier ein paar Beispiele: man benötigt ein weltweites, ausreichend dichtes Netz von lokalen Wetterstationen zur genauen Erfassung des lokalen Mikroklimas, Bohrkerne aus Gletschern oder dem Permafrost-Boden rund um den Globus, um Daten aus der Vergangenheit zu erhalten, ein ausreichend dichtes Netzwerk aus Wettersatelliten und Computer mit hoher Rechenkapazität (Supercomputer), um die äußerst komplexen Klimamodelle zu simulieren, und zukünftige Entwicklungen des Klimas prognostizieren zu können. Zurück in der Gegenwart muss man feststellen, dass trotz aller Anstrengungen in der Vergangenheit noch eine Menge Arbeit vor uns liegt. Etliche Bohrkerne warten noch in Gefrierhäusern auf deren Auswertung und nicht überall auf der Welt ist das Netzwerk aus Wetterstationen so flächendeckend, wie in Deutschland. Tintin und die anderen Klimaaktivisten haben also recht, wenn sie behaupten in der Vergangenheit wurde nicht genug getan, doch dabei beten sie nur das Mantra eines allgemeingültigen Gesetzes, das bei derart komplexen Problemen, wie dem Klimaschutz immer gilt, nämlich dass stets mehr zu tun ist, als getan werden kann.

Herr Meyer bleibt seiner Sichtweise treu und versieht die Überschrift des folgenden Abschnitts mit den bedeutungsschwangeren Worten *Vergangenheit und Zukunft* und ignoriert dabei einmal mehr ganz nonchalant die Gegenwart. Er stellt die Behauptung auf, dass die Generationen in der Debatte aneinander vorbeireden. Das sehe ich nicht so, denn weder The Good noch unser Herr Meyer scheinen die Messages von The Bad und The Ugly, noch die zeitlichen Abläufe zu verstehen. Wenn also The Bad und The Ugly das heutige Verhalten der jungen Generation kritisieren und mit dem ihrigen Verhalten in der Vergangenheit vergleichen, dann ist das absolut legitim und richtig. Unser aller Verhalten und unsere Aktionen in der Gegenwart bestimmen die Zukunft, und zwar an jedem folgenden Tag aufs Neue. Es gilt immer noch die Aussage: heute ist morgen schon gestern gewesen. The Good täten also gut daran, sich einige gute Verhaltensweisen der älteren Generation zu eigen zu machen und damit jeden Tag einen persönlichen Beitrag für eine bessere Zukunft zu leisten. Umgekehrt sollten auch The Bad und The Ugly gelegentlich ihr eigenes Verhalten überprüfen und gegebenenfalls modifizieren, denn die Zeiten ändern sich.

Bei all der sachlichen Auseinandersetzung mit Herrn Meyers Artikel, meldet sich einmal mehr der Oberlehrer in mir, denn die Formulierung

*Unverständnis füreinander* finde ich ziemlich amüsant. Es ist fast so, als würde man jemandem mit einer Liebeserklärung den Laufpass geben oder jemanden mit einer Glückwunschkarte verfluchen oder als wolle man jemanden körperlich verletzen, indem man die Person mit Wattebällchen bewirft. Während das Wort Unverständnis dem Charakter nach etwas konträres hat, ist das Wort füreinander doch eher von bindendem Charakter. Die Formulierung *gegenseitiges Unverständnis* wäre die weitaus bessere Wahl gewesen, wenn auch nicht die beste. Warum nicht ganz auf die Negation verzichten und einfach *fehlendes Verständnis* schreiben.

Im epischen Finale dieses Beitrags (Abschnitt *Lasst uns zusammen an einem Strang ziehen*) kommt der Leser noch einmal in den Genuss des vollen Repertoires der journalistischen Unzulänglichkeiten des Herrn Meyer, die ich alle bereits kommentiert habe. Angefangen von der fast Relevanz losen Zwischenüberschrift, über die ständige Wiederholung, dass Tintin recht habe, während alle anderen im Unrecht sind, die wenig hilfreiche, aber lautstark beklatschte Panikmache von Tintin, die spekulative Behauptung, dass The Bad und The Ugly sich persönlich von Tintin angegriffen fühlen und Verzichtsängste verspüren bis hin zum abermaligen Outing von Florian Meyer als Dieter-Nuhr-Hater.

Ein weiteres Mal wird Dieter Nuhr aus seinem Programm zitiert und Florian Meyer schreibt, dass man das als Gag verstehen könnte. Doch nur weil ein professioneller Comedian in einer Unterhaltungssendung so einen Satz sagt, muss das noch lange kein Gag sein. Was für ein ganz und gar abwegiger Gedanke! Aber versuchen wir einmal uns der Gedankenwelt des Herrn Meyer völlig unvoreingenommen zu öffnen, wenn auch nur für einen kurzen, einen sehr kurzen und - ich darf es vorwegnehmen – absolut nicht triumphalen Moment, nur um diese Gedankenwelt mit ein paar realen Fakten abzugleichen. Nach dem

Vergleich werden wir diese Gedankenwelt sofort wieder verlassen und wie eine alte Zeitung zusammenfalten, die wir hoch in die Luft werfen und mehrfach mit einer Schrottflinte beschießen und somit in etwas transformieren, woran wir alle viel Spaß haben, nämlich in Konfetti. Die zentrale Aussage: wir Menschen immer älter und insgesamt auch wohlhabender werden, wir die Klimakrise er so richtig angefacht.

Laut Florian Meyer gibt es also zu viele Menschen, die zudem die unangenehmen Eigenschaften besitzen, immer wohlhabender und immer älter zu werden. Nun, älter werden wir alle, Jahr für Jahr, Monat für Monat, Woche für Woche, Tag für Tag und in jeder anderen noch so geringen Zeitspanne. Deshalb möchte ich diesen Terminus durch *langlebiger* ersetzt. Doch mit diesem Aspekt der demographischen Bevölkerungsentwicklung werde ich mich später in diesem Kapitel auseinandersetzen und widme mich zunächst dem Wohlstandsaspekt.

Wohlstand entsteht immer da, wo verschiedene Rahmenbedingungen stabil und dauerhaft erfüllt sind, als da wären stabile politische Verhältnisse nach außen wie nach innen, Währungs- und Preisstabilität, ein gutes Finanz- und Bankensystem, ein zuverlässiges Rechtssystem, qualifizierte Arbeitskräfte in ausreichender Zahl, Vollbeschäftigung oder zumindest einer geringen Quote an Erwerbslosen gegenüber den Erwerbstätigen und so weiter. Und was bedarf es noch: na klar, einer gut funktionierenden Marktwirtschaft. Nun ist es jedoch so, dass nicht alle Staaten gleich wohlhabend sind, da gibt es die traditionellen Industriestaaten, wie Deutschland, Frankreich oder Großbritannien, bei denen der Wohlstand bezogen auf die Bevölkerung sehr weit verteilt ist. Den Industriestaaten nachfolgenden – die natürlich aus mehr Nationen bestehen, als nur den drei zuvor aufgezählten Ländern– sind die Schwellenländer, im offiziellen Sprachgebrauch auch als *Newly Industrialized Countries*

(NIC) bezeichnet. Diese Staaten gehören zwar noch zu den Entwicklungsländern, weisen aber nicht mehr deren typische Merkmale auf. Die Entwicklungsländer selbst weisen den geringsten Wohlstand auf, der zudem auch noch ungleichmäßig verteilt ist. Die UN-Organisationen unterschieden einst innerhalb der Gruppe der Entwicklungsländer zwischen den *Less Developed Coutries (LDC)* und den *Least Developed Countries (LLDC)*, doch einige der UN-Organisationen machen diese Unterscheidung nicht mehr, obwohl der Begriff LLDC offiziell immer noch in Gebrauch ist. Da für dieses Buch die vereinfachte Darstellung der Sachverhalte vollkommen ausreichend ist, will ich es genauso halten. Wenn nun eines der weniger entwickelten Länder beschließt, ebenfalls zu mehr Wohlstand zu gelangen, so bedarf es zu diesem Zeitpunkt vor allem eines, nämlich elektrischer Energie und davon reichlich. Da das Entwicklungsland aber erst am Anfang der eigenen Industrialisierung steht, kommen nur günstige Energieträger, wie Kohle, Öl und Gas, sowie der Ausbau vorhandenen Kraftwerkskapazitäten in Frage, auch wenn diese technologisch veraltet sind. Dass ein solches Vorgehen sich negativ auf die $CO_2$-Bilanz des Entwicklungslandes und damit auf die weltweite Klimabilanz auswirkt versteht sich von selbst. Noch vor 30 Jahren stand China genau an diesem Punkt. Seither ist die Wirtschaft des Landes und damit auch der Wohlstand der Bevölkerung rasant gewachsen, und zwar mit Atem beraubenden Wachstumsraten. Kein Wunder also, dass China mit einer Bevölkerung von 1.4 Milliarden Menschen und einer brummenden Ökonomie, auch der Staat mit dem größten $CO_2$-Ausstoß ist. Soweit scheint also die Theorie von der schlechteren $CO_2$-Bilanz bei wachsendem Wohlstand richtig zu sein. Es liegt jedoch auf nature.com eine Studie mit dem Titel *China's CO2 peak before 2030 implied from characteristics and growth of cities* (veröffentlicht auf nature.com im August 2019) vor, nach der diese Entwicklung einen

Endpunkt hat. Für China wurde dieser Endpunkt bei einem Bruttoinlandsprodukt von 18.900 Euro pro Kopf bestimmt. Die Kernaussagen dieser Studie, je reicher die Städte sind, desto umweltfreundlicher werden diese. Das liegt unteranderem daran, dass mehr Strom auf alternative Weise erzeugt wird. Auch das Verhalten der Stadtbewohner ändert sich. Diese nutzen die weniger stromintensiven Branchen wie Konsum und Dienstleistungen. Was den Umstieg Chinas auf alternative Energieerzeugung angeht, welche die Kohleverstromung ersetzten soll, möchte ich nur eines der markantesten Beispiele herausgreifen, von dem Sie bereits gehört haben dürften, nämlich dem Drei-Schluchten-Damm. Natürlich wurde dieses ehrgeizige Bauprojekt von Umweltschützern hart kritisiert, daran zeigt sich, dass Umweltschutz und Klimaschutz nicht immer automatisch Hand in Hand gehen, obwohl die Stromerzeugung durch Wasserkraft an sich eine saubere Sache ist. Man kann es eben nicht allen recht machen.

Die soeben für China betrachteten Entwicklungen haben die westlichen Industriestaaten schon lange hinter sich. So ist es kein Wunder, dass der $CO_2$-Ausstoß in Deutschland kontinuierlich zwischen 25 und 30 Prozent unter dem Wert aus dem Referenzjahr von 1990 liegt. Allerdings stagniert die Entwicklung seither, was unter anderem daran liegt, dass Deutschland sehr früh damit begonnen hat, den $CO_2$-Ausstoß zu verringen. Klassenprimus in Europa beim Einsparen von $CO_2$ ist Großbritannien, dass mittlerweile wieder auf dem Vergleichswert von 1960 angekommen sind. Doch auch mit diesem imposanten Ergebnis sind die Briten nicht die Weltmeister in dieser Kategorie. Das ist nämlich ein Land, das eher als einer der größten Klimasünder bekannt ist, denn als Vorbild beim Einsparen von $CO_2$. Die Rede ist von den USA, die zwar seit 1990 einen starken Anstieg beim $CO_2$-Ausstoß zu verzeichnen hatten, aber seit 2007 diesen Anstieg kontinuierlich abbauen konnte und sich bereits wieder dem Wert von 1990 annähert. Das dies trotz der Ankündigung von Donald Trump, wieder vermehrt Kohle und Öl zu verstromen, möglich ist, liegt an der Tatsache, dass die Bundesstaaten für die Stromerzeugung verantwortlich sind und nicht die Trump-Administration im fernen Washington. Gut, dass der vermeintlich mächtigste Mann der Welt zumindest etwas Widerstand innerhalb des eigenen Landes erfährt.

Kehren wir nun zurück zu dem mutmaßlichen Comedian, der in einer mutmaßlichen Comedy-Sendung einen mutmaßlichen Gag zum Besten gegeben hat, der unserm Herrn Meyer so gar nicht gefallen hat. Nur zur Erinnerung, darin stellt Dieter Nuhr die ganze Verwerflichkeit unseres Tuns zur Schau, da wir eine Welt geschaffen haben, in der die Menschen immer länger und besser leben. Nehmen wir für einen Moment an, dass wäre wirklich so verwerflich, was wären die Alternativen beziehungsweise die Gegenmaßnahmen? Auf den Fortschritt in der Medizin und Pharmazie der letzten 100 Jahre verzichten? Oder soll jeder Mensch eine Lebensuhr implantiert bekommen, die das Lebensalter begrenzt, so wie in dem Film *Flucht ins 23.Jahrhundert* (Originaltitel *Logan's Run*, 1976). In diesem Film werden die Menschen beim Erreichen des 30. Lebensjahres im sogenannten Karussell getötet und durch ein neugeborenes Kind ersetzt. Im Grunde also eine radikale Form von Geburtenkontrolle und Kontrolle der Sterblichkeit. Ich denke nicht, dass der Herr Meyer eine dieser beiden Möglichkeiten oder Varianten davon ernsthaft in Betracht zieht, was mich zu der Vermutung veranlasst, dass Dieter Nuhr vielleicht doch nur einen seiner subtilen Gags gemacht hat. Wenn Sie, meine liebe Leserin oder mein lieber Leser also bereits 30 Jahre alt sind und sich vorgenommen haben unbedingt 100 Jahre alt zu werden, dann müssen Sie sich jetzt nicht schlecht fühlen und lassen Sie sich auf gar keinen Fall von diesem Vorhaben abbringen.

Aber ernsthaft, bei welchen Vergleichszahlen bezüglich des $CO_2$-Ausstoßes spielt das absolute Lebensalter eine Rolle. Nun könnte ein ebenso vorwitziger wie fleißiger Nutzer der Sozialen Medien, der nicht notwendigerweise unser Herr Meyer sein muss, den Vorschlag machen, man könne doch den $CO_2$-Fußabdruck eines Menschen bezogen auf sein Lebensalter machen. Okay, klingt doch ganz vernünftig, denn je länger ein Mensch lebt desto länger wird dieser negativ zur $CO_2$-Bilanz beitragen. Aber nur weil etwas vernünftig klingt, muss es das noch lange nicht sein. Denn wir Menschen haben die unangenehme Eigenschaft zum Individualismus zu neigen. Auch beim Lebensalter, obwohl der Einfluss darauf begrenzt ist. Einige Menschen werden so alt wie Methusalem, andere sterben viel zu früh, und wiederum andere Menschen verspüren den unwiderstehlichen Drang ihr Leben lange vor dem vorgesehenen Ablaufdatum zu beenden. Und selbst wenn wir alle gleich lange leben würden, so leben wir doch auf ganz unterschiedliche Weisen. Da gibt es den eingefleischten Fan des Öffentlichen Nahverkehrs genauso wie den eifrigen Sammler von Vielflieger-Meilen und sicher werden Sie mir zustimmen, dass man als Säugling einen ganz anderen $CO_2$-Fußabdruck hinterlässt als ein Erwachsener von 35 Jahren. Pragmatisch gesehen müsste man Altersgruppen bilden von der Wiege bis zur Bahre und für jede Altersgruppe einen typischen $CO_2$-Fußabdruck ermitteln, um dieser Individualität Herr zu werden. Doch damit begeben wir uns bereits auf den Pfad der Kompromisse, aber ich bin ziemlich sicher, dass niemand ein wirkliches Interesse daran hatte, den individuellen $CO_2$-Fußabdruck für jeden einzelnen der 1.4 Milliarden Chinesen zu berechnen. Als Ergebnis erhält man gemittelte $CO_2$-Werte für jede Altersgruppe. Nun muss man nur noch die Altersgruppenwerte im Ganzen oder anteilig aufaddieren, bis das Lebensende erreicht ist. Gratulation, man hat nun den Altersgruppegemittelten CO2-Fußabdruck für einen Menschen. Für einen toten Menschen, wohlgemerkt, also einen Menschen, der nach seiner Einäscherung nicht weiter CO2-negativ auffällig sein wird. Und wie soll es von hier an weitergehen? Was fängt man mit dieser Zahl an? Die wenig überraschende Antwort kann nur lauten: absolut gar nichts. Freuen wir uns also gemeinsam über die Tatsache, dass die Vulkanische Grußformel *Lebe lang und erfolgreich* nicht überarbeitet werden muss.

Also die Reichen sind es nicht, die fidelen Alten sind es auch nicht und der weltweite Sündenbock in Sachen CO2-Ausstoss erweist sich als weltweiter Primus in Sachen CO2-Reduzierung. Da geht den Stammtisch-Szenarien offline wie online doch glatt die Munition aus. Vielleicht verfügt der Dieter Nuhr doch über einen gewissen Sinn für Humor, von dem wir vorher nichts wussten.

Aber jetzt kommt der Clou: auch seriöse Diskussionen mit seriösen Statistiken sind auf gewisse Art und Weise ohne Relevanz. Mit den heutigen Mitteln und Technologien werden wir die Reduktionsvorgaben bei CO2 vermutlich nicht erreichen und somit die globale Erwärmung nicht aufhalten. Dafür bedarf es neuer Technologien sowohl bei der Energieerzeugung als auch bei der Energiespeicherung (Stichwort: lokale Energieerzeugung) als auch im Bereich der Mobilität. Diese befinden sich zurzeit noch in den Forschungseinrichtungen weltweit, wo die Experten heute daran arbeiten, die Zukunft von morgen zu sichern. Bis dahin sollten wir mit Zuversicht jeden neuen Tag begehen und unser CO2-Verhalten jeden Tag überprüfen und verbessern, denn auch mit vielen kleinen Schritten kommt man ans Ziel, sofern jeder mitmacht.

# Der Thunberg-Epilog

*Das Jahr 2019 stand ganz im Zeichen von Greta Thunberg, der Fridays-for-Future-Bewegung und der Klimadiskussion, und zwar genau in dieser Reihenfolge – leider! Selbst ich konnte mich diesem Hype um Tintins Person nicht entziehen und nun finden sich insgesamt drei Kapitel zu diesen Themen in meinem Buch. Und Sie können mir glauben, wenn ich Ihnen sage, dass ich niemals vorhatte, so viele Seiten über ein kleines schwedisches Mädchen zu schreiben, dessen zweiter Vorname auf Tintin lautet. Grund genug also, meine eigene kleine Tintin-Trilogie innerhalb dieses Buches mit etwas ähnlichen wie einer Bilanz zu zieren.*

Das Jahr 2019 war wahrlich das Jahr unserer kleinen Tintin. Vermutlich hat noch nie ein Mensch vor ihr in so kurzer Zeit so viele Preise und Ehrungen verliehen bekommen. Naja, vielleicht der eine oder andere Ausnahmesportler, aber diese Gruppe wollen wir hier ausschließen, denn es geht ja bei Tintin nur um die knallharten Probleme in dieser Welt. Erstens, um ihre gestohlene Kindheit und zweitens um den Klimaschutz.

Bei den Preisen und Ehrungen handelt es sich auch nicht nur um eine Siegerurkunde bei den Bundesjugendspielen aus der zweiten Klasse, so wie Sie und ich eine vorweisen können, sondern um nationale und internationale Auszeichnungen mit Rang und Namen. Einige davon hatte ich zuvor schon einmal erwähnt, aber hier folgt eine kleine Zusammenstellung der wichtigsten Preise, um Ihnen eine Vorstellung zu geben, welch ein brobdinagisches Ausmaß die Hype um Tintin angenommen hat.

**Kinderfriedenspreis der Organisation Kidsrights**

Der Preis ist mit 100000 Euro dotiert, die an Projekte aus dem Arbeitsumfeld des Gewinners weitergeben werden. Allerdings musste sich Tintin die Summe mit einer weiteren Gewinnerin teilen. Luisa Neubauer, quasi unsere deutsche Tintin, nahm den Preis stellvertretend entgegen, da die Ausgezeichnete selbst mal wieder einen Segeltörn über den Atlantik unternahm.

**Natur- und Umweltpreis des Nordischen Rates**

Der Nordische Rat setzt sich zusammen aus Vertretern der skandinavischen Staaten Dänemark, Norwegen, Schweden, Finnland und Island, sowie den weitgehend autonomen Gebieten Aland, Grönland und den Färöer-Inseln. Der Preis ist mit 350000 dänischen Kronen (rund 47000 Euro) dotiert. Tintin hat die Annahme dieses Preises verweigert mit der Begründung, dass die skandinavischen Politiker sich zu wenig in das Thema Klimaschutz einbrächten. Eines muss man ihr lassen, wenn es um den Klimaschutz geht, dann kennt Tintin weder Freunde noch Verwandte.

**Right Livelihood Award der Right Livelihood Stiftung**

Diese Auszeichnung ist besser bekannt unter dem Namen Alternativer Nobelpreis und wird seit 1980 vergeben. Der Preis ist mit einer Million schwedischen Kronen (rund 93500 Euro) dotiert, spendenfinanziert und sieht sich in kritischer Distanz zu den anderen Nobelpreisen. Im Jahr 2019 gab es neben Tintin noch drei weitere Preisträger, die aus 142 Nominierten aus 59 Ländern ausgewählt wurden.

**Ambassador of Conscience Award von Amnesty International**

Der Menschrechtspreis *Botschafter des Gewissens* gilt als die wichtigste Auszeichnung von Amnesty International und wird seit

2003 an Künstlern und anderen Persönlichkeiten verliehen, die sich für die Verteidigung der Menschenrechte einsetzen. Prominentester Preisträger war bisher Nelson Mandela und für mich persönlich hat sich daran auch 2019 nichts geändert.

## Prix Liberté

Der Prix Liberté wurde 2019 zu ersten Mal vergeben und soll zukünftig an junge Menschen gehen, die sich für Frieden und Freiheit engagieren. Das Preisgeld von 25.000 Euro hat Tintin vollständig an vier Organisationen aus dem Bereich Klimaschutz weitergegeben.

## Geddes-Umweltmedaille der Royal Scottish Geographical Society

Die Royal Scottisch Geographical Society mit Sitz in Perth (Schottland) ist eine Gelehrtengesellschaft, die sich um die Verbreitung der Lehre und des Wissens im Fachgebiet Geografie engagiert.

## Sonderpreis des Deutschen Nachhaltigkeitspreises

Dieser Preis wird von der Deutschen Nachhaltigkeitspreis Stiftung vergeben in der die Bundesregierung, kommunale Spitzenverbände, Wirtschaftsvereinigungen und zivilgesellschaftliche Organisationen und Forschungseinrichtungen zusammenarbeiten.

## Rachel Carson Prize

Benannt nach der US-amerikanischen Biologin und Sachbuchautorin Rachel Carson wird dieser internationale Umweltschutzpreis seit 1991 alle zwei Jahre vergeben. Das Verwaltungsgremium mit Sitz in Stavanger (Norwegen) benennt ein freies und unabhängiges Auswahlkomitee, welches die Preisträger bestimmt.

## Nominierungen für den Friedensnobelpreis 2019 und 2020

Mittlerweile steht fest, dass es 2019 nicht zum Gewinn gereicht hat. Im Fotofinish gegen den päpstlichen Mitfavoriten belegte Tintin einen hervorragenden dritten Platz. Sieger wurde irgendjemand aus der Läufernation Äthiopiens. Ob es wohl 2020 reichen wird? Ich bin da ein wenig skeptisch.

## Goldene Kamera

Ja, Sie lesen das völlig richtig, unsere Goldene Kamera für Tintin. Eigentlich ein Preis für Film- und Fernsehschaffende wurde extra für sie die Kategorie Umwelt geschaffen. Obwohl bei mir nur am Ende gelistet, wurde der Preis bereits im März 2019 vergeben.

## TIME Magazine Person des Jahres 2019

Nachdem Tintin bereits in den Listen der einflussreichsten Teenager und der 100 einflussreichsten Persönlichkeiten geführt wurde, hat das renommierte TIME Magazine sie auch noch zur Person des Jahres gekürt. Diese Auszeichnung vergibt das TIME Magazine bereits seit 1923 und im Jahre 2015 wurde Angela Merkel zur Person des Jahres gewählt. Auch unseren alten Bekannten Nelson Mandela finden wir in der illustren Liste der bisher Ausgezeichneten wieder. Bereits im März 2019 wurde Tintin zur schwedischen Frau des Jahres durch die Swedish Women's Educational Association gekürt und landete für das Jahr 2019 auf Platz 100 der 100 mächtigsten Frauen der Welt. Puhh, das war knapp!

WOW! Ich muss sagen, das ist wirklich eine beeindruckende Liste, die noch nicht einmal den Anspruch auf Vollständigkeit erhebt. Und das alles innerhalb eines Jahres. Der gemeinsame Tenor in den Begründungen der Preisverleiher ist, dass Tintin es geschafft hat, die Massen zu mobilisieren und zu organisieren, um nach ihrem Vorbild für den Klimaschutz zu demonstrieren.

Bei so viel Lob, Anerkennung und Ehrungen, die sich auf eine Person vereinen, ist es mehr als legitim zu fragen, welche handfesten Resultate diese Flut von Auszeichnungen rechtfertigen. Blicken wir dazu wieder auf Tintins abenteuerliche World Tour, bei der wir sie zuletzt auf dem Parkett des Weltklimagipfels in Madrid verlassen haben. Der spannende Teil einer solchen Veranstaltung ist immer die Abschlussvereinbarung, in der die nächsten Ziele und Fristen in einem Rahmenvertragswerk festgelegt werden. Das ist Stress pur für die Staatssekretäre und all die anderen dienstbaren Geister, die immer im Hintergrund stehen und versuchen, einen gemeinsamen Konsens nach den Vorgaben der jeweiligen politischen Führer zu finden. Das Augenmerk der gesamten Welt war auf diese Abschlussvereinbarung gerichtet, denn jeder wollte wissen, was ein Jahr lang FFF-Demonstrationen unter der Führung der Jeanne d'Arc des Klimaschutzes gebracht haben. Gepuscht durch die massive und permanente Medienpräsens des Themas Klimaschutz waren die Erwartungen an das Ergebnis des Klimagipfels weltweit doch recht hoch angesiedelt. Die fatale Nachricht erreichte mich als Aufmacher der Tagesschau oder waren es die Tagesthemen oder gar das Heute-Journal. Ach, ich weiß es einfach nicht mehr. Aber ich bin mir sicher, dass es eine seriöse Nachrichtensendung war und keine Comedy-Show und es war auch nicht Dieter Nuhr, der das drohende Unheil verkündete, dass da lautete, dass das Ergebnis des Weltklimagipfels in Madrid, das vermutlich schlechteste der letzten Jahre sein werde und dass die gemeinsame Abschlussvereinbarung möglicherweise am Veto von den USA und Saudi-Arabien, aber auch von Brasilien und Australien zu scheitern drohe. Natürlich versuchen die dienstbaren Geister im Hintergrund zu retten, was zu retten ist, aber wer das Spiel kennt, der weiß, dass die gemeinsame Abschlusserklärung, so es denn eine geben würde, lediglich ein Minimalkonsens sein wird. So kam es denn auch und ein ganzes Jahr hartnäckiger Klimaproteste wurde ad absurdum geführt. Für mich persönlich war der Ausgang des UN-Klimagipfels keine Überraschung, sind doch die Teilnehmer an solchen Veranstaltungen an weit heftigere Demonstration in deren unmittelbaren Umfeld gewohnt als von ein paar Schülern, die freitags die Schule schwänzen.

Das desaströse Ergebnis von Madrid hatte Auswirkungen auf die Fridays-for-Future-Bewegung, auch bei uns in Deutschland. In vielen Ortsgruppen wurden die namengebenden Freitagsdemonstrationen nach einem Jahr eingestellt, andere Ortsgruppen lösten sich gleich ganz auf. Vollkommen desillusioniert über die Wirksamkeit der Demonstrationen wolle man über effektivere Aktionen nachdenken, hieß es aus Kreisen der deutschen FFF-Bewegung. Das ist in jedem Fall eine gute Idee, denn Schule schwänzen in Deutschland macht selbst in einem Klima erwärmten Winter keine rechte Freude.

In den Medien und in meinem Buch haben wir Tintin meist nur als die Leitfigur der aktuellen Klimaschutzbewegung kennen gelernt. Wagen wir doch einmal einen kleinen Seitenblick auf den Menschen hinter der Leitfigur. Und im Normalfall kennt niemand einen Menschen besser als die eigene Mutter. Wie praktisch, dass Tintins Mutter Malena Ernman, in Schweden eine bekannte Opernsängerin und Teilnehmerin am Eurovision Song Contest (Moskau 2009, La Voix, Platz 21) pünktlich zum beginnenden Aufstieg ihrer jüngeren Tochter ein Buch herausgebracht hat, das beschreibt, wie sehr Tintin das Familienleben verändert hat. Manch einer mag darin ein gelungenes Merchandising erkennen, aber nachdem aus Familienkreisen zu hören war, dass die Einnahmen des Buches vollständig an Umweltschutzorganisationen gestiftet werden sollen, soll mir das Ganze recht sein. Das Buch erschien im August 2018 in Schweden und ein Jahr später in der deutschen Übersetzung und heißt *Szenen aus dem Herzen*, erzählt nach Erinnerungen und aus der Perspektive von Malena Ernman. Was in den ersten drei Kapiteln beginnt wie eine Autobiographie der Mutter ändert sich schlagartig als es Tintin zunehmend schlechter geht und bei ihr das Asperger-Syndrom und weitere Zwangsstörungen diagnostiziert werden, unter anderem eine Essstörung. So beschließt unsere kleine Tintin mit elf Jahren von einem Tag auf den anderen die Nahrungsaufnahme zu verweigern und muss von den Eltern regelrecht zum Essen gezwungen werden. In einer der Szenen aus dem Herzen wird erzählt, wie Tintin unter der Aufsicht des Vaters fünf Gnocchi in sich hineinquält und dann verkündet satt zu sein. Das ganze Essen erstreckte sich über einen Zeitraum von zwei Stunden und zehn Minuten, sauber protokolliert durch den Vater. Den Mangel an Begeisterung für Gnocchi kann ich durchaus nachvollziehen und wollte ich ein Kind von elf Jahren dazu bewegen, etwas zu essen, wären diese zähen, gummiartigen, geruchs- und geschmackslosen Teigklümpchen das letzte, was ich dem Kind vorsetzen würde. Es müsste etwas sein, was im ganzen Raum einen Appetit anregenden Geruch verbreitet, z.B. ein frisch gerösteter Toast mit Butter und Marmelade bestrichen.

Die ständigen Eskapaden Tintins, die teilweise auf ihre diagnostizierten Zwangsstörungen zurückzuführen sind, brachten permanenten Unfrieden in das Familienleben der Thunbergs. Das geht so weit, dass Beata, die jüngere Tochter der Thunbergs aggressiv gegenüber ihren Eltern auftritt und auf ADHS (Aufmerksamkeitsdefizit- und Hyperaktivitätsstörung) diagnostiziert wird. Nur wenig später bekommt die Mutter dieselbe Diagnose gestellt. Tintins Verhalten zwingt der Familie einen komplett anderen Lebensstil auf in dem Fleisch essen verboten ist und Flugreisen verpönt sind. Wie bei den Thunbergs geheizt wird geht leider nicht aus dem Buch hervor. Beschrieben wird darin jedoch, wie sehr Tintin darunter leidet, wenn ihre Mitmenschen nicht dieselbe Leidenschaft für den Umwelt- und Klimaschutz teilen, wie sie selbst. Tintins Zustand verbessert sich erst, als sie anfängt öffentlich für den Klimaschutz zu demonstrieren. Ihre Essstörungen normalisierten sich, sie redete wieder mit Menschen außerhalb der Familie und ihre Depressionen verschwanden. Ich kann mir gut vorstellen, dass es etwas Befriedigendes hat, die Großen und Mächtigen der politischen Weltbühne ungestraft zu maßregeln und zu beschimpfen. Das musste auch Kanadas Premierminister Justin Pierre James Trudeau feststellen, der versucht hat, sich bei Tintin mit dem Versprechen beliebt zu machen, zwei Milliarden Bäume zu pflanzen. Aber Tintin ist gegen solche Offerten unempfänglich und so traf ihr Bannstrahl auch den Herr Trudeau in voller Härte. Auch der Vater kommt nicht umhin in einem der zahlreichen Interviews zu gestehen, dass das Leben mit Tintin vor den Streiks die Hölle war, und so unterstützt er jetzt seine Tochter so gut es geht. Tja, Putin nannte Tintin einen netten, aber schlecht informierten Teenager, der frühere TopGear-Moderator Jeremy Clarkson nannte sie eine verzogene Göre und ich nenne sie den weiblichen Oskar Matzerath (Romanfigur in *Die Blechtrommel*, Günter Grass). Und wenn man sich die Handlung des Buches und das Original-Filmplakat von 1979 ansieht, dann wird schnell klar, warum ich zu dieser Assoziation komme.

Aber irgendwann geht auch mal der schlechteste Weltklimagipfel zu Ende und damit auch die Welttournee für alle Handlungsreisenden in Sachen Klimaschutz. Jetzt heißt es nur noch ab nach Hause – beheizt oder auch nicht - in die verdienten oder auch nicht verdienten Weihnachtsferien. Wie gut, dass man von Madrid aus relativ $CO_2$-arm mit einem Personenzug fahren kann und wenn das Ziel Schweden heißt, dann ist die Route auch ziemlich klar, somit war es nur noch eine Frage der Zeit, wann Tintin durch Deutschland fahren würde. Kaum hatte sie deutschen Boden betreten, meldete sich auch schon die deutsche Fangemeinde über den international bewährten Internet-basierten Kurzmitteilungsdienst bei ihr, um sie zu bemitleiden, weil doch die Züge der Deutsche Bahn immer so überbelegt sind, häufig zu verspätet ankommen und bei denen ständig die Klimaanlage ausfällt, im Sommer wie im Winter. Bei dem letzten Punkt mag sich Tintin gedacht haben, ist doch super, ohne laufende Klimaanlagen ist das Bahnfahren noch $CO_2$-ärmer als es ohnehin schon ist. Allen anderen notorischen Nörglern am öffentlichen Personennahverkehr und den Deutsche Bahn-Kritikern sei gesagt, wenn es nicht so viele Schwarzfahrer gäbe, dann hätte die Bahn auch mehr Geld für die Wartung der Klimaanlagen, die Modernisierung der Wagen oder für den Streckenausbau. Was, hier fährt niemand schwarz? Wer notorisch jeden Freitag die Schule schwänzt, der fährt auch schwarz!

Schnell machte auch ein Bild die Runde, auf dem Tintin mit ihrem Gepäck im Eingangsbereich eines Wagens zu sehen ist. Vermutlich hat sich der Head of Social Media der Deutschen Bahn oder einer seiner Mitarbeiter gedacht, dass dies eine gute Gelegenheit wäre mit dem prominenten Fahrgast Werbung in eigener Sache zu machen, um das ramponierte Image aufzupolieren. Dagegen ist absolut nichts zu sagen, hätte die Deutsche Bahn nicht den Fehler gemacht, in ihrem Gegenbeitrag auf dem Internet-basierten Kurzmitteilungsdienst die Zugnummer zu posten, mit dem Tintin unterwegs war. Prompt folgte ein sogenannter Shitstorm gegen die Deutsche Bahn, weil mit diesem Beitrag kundenbezogene Daten veröffentlicht wurden. Im Allgemeinen würde ich der Kritik zustimmen, aber in diesem besonderen Fall empfinde ich den Aufschrei der Entrüstung doch weit übertrieben. Wahrscheinlich klebte schon seit Madrid eine Heerschar von Paparazzi die ständig weiterfunkten, wo Tintin gerade zu finden ist und was sie aktuell mache. Darüber hinaus kann ich mir gut vorstellen, dass auch diverse Mitreisende über einen Internet-basierten

Kurzmitteilungsdienst den Aufenthaltsort unser Tintin verraten haben, etwa in der Art: *Booah eyyy, ratet mal, wer außer mir noch im Zug XY mitfährt…*. Schließlich weiß auch jeder Fußballfan genau, auf welchem Flughafen und mit welchem Flug die deutsche Fußballnationalmannschaft nach einem Auswärtsspiel wieder in Deutschland ankommt. In diesem Zusammenhang habe ich aber noch nie von einem Shitstorm gegen die Fluglinie gehört. Aber bei Tintin ist wohl alles ein wenig anders – vermutlich, weil der durchschnittliche Fußball-Fan für solche Themen etwas weniger sensibilisiert ist, als die Fangemeinde von Tintin und so kommt es, dass unsere Klimaheldin noch nicht einmal mit der Bahn durch Deutschland reisen kann, ohne einen Kollateralschaden zu hinterlassen.

Nach so viel Tintin möchte ich Ihre Aufmerksamkeit auf ein paar Fakten lenken, die kaum jemand in Deutschland wahrgenommen hat. Wussten Sie zum Beispiel, dass außer der jungen Schwedin noch 15 weitere Kinder und Jugendliche zwischen acht und siebzehn Jahren zu dem UN-Klimagipfel in New York eingeladen waren? Die insgesamt 16 Kinder und Jugendlichen aus zwölf Ländern wie Argentinien, Brasilien, Deutschland, Frankreich, Indien, den Marshallinseln, Nigeria, Palau, Südafrika, Schweden, Tunesien und den USA haben zusammen eine Beschwerde beim Kinderrechtsausschuss der Vereinten Nationen eingereicht. In der Beschwerde heißt es, dass die UN-Mitgliedstaaten nicht genug für den Klimaschutz getan hätten. Unterstützt wird die Beschwerde von einer Rechtsanwaltskanzlei und Unicef, die jedoch nicht offizieller Partner dieser Beschwerde ist. Womöglich haben Sie beim Lesen kurz gestutzt, als Sie wahrgenommen haben, dass auch Deutschland in der Länderauflistung vertreten war. Es handelt sich dabei um ein 15-jähriges Mädchen aus Hamburg, weitere Fakten gingen im Ereignishorizont des Schwarzen Medien-Lochs namens

Tintin sogar in Deutschland verloren. Die anderen 14 Teilnehmerinnen und Teilnehmer teilten ein ähnliches Schicksal.

Tintins rechte Hand in Deutschland und ständiger Wingman, wann immer sie in Deutschland weilt, ist Luisa Neubauer (geboren 21.April 1996 in Hamburg). Frau Neubauer ist Klimaaktivistin, gehört der Partei Bündnis 90/Die Grünen an und ist eine der Hauptorganisatorinnen der deutschen FFF-Bewegung. Im Zuge des allgemeinen Interesses für den Klimaschutz im Jahre 2019, mobilisierte sie verschiedene Aktionen gegen die Siemens AG. Auslöser war die Forderung Neubauers an Siemens-Chef Joe Kaeser von einem bereits geschlossenen Vertrag mit der indischen Adani Group über 18 Millionen Euro zurückzutreten. In dem Vertrag geht es um die Lieferung von Gleissignalanlagen für eine Bahnstrecke von 189 Kilometer Länge, von der Carmichael-Kohlenmine (Queensland, Australien) nach Abbot Point. Die Adani Group möchte den Betrieb in der Carmichael-Mine um eine Kapazität von bis zu 60 Millionen Tonnen pro Jahr erweitern und die Kohle von Abbot Point aus nach Indien verschiffen und dort zu verstromen. Über die Problematik der Stromerzeugung in Less Developed Countries habe ich mich ja bereits am Beispiel von China ausgelassen. Viele nationale wie internationale Umwelt- und Klimaaktivisten kritisieren das Adani-Carmichael-Projekt unter anderem wegen der weiteren Gefährdung des Great Barrier Reefs durch das erhöhte Schifffahrtsaufkommen.

Joe Kaeser lehnte nach Beratung mit seinem Managing Board die Forderung Neubauers ab und wie ich finde, ist diese Entscheidung durchaus nachvollziehbar. Der Rücktritt von einem bereits geschlossenen Vertrag würde ein verheerendes Signal über die Vertragsverlässlichkeit des Siemens-Konzerns an andere Vertragspartner senden. Die Argumentation, dass Siemens die 18

Millionen Euro wichtiger wären als der Umwelt- und Klimaschutz ist schlichtweg absurd oder wie es mein Onkel formulieren würde, der sein gesamtes Berufsleben bei Siemens verbracht hat: Siemens ist eine Großbank mit angeschlossenem Elektrohandel. Die 18 Millionen Euro fallen da nicht groß ins Gewicht.

Damit zukünftig Verträge mit potenziell negativen Umweltaspekten nicht mehr geschlossen werden, bekam Neubauer von Kaeser einen Aufsichtsratsposten oder einen anderen Posten in einem beliebigen Gremium ihrer Wahl in der neu zu gründenden Siemens Energy angeboten. Neubauer lehnte diese Offerte mit der Begründung ab, dass sie sich dann zu sehr den Interessen des Konzerns verpflichtet fühlen müsse und nicht mehr die Unabhängigkeit für Kritik habe. Das ist eine Begründung, die ich nachvollziehen, aber letztendlich nicht verstehen kann, denn so ein Angebot zu bekommen nennen ich Karriere-technisch ganz oben anzufangen und dass mit 23 Jahren und einem angefangenen Geografie-Studium. Und dann auch noch als Frau mit dem aus marktwirtschaftlicher Sicht gesehen falschen Parteibuch. Eine solche Gelegenheit vorüberziehen zu lassen bedeutet, darauf zu verzichten, mehr als nur ein Bein in die Tür zu bekommen, man wäre direkt in einer Position, wo man tatsächlich etwas verändern könnte, eingebettet in einer der größten und weltweit angesehensten Firmen.

Anderseits überrascht mich diese Entscheidung nicht im Geringsten, kommt sie doch von einem Mitglied jener Generation, die zwar vermeintlich immer alles besser weiß, aber jedes Mal, wenn es darum geht es auch zu zeigen, den entsprechenden Beweis schuldig bleibt. Das ist als würde eine Clique von Freunden zum Billiard spielen gehen und jemand aus der Gruppe legt sich vorher eine Armschlinge an, damit er angeben kann, wie leicht der Stoß für ihn gewesen wäre, aber leider durch das (vorgetäuschte) Handicap es nicht vormachen kann.

Ich nenne es für mich auch gerne mal das Oppositions-Syndrom, ohne zu wissen, ob dieser Begriff in der Welt bereits mit einer Bedeutung versehen ist. Man ist gegen etwas, einfach weil es die gegenwärtige Rolle verlangt. Nun ja, es ist eben viel leichter Forderungen zu stellen und dabei ein Pappschild zu tragen, als schwerwiegende Entscheidungen für ein verantwortliches Handeln zu treffen.

Nachdem Donald Trump sein Impeachment-Verfahren abwehren konnte und Putins Präsidentschaft nach wie vor gesichert ist, kann unsere Tintin zuversichtlich in den Weihnachtsurlaub gehen, dass auch im Jahr 2020 der Kalte Krieg zwischen ihr und den beiden Präsidenten auf dem Internet-basierten Kurzmitteilungsdienst eine Fortsetzung finden wird. Während Tintin selbstzufrieden ihre Auszeichnungen und Medaillen poliert und in die elterliche Vitrine packt und das Logo der Deutschen Bahn quasi als Trophäe an ihre Zimmertür tackert, hat sie keine Ahnung, dass bereits in wenigen Monaten total und nachhaltig aus den Tagesmedien verdrängt werden wird noch dazu von einem Lebewesen, dass noch sehr, sehr, sehr, sehr viel kleiner ist als Tintin. Die Rede ist von den 60nm bis 160nm großen Virionen der Coronaviridae in der COVID-19 Mutation. Im allgemeinen Sprachgebrauch ist vom Corona-Virus die Rede. Diese miesen kleinen Biester haben Tintin und der Klimabewegung weltweit die Medienpräsenz voll und ganz entzogen. Mundschutz statt Klimaschutz ist auf einmal das angesagte Thema und findige Großmütter setzten sich sofort an ihre Nähmaschinen und versuchten der immer knapper werdenden Ressource Mundschutz effektiv entgegenzuwirken, während die pfiffigen Enkelkinder immer mehr Schnittmusterbögen und Selbstbauanleitungen ins Netz stellten. Ähnliches gilt für Do-it-yourself-Rezepte zum Anrühren antibakterieller Handwaschseifen, die skrupellose Mitmenschen beim Arzt oder in den Krankenhäusern nun nicht mehr stehlen müssen. Ja, das ist traurig, aber wahr, denn so tickt der Homunkulus von heute eben, auch wenn der sich selbst als Homo Sapiens Sapiens einstuft. Was es aber mit Hamsterkäufen von Klopapier und Klopapier ähnlichen Produkten auf sich hat, bei einem Virus, der es auf den unteren Respirationstrakt abgesehen hat, entzieht sich leider meiner Kenntnis. Vielleicht sagen sich die einfach gestrickten Gemüter in diesem unserem Lande, dass man besser einen gesegneten Vorrat Klopapier zuhause haben sollte, wenn beschissene Zeiten kommen.

Aber wie gesagt, davon ahnt unsere kleine Tintin am Ende des Jahres 2019 noch nichts und so verlassen wir sie und ihre Familie mit dem guten Gefühl, dass sie zum ersten Mal nach ihrer gestohlenen Kindheit ein selbstzufriedenes Weihnachtsfest feiern kann, auch wenn uns Dieter Nuhr immer noch nicht sagen kann, wie bei Thunbergs geheizt wird. Vielleicht ist er auch einfach nur der falsche Mann dafür, denn wir wissen ja, Dieter Nuhr ist für die platten Gags verantwortlich, aber Mario Barth deckt auf!

# Corona, meine Nachbarn und ich

*Und es begab sich im Jahr 2019, etwa um die Weihnachtszeit, dass ein Mensch aus dem Reich der Mitte sich einen bis dato unbekannten Krankheitserreger einfing und sich unwissentlich aufmachte, es an die Mitmenschen seiner unmittelbaren Umgebung weiterzugeben. Nun waren es bereits sehr wenige Menschen, die ebenfalls unwissentlich diesen Krankheitserreger weiter in die Welt trugen. Und so wuchs die Zahl derer, die die Keime in sich hatten und bald auch in anderen Ländern verbreiteten …*

*Covid 19, Vers 2020 bis 202X*

Eigentlich hatte ich nicht vor, über das weltweit beherrschende Thema der Corona-Pandemie zu schreiben. Die Allgegenwart der Auswirkungen spüren wir in unserem alltäglichen Leben, welches mittlerweile nichts Alltägliches mehr an sich hat, bis wir uns daran gewöhnt haben werden, dass das Abstandhalten, das Desinfizieren von Händen und das Tragen von Mund- und Nasenschutz zu unserem neuen alltäglichen Leben geworden ist. Lassen Sie mich die Hoffnung ausdrücken, dass es nicht dazu kommen mag. Die Corona-Pandemie ist ein Thema, dem man sich mit allem gebührenden Respekt annähern sollte, denn zu groß sind die gesundheitlichen und wirtschaftlichen Folgen weltweit und ein Ende der Krise ist noch lange nicht abzusehen. Lassen Sie mich kurz Revue passieren, was sich bisher in den Jahren 2020 und 2021 zugetragen hat, bevor ich versuchen werde, Sie mit ein paar galgenhumoristischen Aspekten unseres neuen Alltags ein wenig aufzumuntern.

Wie schon im Anleser zu diesem Kapitel etwas verklausuliert dargestellt, wurde am 31. Dezember 2019 in Wuhan (Volksrepublik China) bei einem Patienten ein - bis dato - neuer Erreger für Lungenentzündung festgestellt und mit der Bezeichnung *SARS-CoV-2* (*englisch: severe acute respiratory syndrome coronavirus type 2 / deutsch: Schweres akutes Atemwegssyndrom-Coronavirus-Typ 2*), versehen. Dieser neue Erreger löst die meldepflichtige Infektionskrankheit *COVID-19* aus. Zu diesem Zeitpunkt war COVID-19 noch eine Endemie, das heißt regional begrenzt auf Wuhan, Hauptstadt der Provinz Hubei mit 10.766.200 Einwohner (Stand 2016). Im Januar 2020 verbreitete sich diese Krankheit bereits in ganz China und wurde von der World Health Organization (WHO, Genf in der Schweiz) zur Epidemie erklärt. Die ersten Krankheitsfälle außerhalb Chinas wurden bereits am 13. Januar 2020 in Thailand gemeldet. Am 23. Januar 2020 erreichte die Krankheit bereits die USA. Erste Todesopfer gab es am 15. Februar in Frankreich und 23. Februar in Italien zu beklagen. Am 11. März 2020 wurde COVID-19 als weltweite Pandemie eingestuft. Ohne Berücksichtigung der Dunkelziffer vermeldete die WHO am 29. September 2020 über 33.000.000 bestätigte Infektionen mit über 1.000.000 bestätigten COVID-Toten.

| Fälle weltweit Stand 22. Februar 2021 | | |
|---|---|---|
| **Bestätigt** | **Todesfälle** | **Genesen** |
| 111.365.522 | 2.466.241 | 62.833.940 |
| +250.745 | +4.805 | +178.180 |

*Tabelle 2: COVID-19 Fälle weltweit*

| Fälle in Deutschland Stand 22. Februar 2021 | | |
|---|---|---|
| **Bestätigt** | **Todesfälle** | **Genesen** |
| 2.394.515 | 68.443 | 2.190.413 |
| +6.098 | +101 | +5.930 |

*Tabelle 3: COVID-19 Fälle Deutschland*

Trotz dieser erschreckenden Zahlen gab und gibt es noch die Unbelehrbaren, die glauben sich nicht an die Corona-Vorschriften halten zu müssen. Allenthalben sieht man Personen, die anscheinend immer noch nicht wissen, dass so eine Gesichtsmaske nur dann wirklich wirksam ist, wenn man diese sowohl über den Mund als auch über die Nase zieht. Dass das weder angenehm noch auf Dauer wirklich erträglich ist, ist verständlich, aber schließlich geht es hier um ein höheres Ziel als das persönliche Komfortgefühl. Es geht schlicht und ergreifend um Leben und Tod, um es einmal episch zu formulieren.

Ebenso gibt es Menschen, denen der Modegedanke wichtiger zu sein scheint als der persönliche Sicherheitsschutz. Selbstverständlich ist das Tragen einer modischen Gesichtsmaske immer noch besser als keine Maske zu tragen und auch bei den modischen Masken gibt es mittlerweile solche, die auch den Sicherheitsaspekt nicht außeracht lassen. Aber vielleicht sollte man doch daran denken, dass es sich bei den Gesichtsmasken um hygienemedizinische Ausrüstungsgegenstände handelt. Da sollte das modische Erscheinungsbild ausnahmsweise mal hinter der Funktionalität anstehen.

Und auch die Menschen gibt es, die sich nicht dazu verpflichtet fühlen, selbst an belebten Orten eine Maske zu tragen. Da helfen dann auch keine deutschlandweiten Aufklärungskampagnen, weder zur täglichen Primetime im Fernsehen noch als Infopost an alle Haushalte des Landes. Die Unverbesserlichen eben.

Nach den Unverbesserlichen kommen nur noch die Unverschämten. Das sind zum Beispiel Jugendliche, die zumeist älteren Menschen ins Gesicht husten und lauthals *Corona* schreien, was mir selbst auch schon in einem Supermarkt widerfahren ist. Ist das der jugendliche Überschwang, die pure Unvernunft oder einfach nur schiere Dummheit. Wenn man das *Was-wäre-wenn*-Prinzip anwendet und davon ausgeht, dass vielleicht der eine oder andere dieser Jugendlichen bereits unwissentlich infiziert war, dann ist es wohl etwas mehr als das. Man kann nur hoffen, dass auch die Jugendlichen mittlerweile eingesehen haben, dass eine Pandemie kein Spaß ist.

Außer den gesundheitlichen Auswirkungen der Pandemie ist durch COVID-19 auch noch die Wirtschaft im Jahr 2020 stark ins Schlingern geraten. Eine Wirtschaftskrise, die nicht nur im Jahr 2021 weiter anhalten wird, sondern sich sogar noch darüber hinaus ausdehnen könnten, solange sich SARS-CoV-2 und dessen Mutationen weiter ausbreiten.

Von der Wirtschaftskrise betroffen sind vor allem jene Berufszweige, bei denen Gruppen von Menschen auf beschränkten Raum zusammentreffen und bei denen Körperkontakt unvermeidlich ist. Das sind zum Beispiel die Friseure, die Fitnessstudios oder das Hotel- und

Gaststättengewerbe. Aber auch die Reise- und Transferunternehmen, wie Busunternehmen, der öffentliche und private Nahverkehr und die Fernreiseunternehmen, allen voran die Fluglinien. Die Veranstaltungs- und Kulturunternehmen tun sich ebenfalls schwer und müssen zum Teil ganz auf das gewohnte Programm und deren Einnahmen daraus verzichten. Und nicht jede Branche hat die Möglichkeit, die finanziellen Einbußen zumindest zu einem Teil zu kompensieren, wie es zum Beispiel die Gaststätten tun, indem die Speisen und Getränke durch eigene oder bezahlte Lieferdiensten zu den Kunden nach Hause geliefert werden. Warum nicht auch mehr Friseure einen Heimservice anbieten ist mir jedoch ein Rätsel, denn in einer Krise muss eben auch ein wenig improvisiert werden, anstatt nur über die gegebenen Umstände zu jammern und auf die Hilfe der jeweiligen Landesregierungen oder gar der Bundesregierung zu warten.

Bitter sieht es auch für die Sportveranstaltungen aus. Mal ehrlich, selbst in den schönsten Sportarenen in Deutschland, und davon gibt es eine ganze Menge, macht ein Fußball-, ein Handball- oder ein Basketballspiel ohne Zuschauer nur wenig Freude bei allen Beteiligten. Es fehlt genau das, was ein Live-Sport-Event eben auszeichnet und was im Fußball im Allgemeinen als der 12. Mann auf dem Platz genannt wird. Und damit ist nicht der Schiedsrichter gemeint. Doch ohne Zuschauer keine Einnahmen aus dem Ticketverkauf, kein Umsatz im Fanshop und selbst in der Halbzeitpause bleibt der Würstchengrill kalt und der Zapfhahn trocken. Für Vereine aus Sportarten, die nicht mit üppigen Sponsorenverträgen und den Einnahmen aus exklusiven Übertragungsrechten im Fernsehen ausgestattet sind, fällt es zunehmend schwieriger, den Spielbetrieb aufrecht zu erhalten.

Es soll aber auch nicht vergessen werden, dass der Breitensport ebenfalls unter den Auswirkungen der Pandemie zu leiden hat. Sofern man keine Individualsportart betreibt, die im Freien betrieben werden kann, machen die Corona-Auflagen den Sportbegeisterten einen dicken Strich durch die Rechnung. Versuchen Sie mal Basketball zu spielen, mit Gesichtsmaske und dabei noch den Mindestabstand von anderthalb Metern zu wahren. Selbst in den meisten Umkleidekabinen würde dieses Vorhaben bereits scheitern. Aber Sie müssen sich deshalb keine Sorgen machen, denn wie Sie vielleicht aus eigener Erfahrung wissen, ist das wöchentliche Training ohnehin verboten und die meisten Trainingsstätten bleiben geschlossen.

Wenn sich auch die Lieblingssportart zumindest für eine gewisse Dauer durch Joggen, Radfahren oder Wohnzimmersport ersetzen lässt, so sind die Auswirkungen der Pandemie auf das Bildungswesen weit weniger gut abzuschätzen und zu kompensieren. Der Alltag an den Schulen, sofern der Unterricht überhaupt noch in den Schulen stattfindet entspricht schon lange nicht mehr den althergebrachten Vorstellungen und Erinnerungen, den unsereins an die Schulzeit hat. Klassen werden nicht mehr gemeinsam unterrichtet, sondern in Schichten, und dass auch nur, wenn die Schulen überhaupt geöffnet haben. Stattdessen werden die Kinder zuhause unterrichtet mit Hilfe des Internets, welches die Lehrer im Homeoffice mit den Kindern per Livestream verbindet. Nichtsdestotrotz ergeben sich Pandemiebedingt zahlreiche Unterrichtsausfälle, das häufig zum Absinken des allgemeinen Lernniveaus führt. Zahlreiche Eltern sind mit der Situation überfordert, weil diese vor allem die Schüler der mittleren und oberen Klassenstufen nicht mehr ausreichend unterstützen können. Ein Absinken des Notenspiegels bei den Kindern ist häufig der Fall.

Doch kein Krieg ohne Profiteure. Die Branche für Nachhilfe und Unterricht profitiert von den zuvor geschilderten Problemen bei den

Schülerinnen und Schülern, auch wenn der Nachhilfeunterricht ebenfalls nur remote durchgeführt werden kann.

Ebenfalls zu den Gewinnern zählen die Anbieter von persönlichen Schutzausrüstungen und von Hygiene- und Desinfektionsmitteln. Deren Produktion dürfte in den Hochzeiten der Pandemie 24 Stunden am Tag in Betrieb gewesen sein. Gesichtsmasken, Desinfektionsmittel für Hände und desinfizierende Haushaltsreiniger, sowie Einweghandschuhe dürften einen Rekordverdächtigen Gewinn in die Kassen der Hersteller und Produzenten gespült haben.

Die weitaus größten Gewinner dürften aber die Hersteller von Schnelltests und deren angeschlossenen Laborbetreiber, so wie die Bio-Tech und Pharmakonzerne sein, denen es bisher gelungen ist, einen Impfstoff herzustellen. Mittlerweile gibt es bereits vier Impfstoffe auf dem Markt, die ich in den folgenden Abschnitten kurz aufzählen möchte.

*WICHTIGER HINWEIS: Die Informationen in folgenden Abschnitten über die bisher verfügbaren Impfstoffe erhebt KEINEN Anspruch auf Vollständigkeit oder fachmedizinische Korrektheit. Des Weiteren sollen die dargestellten Informationen lediglich eine Übersicht der zu diesem Zeitpunkt verfügbaren Impfstoffe bieten, aber KEINESFALLS ist daraus eine medizinische Empfehlung für den einen oder anderen Impfstoff, dessen Wirksamkeit und / oder dessen Verträglichkeit anzuleiten. Zu weiteren Fragen wenden Sie sich bitte an Ihren Hausarzt oder an eine andere qualifizierte Person oder Einrichtungsstelle zur gesundheitlichen Aufklärung.*

Den Anfang im Reigen der Impfstoffe machte der Sputnik V, der zu den traditionellen Vektor-Impfstoffen gehört, bei denen Fragmente des Erbguts des eigentlichen Krankheitserregers, in diesem Fall also SARS-CoV-2 in eine schwächere Virenart eingebracht werden. Die so modifizierten Viren werden als Transportmittel im Körper verwendet, dringen dort in die menschlichen Zellen ein und produzieren die Eiweißstoffe, die auch der eigentliche Krankheitserreger produzieren würde, aber wie gesagt, nur in abgeschwächter Form. Dadurch lernt das Immunsystem das virale Eiweiß kennen und kann so eine geeignete Abwehr gegen dieses Eiweiß aufbauen. Der aus Russland stammende Impfstoff wird in zwei Dosen verabreicht, die im Abstand von drei Wochen zueinander folgen. Entwickelt wurde der Impfstoff am Gamaleja-Institut für Epidemiologie und Mikrobiologie in Russland.

Bei den Impfstoffen von BionTech / Pfizer und Moderna wird ein anderes Prinzip verwendet, nämlich das mRNA-Prinzip. RNA steht für ribonucleic acid (deutsch: Ribonukleinsäure) und bildet die Grundlage für das Erbgut aller Lebewesen. Das *m* steht für Messenger. In diesem Fall enthält die mRNA einen Bestandteil des Erbgutes des Krankheitserregers, also des COVID-19. Diese gelangen über Fett-Tröpfchen in die menschlichen Zellen und beginnen dort mit der Reproduktion der mRNA. Auch in diesem Fall muss das Immunsystem nun die passende Antwort finden.

Der Impfstoff der University of Oxford und AstraZeneca ist wiederum ein Vektor-Impfstoff und arbeitet somit nach dem gleichen Prinzip wie Sputnik V.

Nachdem man zunächst angenommen hatte, dass eine Impfdosis bei grundsätzlich allen Impfstoffen ausreichen würde, werden mittlerweile alle Impfstoffe in mindestens zwei Dosen verabreicht, jeweils im Abstand von wenigen Wochen. Die folgende kleine Übersicht zeigt, wie viele Impfdosen bisher in Deutschland und weltweit vorabreicht wurden.

| Übersicht über die Impfdosen in Deutschland Stand 10. März 2021 | | |
|---|---|---|
| Verabreichte Dosen | Vollständig geimpft | Prozent der Bevölkerung vollständig geimpft |
| 7.897.100 | 2.546.692 | 3,07 % |

Tabelle 4: Verabreichte Impfdosen in Deutschland

| Übersicht über die Impfdosen weltweit Stand 10. März 2021 | | |
|---|---|---|
| Verabreichte Dosen | Vollständig geimpft | Prozent der Bevölkerung vollständig geimpft |
| 312.249.858 | 68.604.259 | 0,88 % |
| +5.740.552 | +1.678.145 | +0,02% |

Tabelle 5: Verabreichte Impfdosen weltweit

Es ist verständlich, dass nicht alle Impfwilligen sofort einen Impftermin in den Impfzentren bekommen. Es gibt eine Einteilung nach Risikogruppen, die zuerst eine Impfung erhalten sollen. Bisher stehen drei Risikogruppen fest. Wer nicht zu diesen drei Risikogruppen zählt, der muss sich noch ein wenig in Geduld üben.

Wie bereits eingangs versprochen, werde ich nun versuchen, mich der gegenwärtigen Situation von der skurril-humorvollen Seite anzunähern. Wer von Ihnen, meine lieben Leserinnen und Leser der Meinung ist, dass es pietätlos sei, ein solches Thema von dieser Warte aus zu betrachten, der sollte vielleicht die nächsten Abschnitte überspringen. Ich für meinen Teil bin der Meinung, dass es bei einer Krise, die bereits über ein Jahr andauert und wahrscheinlich noch eine ganze Weile länger andauernd wird es durchaus hilfreich und heilsam sein kann, denn inneren Optimismus zu stärken. Es folgt nun meine ganz persönliche Hitparade der skurrilsten Ereignisse, die ich entweder selbst beobachten durfte oder die sogar in den Medien publik gemacht wurden. Das Wort Hitparade sollten Sie allerdings nicht zu wörtlich nehmen, da kein Ordnungsschema den einzelnen aufgeführten Ereignissen zugrunde liegt. Hiermit stelle ich meine Hitliste unter das Motto *Du weißt, dass es eine Pandemie gibt, wenn ...* Und los geht's!

*Du weißt, dass es eine Pandemie gibt, wenn ... dein Sushi-Reis nach Sterillium oder anderen alkoholbasierten Desinfektionsmitteln schmeckt.* Die Küchenhygiene ist eine wichtige Angelegenheit für jede öffentliche oder gewerblich genutzte Küche, auch in Zeiten, in denen keine Pandemie herrscht. Und je größer die Küche desto wichtiger die Einhaltung der Hygienevorschriften. Längst gehören Kochhandschuhe und in der gehobenen Gastronomie auch das Prinzip, die Produkte nur so wenig wie möglich anzufassen zu den üblichen Standards. Während der Pandemie ist dann noch die kontaktlose Lieferung hinzugekommen. Das läuft mittlerweile alles bestens. Allerdings hatte ich einmal den Fall, dass der Klebreis für das Sushi extrem nach dem verwendeten Handdesinfektionsmittel schmeckte. Ob das nun daran lag, dass der Koch keine Kochhandschuhe trug oder ob sich das Desinfektionsmittel durch die Kochhandschuhe durchgearbeitet hatte, vermag ich nicht zu sagen. Bei dem intensiven neuen Geschmackserlebnis habe ich nur inständig gehofft, dass der Koch die richtige Reihenfolge eingehalten hatte, nämlich erst die Handreinigung durchzuführen und dann die Kochhandschuhe anzuziehen. Auch bei anderen Gerichten konnte ich das Sterillium-Aroma bemerken, jedoch hat es sich aufgrund anderen Zubereitungsarten lange nicht so Geschmacks-dominant ausgewirkt. Eine Aroma-Präsenz, auf die ich in Zukunft gerne wieder verzichten würde. Aber zumindest konnte ich mir bei diesen Gerichten sicher sein, hier wurden die Hygienevorschriften eingehalten wurden.

*Du weißt, dass es eine Pandemie gibt, wenn … Endemie, Epidemie und Pandemie fast keine Fremdwörter mehr sind.* Nachdem ich diese Begriffe bereits zu Anfang des Kapitels eingeführt habe, möchte ich das nicht wiederholen. Bemerkenswert finde ich es allerdings, wenn Begriffe, deren Bedeutung zuvor nur wenigen Eingeweihten bekannt waren und sich bei einem Großteil der Bevölkerung noch nicht einmal im passiven Wortschatz wiedergefunden haben, durch ein einschneidendes Ereignis und der entsprechenden Aufmerksamkeit in den Medien zu Allgemeinbegriffen abgewertet werden. Zwar mag es hier und da noch an der korrekten Definition hapern, aber das Vokabular ist nun definitiv vorhanden. Aber auch wenn die Wörter Endemie, Epidemie und Pandemie in aller Munde sind, ist eine direkte Infektion auszuschließen.

*Du weißt, dass es eine Pandemie gibt, wenn … Masken auch außerhalb der fünften Jahreszeit getragen werden.* Ob Fasnet, Fasching oder Karneval, für viele Menschen ist die sogenannte fünfte Jahreszeit das Highlight des Jahres. Sich fantasievoll zu verkleiden oder sich hinter traditionellen Masken zu verbergen ist das Mittel, um aus dem gewohnten Alltag auszubrechen und ordentlich die Puppen tanzen zu lassen. Die Pandemie erlaubt nun all den Karnevalisten auch außerhalb der Saison Gesichtsmasken zu tragen. Pech allerdings, das nun auch die Karnevalsmuffel da mitziehen müssen.

*Du weißt, dass es eine Pandemie gibt, wenn … bei den Kostümen Augenmasken out und Mund- und Nasenschutzmasken in sind.* Tja, was soll ich sagen, es sind eben harte Zeiten für alle. Ob aus kosmetischen Gründen oder als Teil eines Heldenkostüms, eines steht jedenfalls fest: Augenmasken sind out, Mund- und Nasenschutzmasken sind in. Selbst in Metropolis und Gotham City ist die Pandemie verbreitet, so dass selbst Superhelden, wie The Flash, Batman oder Green Lantern über eine Modifikation ihrer Heldenkostüme nachdenken müssen. Lediglich Spiderman ist in dieser Sache bereits vorbildlich unterwegs, auch es beim direkten Kontakt mit dem zarten Geschlecht bisher etwas hinderlich war. Für all diejenigen, die jetzt mit den Augen rollen und behaupten, dass Metropolis und Gotham City nur in diversen Comic-Heftchen existieren, habe ich ein paar Fun-Facts parat. Bereits im Jahre 1807 verwendete der US-amerikanische Schriftsteller Washington Irving in seiner Essay-Sammlungen den Begriff Gotham City als Spitznamen für New York City. Auch in England findet sich ein kleines Städtchen namens Gotham in der Nähe von Nottingham in der Grafschaft Nottinghamshire. Und was Metropolis anbelangt, so haben Sie die Auswahl zwischen einer beschaulichen Kleinstadt in Illinois und einer bedeutend größeren Metropole in Louisiana. In diesen Städten ist die Pandemie so real, wie auch im übrigen Rest der Welt, was zu beweisen war.

*Du weißt, dass es eine Pandemie gibt, wenn … die Lieblingsshow der Deutschen The Masked Singer ist.* Natürlich ist es nur schiere Koinzidenz, dass die Pandemie und die erste Staffel von The Masked Singer sich quasi zur selben Zeit in Deutschland verbreitet haben. Und wiederum freuen sich die Karnevalisten über die weitere Ausdehnung der fünften Jahreszeit diesmal im TV. The Masked Singer befindet sich bereits in der vierten Staffel seit 2019. Es bleibt abzuwarten, ob mit der Eindämmung der Pandemie auch die Euphorie für dieses Sendeformat einhergeht. Erst dann kann mit einer gewissen Bestimmtheit entschieden werden, ob es eine Relation zwischen den beiden Ereignissen besteht.

*Du weißt, dass es eine Pandemie gibt, wenn ... das Vermummungsverbot quasi keine praktische Anwendung mehr erfährt.* In Deutschland gibt es kein allgemeines Vermummungsverbot in der Öffentlichkeit, allerdings gibt es Ausnahmen, in denen die Verhüllung des Gesichts untersagt ist, weil eine Feststellung der Identität damit nicht mehr möglich ist. Das trifft auf Demonstrationen und anderen öffentlichen Veranstaltungen zu, sowie in Fußballstadien und beim Autofahren. Aber durch die Pandemie herrscht in den Fußballstadien gähnende Leere und das Verhüllen von Mund und Nase ist in der Öffentlichkeit, zum Beispiel bei den täglichen Besorgungen sogar Pflicht. Dabei kommt es manchmal zu recht lustigen Begebenheiten, den durch die partielle Bedeckung des Gesichts fällt es manchen Menschen schwer, selbst langjährige Nachbarn und Bekannte wiederzuerkennen. Der Gesichtsbereich für die Erkennung der Personen ist auf die Augenpartie beschränkt. Interessanterweise ergibt sich daraus, dass der Blickkontakt mit seinem Gegenüber automatisch besser wird. Wer aber bei der Kommunikation mit seinem Gegenüber bisher von einer regen Mimik gelebt hat, der hat es jetzt allerdings ungleich schwerer. Unter der Gesichtsmaske zu lächeln, die Nase zu rümpfen oder die Lippen zu schürzen kann nur schwer erfasst werden. Eine verbale Reaktion ist somit vorzuziehen.

*Du weißt, dass es eine Pandemie gibt, wenn ... es absolut nirgendwo mehr ein Blatt Klopapier zu kaufen gibt.* Auf eine Krise vorbereitet zu sein ist ein Zeichen von weiser Voraussicht und vernünftiger Vorratshaltung. Hier sind vor allem die Amerikaner führend, die als die Prepper-Nation schlechthin gelten. Als *Prepper* (*englisch: to be prepared*) werden all jene Personen bezeichnet, die – ich zitiere an dieser Stelle die Definition aus Wikipedia - sich mittels individueller Maßnahmen auf jedwede Art von Katastrophe vorbereiten: durch Einlagerung beziehungsweise eigenen Anbau von

Lebensmittelvorräten, die Errichtung von Schutzbauten oder Schutzvorrichtungen an bestehenden Gebäuden, das Vorhalten von Schutzkleidung, Werkzeug, Funkgeräten, Waffen und anderem. Dabei ist es unwichtig, durch welches Ereignis oder wann eine Katastrophe ausgelöst wird. Bei den Deutschen ist sowohl der Begriff Prepper als auch das Verhalten eines Preppers eher unbekannt und wird im Falle eines Falles durch spontane Hamsterkäufe kompensiert. Einige dieser Einkäufe machen Sinn, andere weit weniger, sofern man überhaupt ein Sinn darin liegt, bei guter Produktions- und Versorgungslage Hamsterkäufe zu tätigen. So wurde zu Beginn der Pandemie so viel Klopapier, Einweg-Taschentücher und Küchenrollen eingekauft, dass selbst im größten Supermarkt der Stadt nicht mehr eine einzige Packung zu finden war. Ein wirklich ungewohnter, wenn nicht gar bizarrer Anblick, ein völlig leeres Gangregal zwischen zwei gut gefüllten Regalen zu finden. Und trotz der vollkommenen Leere in diesem Regal schien es so, als sei das Regal absolut dominant und überdimensioniert. Schon beim Einkaufen einer normalen Klopapier-Vorratspackung mit acht Klorollen darin für den alltäglichen Bedarf pflegte einer meiner Nachbarn immer zu sagen: *Leute, kaufts Klopapier, es kommen beschissene Zeiten.* Wie bestätigt würde er sich wohl fühlen, angesichts dieses Mangels an dem genannten Artikel in diesem mächtigen Hochregal. Doch eines will mir dabei nicht in den Kopf gehen: warum ausgerechnet Klopapier? Einweghandschuhe - verständlich. Desinfizierende Handspülungen - verständlich. Mund- und Nasenschutzmasken - verständlich. Desinfizierende Haushaltsreiniger - verständlich. Aber warum in der Welt muss es ausgerecht Klopapier sein. Wie hilfreich ist Klopapier gegen einen Krankheitserreger, der die unteren Atemwegsorgane befällt. Bei einer Epidemie mit Noroviren oder anderen Durchfall-erzeugenden Krankheitserregern will ich nichts gesagt haben. Aber wie will man mit

Klopapier jemals zu den COVID-19 betroffenen Organen (Tracheen, Bronchien und Lungen) vordringen? Auch ein erhöhter Verbrauch von Taschentüchern ist nicht zu erwarten, wir haben ja keinen handelsüblichen Schnief-Schnupfen, nicht wahr?

*Du weißt, dass es eine Pandemie gibt, wenn … das Bild des Tages einen Verstoß gegen das Kontaktverbot darstellt.* Ein Bild sagt mehr als tausend Worte, so sagt man. Aber manchmal sagt es auch mehr aus, als man eigentlich damit zeigen wollte und quasselt einfach munter drauf los. So geschehen in einer Informationssendung zum aktuellen Stand der Corona-Lage. Die Redakteure dieser Sendung wollten zum Abschluss des ansonsten wenig erfreulichen Inhalts einen optimistisch-stimmenden Kontrapunkt setzen. Das Bild zeigte ein junges Pärchen, dass sich am Grenzzaun trifft und sich küsst. Aufgrund des Kontakt- und des länderübergreifenden Besuchsverbotes zur Eindämmung der Ausbreitung der Pandemie ein nicht gerade vorbildliches Verhalten. Das kam den Redakteuren aber erst nach der Veröffentlichung des Bildes in den Sinn, vermutlich durch eine entsprechend heftige Zuschauerreaktion. Und so blieb einmal mehr eine gut gemeinte Tat nicht ungesühnt.

*Du weißt, dass es eine Pandemie gibt, wenn … die Balkone unserer Siedlungen zu Show-Bühnen werden.* Musik wird störend oft empfunden, weil stets sie mit Geräusch verbunden. So sagte es einst Wilhelm Busch (1832 - 1908). Da wünscht sich so mancher doch gleich das Bild des Tages zurück, auch wenn es politisch unkorrekt ist. In unseren dicht bebauten urbanen Siedlungen kann es durchaus vorkommen, dass eine spontane Jam-Session auf den Balkonen von allen Anwohnern als positives Erlebnis empfunden wird. Aber so etwas entsteht meistens aus der Situation heraus und lässt sich nicht beliebig reproduzieren. Unter ganz anderen Voraussetzungen kann es dann ganz schnell auch mal in die Hose gehen, auch wenn der Vorsatz durchaus positiv gemeint ist. Da gab es den Fall bei dem das gesamte Straßenviertel dazu eingeladen wurde, sich an drei Tagen in der Woche, nämlich donnerstags, samstags und sonntags jeweils um 18:00 Uhr auf den Balkonen zu versammeln, um das melancholisch-monoton-triste Abendlied von Matthias Claudius (*Der Mond ist aufgegangen*) zu intonieren. Aber in einer inhomogenen Wohnsiedlung mit großen Abständen von Balkon zu Balkon ist dieses Vorhaben von vornherein zum Scheitern verurteilt. Allein schon durch die Physik. Punkt eins, Zeitmessung. Wer bestimmt den Zeitpunkt des Beginns und was machen diejenigen, die keinen direkten Sichtkontakt zum Taktgeber haben. Von der endlichen Ausbreitungsgeschwindigkeit des Schalls einmal ganz zu schweigen.

*Du weißt, dass es eine Pandemie gibt, wenn ... von unserer Tintin nichts mehr zu hören ist.* Und das ist auch gut so. Es sieht wohl doch so aus, als hätte dieser Planet noch ein paar Probleme mehr als nur eine durch $CO_2$-verursachte Klimaerwärmung. Ich empfehle den Status in einem Internet-basierten Kurzmitteilungsdienst auf *COVID-19 – How dare you ...* zu setzen.

Wie in diesem Kapitel beschrieben sind mittlerweile die ersten Impfstoffe vorhanden und deren Produktion läuft auf vollen Touren. Das traditionelle Hase-Igel-Rennen zwischen dem Auftreten eines neuen Krankheitserregers und der Entwicklung eines wirksamen Impfschutzes hat damit ein vorläufiges Ende gefunden. Somit kann der Hoffnung auf ein baldiges Ende der Pandemie ein wenig mehr Platz eingeräumt werden.

Gedenken Sie mit mir für einen kurzen Moment all jeden Toten, deren Anzahl nur im Entstehungsverlaufes dieses Kapitels von 2.466.241 auf

2.631.694 weltweit angestiegen ist und nicht die Chance hatten, durch eine Impfung Heilung zu erfahren.

# Epilog

*Die Arbeit des Kritikers ist in vielerlei Hinsicht eine leichte, wir riskieren sehr wenig und erfreuen uns dennoch einer Überlegenheit gegenüber jenen, die ihr Werk und sich selbst unserem Urteil überantworten. Am dankbarsten sind negative Kritiken, da sie amüsant zu lesen und auch zu schreiben sind. Aber wir Kritiker müssen uns der bitteren Wahrheit stellen, dass im Großen und Ganzen betrachtet das gewöhnliche Durchschnittsprodukt wohl immer noch bedeutungsvoller ist als unsere Kritik, die es als solche bezeichnet. Doch es gibt auch Zeiten, in denen ein Kritiker tatsächlich etwas riskiert, wenn es um die Entdeckung und Verteidigung von Neuem geht. Die Welt reagiert oft ungnädig auf neue Talente, neue Kreationen, das Neue braucht Freunde!*

*Text des Restaurantkritikers aus Ratatouille*

*Pixar Animation Studios (2007)*

Besser als die oben aufgeführte Textstelle hätte ich es auch nicht formulieren können. Ich habe in diesem Buch allerhand Kritik geübt und bin zum Teil sehr hart mit meinen Mitmenschen und anderen Gegebenheiten ins Gericht gegangen. Nun, da das Buch fertiggestellt ist, von Ihnen liebe Leserinnen und Leser erworben wurde oder als Geschenk in Ihren Besitz gelangt ist und Sie es schließlich auch gelesen haben, stelle ich mich freudig Ihrer Kritik.

Es ist im Wesentlichen unerheblich, ob Sie mit mir immer einer Meinung waren, wenn Sie Freude am Lesen hatten und vielleicht an der einen oder anderen Stelle gar zum Nachdenken über die eigene Perspektive hinaus angeregt wurden, dann hat das Buch aus meiner Sicht seinen Zweck mehr als erfüllt.